アメリカ消滅

イスラエルと心中を選んだ史上最強の腐敗国家

増田悦佐
Etsusuke Masuda

ビジネス社

はじめに

イスラエル軍は日夜パレスチナ人に対するジェノサイド（人種抹殺）攻撃を続け、その残虐性をまるで立派なことのように自分から世界に吹聴している。

一度でも抑圧される側に立たされた人で、この暴虐に憤りを覚えない人はめったにいないだろう。だが、それでもなおアメリカは「イスラエル無条件全面擁護」の姿勢を崩さない。なぜだろうか。

この謎を、まだ欧米のアメリカ近現代史の専門家でも、ここに焦点を当てて論ずる人はいなかったと思われる視点から、解明しようと思う。

序章は、第二次世界大戦の終末期に前任者の死によって思いがけなく世界最大の権力を握るアメリカ大統領の地位に就いてしまった、小心な律儀者ハリー・トルーマンの肖像から説き起こす。

彼が前任の「偉大なる独裁者」を超える業績を残そうとして画策した、行政府＝大統領権限のさらなる肥大化を立法府＝議会に呑ませる代償として差し出したのが、ロビイング規制法という名の贈収賄奨励法だった。

第1章では、「アメリカがここまで落ちぶれたのは、いったいいつどんなことがあったからなのか」という問いに対するさまざまな答えの中で、いちばん人気がありそうな「1914年の連邦準備制度開設」との対比で、1946年の「ロビイング規制法制定」を検討する。

連邦準備制度の確立だけではまだここまで腐敗堕落する要因は整っていなかったし、米ドル金兌換停止から第一次オイルショックにいたる過程も、今世紀に入ってからの国際金融危機も、すでに鬱積《うっせき》していた膿《うみ》が噴出しただけだという結論に落ち着く。

第2章では、アメリカ連邦議会がカネのありあまっている巨大企業、有力産業団体、大富豪が自由自在に法律や制度を変えて、そうでなくても自分たちに有利な政治・経済・社会構造をもっと有利に変えていった経緯を解明する。

この利権構造定着への一本道で勝利者となったのは、一心同体の軍事産業とイスラエルロビー、医薬品産業と医療機関ロビー、そしてイスラエルという国だった。

第3章では、現代アメリカでも一般国民の多数派は、イスラエル軍によるガザ侵略について即時停戦を望んでいることを紹介する。それだけではなく、さまざまな分野でアメリカの一般国民の考え方は意外に健全だ。

だが、今や完全に政府と癒着《ゆちゃく》してしまった大手メディアは、強引に世論をねじ曲げ、民主党リベラル派は選挙のたびに「弱者の味方」を装いながら、この2者が協調してじつはもっとも悪質なイスラエル擁護派を形成しているのだ。

第4章では、「法のもとでの自由と平等」を謳《うた》うアメリカが政財官界にコネのない人たちを放置するだけの放置国家になっている現実を暴き出す。

この放置国家の実態を、国内では古都フィラデルフィアの惨状と、外交ではイスラエル政府・軍の無法行為に歯止めを掛けることさえできなくなったアメリカ連邦政府の無為無策ぶりから照らし出す。

第5章では、そのアメリカが第二次世界大戦直後から延々と国際人道法で禁止された生物兵器の開発にまい進してきた経緯を追跡する。

必ずしもコヴィッド-19がそうだと断定はできないが、米軍生物兵器研究所が開発した危険な病原体がすでに意図的に実用化されたか、あるいは漏出してしまった可能性はかなり高い。

第6章は、若く希望に満ちた新興国だった1803年のアメリカと、絶望的に暗い話ばかりの現代アメリカを対比する。

１８０３年に17番目の州としてアメリカに加わったオハイオ州のその名も東パレスチナという町は、２０２３年に起きた鉄道事故に関連して、人命や環境より自社の儲けを優先する鉄道会社による意図的な有害物質の散布によって今も苦しんでいる。

唯一の救いとも言えるのが、軍需産業経営者たちのすさまじい貪欲さによって、今やアメリカは**世界一高い軍備を擁しながら世界一軍事力の強い国ではなくなっている**という事実だ。

第7章では、アメリカが抱える諸問題の底流に黒々と横たわる人種差別の根深さを取り上げる。

この章の主役は、決してナチスドイツの公認イデオロギーとして死に絶えたわけではない優生学と、白人入植者たちが強引にインディアン部族国家同士の境界線に割りこんで築いた都市オクラホマ州タルサだ。

どうぞお楽しみいただきたいと言うにはあまりにも重く、暗く、救いのない話が続くが、どうか眼をそらさずに読み通していただきたいと心からお願いする。

はじめに——2

序章 アメリカはなぜここまでイスラエルに肩入れするのか

第1章 アメリカの命運が尽きたのはどの4年間？

第2章 ワイロ万能政治の勝者たち

第3章 大手メディアもワイロ万能政治の使いっ走り

第4章 法治国家から放置国家、そして無法国家へ

第5章 アメリカは国際人道法違反、生物兵器開発の常習犯

第6章 腐敗は芯から始まり、破綻は周縁からやってくる

第7章　欧米諸国に潜在する人種差別意識の深い闇

戦争はなぜ起きるか？

出所： ウェブサイト『The Burning Platform』、2022年11月14日のエントリーより引用

序章

アメリカはなぜここまでイスラエルに肩入れするのか

イスラエル軍によるガザ侵略戦争の真相

２０２４年2月25日の日曜日に、衝撃的な事件が起きた。

現役のアメリカ空軍軍人であるアーロン・ブシュネル氏が、ワシントンのイスラエル大使館前で全身をガソリンに浸したうえで火をつけ、その場に崩れ落ちる寸前まで声を励ましながら「パレスチナに自由を！」と叫び続けて絶命したのだ。

彼はこの挙に及ぶ直前に、フェイスブックへの最後の投稿で「これから私が取る行動はかなり過激な抗議と思われるかもしれない。しかし、ガザでパレスチナ人が毎日さらされている侵略、暴行、虐殺に比べれば、まったく過激ではない」と述べていた。

アメリカ政府や大手マスコミは「精神に異常をきたした人間の奇行」で片付けようとしている。しかし、イスラエルの政府と軍によるパレスチナ人ジェノサイドを全面支援しているアメリカ政府や米軍に従って生き続けることはできないと、明晰な判断力を持って決意したうえでの行動だったことは明白だ。

本書では、何が彼にこれほど苦痛に満ちた死を選ばせたのか、その真相に迫ろうと思う。

２０２３年10月7日、パレスチナのガザ地区から出撃したハマスの戦闘部隊が、意外なほどやすやすとイスラエルとの国境を超え、大多数が民間人のイスラエル人約1200人を殺害し、数百人を人質としてガザに連行したと言われている。

ふだんは厳重な警備下に置かれているガザとイスラエルとの国境を、大勢のハマス戦闘員が小競り合いさえなく通り抜けたというのも不思議な話だった。

また、この日ハマスがおこなったもっとも卑劣で残虐な行為と言われるミュージックフェスティバル参加者たちに対する無差別殺人についても、ハマスによって殺された人数はごくわずかだったようだ。大部分はイスラエル軍が軍用ヘリ、アパッチから機銃掃射をしたために出た犠牲者だった疑いが徐々に強まっている。

イスラエル政府と軍は、国民全体に対してハンニバル指令と呼ばれる**「人質になるよりは死を選べ」**という方針を教えているが、自分で命を絶つ勇気のない人たちには自軍が殺してやってでもこの方針を守らせたというのが真相らしい。

もちろん、アパッチから機銃掃射でフェスティバル参加者まで殺してしまったのは、ハマスの戦闘員と間違えた誤射だったという声明は、ほとぼりが冷めた頃にコソッと出していたようだが。

多分に誘い水だった気配の濃厚な隙を見せて、ハマス戦闘部隊に暴れさせてからのイスラエル軍による「反撃」はすさまじいものだった。

全部でロンドンのヒースロー空港程度の広さしかないガザに、戦争のたびにイスラエル軍によって、あるいは戦争がなくてもイスラエルの軍や警察は常にユダヤ人に味方すると知っているイスラエルからの入植者に、代々住んでいた自分の家を奪われ追い出された約200万人あまりのパレスチナ人が住んでいた。

周囲を完全にイスラエル軍によって包囲されたこの狭い土地で、2024年2月末までで約3万人が命を奪われ、そのうち6割以上が抵抗するための武器も持たず、逃げ場もない女性や子どもたちだった。

2月初めには国際司法裁判所が「イスラエルはジェノサイドと疑うにたる行為をおこなっている。ただちに民間非戦闘員の殺傷をやめ、1ヵ月以内に改善状況を報告するように」と命じたのだ。ところが、イスラエルは逆に**国際司法裁判所も国連もアンチ・セミティズム**（反ユダヤ主義）集団だと、この決議を完全に無視した。

さらに、パレスチナの難民救済に当たってきた「国際連合パレスチナ難民救済事業機関（UNRWA）の職員12～13名が、10月7日のハマスによるイスラエル襲撃に加わっていたから、UNRWAの活動を停止させよ」と主張した。

たとえこの主張が事実だったとしても、約3万人もいるUNRWAの職員のうち0・1％に満たない人数がなんらかの犯罪に関与していたからといって、組織全体の活動を妨害する理由にはならない。

ところが、アメリカ政府は事実関係を確かめることもなく、UNRWAへの資金拠出を停止して、大勢のパレスチナ人の食糧確保をますます困難にさせ、意図的に飢餓状態を蔓延させるというイスラエルの暴挙に積極的に加担した。

カナダやイギリス、ドイツ、フランスが追随したのは、一皮剝《む》けばいまだに人種差別の激しい国々だから驚きはなかったが、日本の岸田内閣までが尻尾に付いていったのにはあきれ果てた。しかも、「UNRWA＝ハマスの牙城」説が、なんの根拠もなくイスラエル軍が言いふらしただけとわかった時点でEU諸国はUNRWAへの資金拠出を再開すると決めたのに、日本政府はまだその程度のことさえできていない。

もし世界中で北（先進諸国）と南（発展途上国）が本格的な敵対関係に入ったら、日本は絶対に北の一員とは見てもらえないし、UNRWAへの資金拠出停止のようなことをやっていれば南にも裏切り者と見られて、まさに**世界の孤児となる**だろう。

今や完全に滅びの段階に入ったかつての大帝国に「金魚の糞のようにくっついていれば安全」という発想自体が20～30年は古いのだが、どうやら日本政府にはその程度のことをわかっている人間がひとりもいないようだ。

イスラエル政府の要人たちも、軍の指揮官たちも「女性であれ、子どもであれ、ガザに罪のない人間などひとりもいない。生まれたばかりの赤ん坊までひとり残らず殺せ。社会インフラも生産インフラも破壊し尽くして、ガザを人間の住めない廃墟にせよ」と呼号している。

アメリカはなぜイスラエル無条件全面支援をやめない？

それでもなお、アメリカはイスラエル軍に巨額の資金援助を出しつづけ、米軍が採用している兵器、軍備のほとんどをイスラエル軍が要望すれば与え、「無条件全面支援」の姿勢を崩していない。

このままでは、「人命を尊重する」という最低限の倫理感を失っていない国々の大部分から、イスラエルだけではなくアメリカも嫌悪され、軽蔑される存在になるだろう。

いったいなぜアメリカは、ここまで深くイスラエル支援にコミットし続けるのだろうか。この謎を解くためには、第二次世界大戦が終結した直後の世界とアメリカの政治情勢までさかのぼる必要がある。

第二次世界大戦後、イギリスによる国際連盟からの委任統治が終わろうとしていた１９４６年の段階では、現在のパレスチナ・イスラエル両国の領土の中で94％は少なくとも数世紀という長い歳月パレスチナ人が住み続けてきた土地だった。

大戦前には占有土地面積でも人口でもたかだか5～6％だったユダヤ人は、戦争中はさみだれ的に、そして戦後はどっとヨーロッパ中からなだれ込んできた難民たちによって、パレスチナの総人口１９５万人中の60万人、約31％に膨れあがっていた。

しかし、翌1947年に発表された国連の決議は半分以上の57％をイスラエルに与え、残る43％だけをパレスチナ人の国土として残すという不公平きわまるものだった。

そこには、形式的には5つの常任理事国のうちの1国に過ぎないが、当時世界で唯一の核兵器保有国だったアメリカの意向が大きく反映していた。

なぜアメリカの意向が国連決議に大きな影響を与えたかといえば、第一にとにかく世界中でただ1国、**原子爆弾を実用化済みで怒らせると怖い国**だったからだ。

2大戦勝国のうち、ソ連（現ロシア）は戦闘員・非戦闘員とも戦争の犠牲となって亡くなった人の数も多く、原爆の開発もまだかなり実用化に時間がかかると見られ、アメリカの方針に正面から異議を唱える力はなかった。

また、第二次世界大戦に参戦した先進諸国の生産装置に大規模な損壊があって通常どおりの操業がむずかしい中で、アメリカの生産設備はほぼ無傷で残っていたので、兵士たちの復員とともに、豊富な製品を世界中に送り出すことができていた。

ようするに世界各国が「アメリカを怒らせて得になることは何もない」とアメリカには腫《は》れものに触れるような慎重な対応をする時期が、少なくともソ連による最初の核実験が成功した1949年まで続いていたのだ。

当時のアメリカ大統領は、だれだったか。

アメリカ史上最長の在任期間記録をさらに伸ばす4選目の1944年の大統領選に勝利したが、

１９４５年からの任期が始まってまもなく４月に病死したフランクリン・デラノ・ローズヴェルト（ＦＤＲ）のあとを受けて、副大統領だったハリー・トルーマンが就任していた。

ご注目いただきたいのは、贈収賄奨励法がトルーマンの署名で発効したのが１９４６年、その翌年にはもうトルーマンが「あまりひんぱんに来るから会わない」と宣言するほど当時のシオニストロビー、現在のイスラエルロビーは、この法律を利用することにかけて俊敏だったことだ。

ハリー・トルーマンが４選を目指すＦＤＲによって、副大統領候補に選ばれた理由はただひとつ。「どんなに自分の病状が悪化しても、自分が生きているかぎり**この男には自分を裏切る勇気はないだろう**」と見こんだ小心な律儀者だったからだ。

だが、トルーマンという小心な律儀者も、自分から政治家を志すくらいだから野心は持っていた。良くも悪くも「偉大な」という表現が似合うＦＤＲでさえできなかった、大きなことをやってやろうという野心だ。

小心者が残した「偉大な」業績

この小心者の大きな野心が、１発どころか２発の原子爆弾を日本に投下する作戦にゴー・サインを出させ、アメリカの政治経済を根本から狂わす法律に署名をさせ、米軍を数えきれないほど多くの宣戦布告なき武力介入に導き、そして地獄の果てまで付きあうしかないほど**緊密なイスラ**

エルとの腐れ縁を形成させたのだ。

ただ、1947年の国連決議の線引きをイスラエルに有利にしたのは、トルーマンではなかった。当時、トルーマンはシオニストの派遣したロビイストたちが余りにも足繁く大統領府のあちこちに顔を出すことにいらだって、「シオニスト集団が送りこんだロビイストには一切会わない」と宣言したほどだった。

この時点でイスラエルに有利な政策提言をして国連を動かすことができたのは、大統領側近としてはローズヴェルト官僚唯一の生き残りで、かなりの自由裁量権を与えられていたデイビッド・ナイルズあたりではなかっただろうか。彼の両親はロシア支配下のポーランドで生まれたユダヤ人だった。

彼の政策提言力の一例として米軍内の人種差別問題がある。第二次世界大戦直後までの米軍では、隠然たる人種差別がまかり通っていた。同じ兵舎で寝起きしていても、黒人兵の寝台と白人兵の寝台は必ず別々の部屋に置くといった慣行だ。米軍がこうした差別を撤廃して無差別で黒人兵と白人兵の寝台が混在するシステムにするようにと強力に進言したのは、デイビッド・ナイルズだった。

この政策変更がなければ、1948年の大統領選ではかなり多くの黒人票と進歩派白人の票が、共和党進歩派から立候補した対抗馬、トーマス・デューイーに流れていただろうと言われている。

選挙の洗礼を受けずに、副大統領だったからという理由で大統領に昇格した政治家は、最初の大統領選で格調の高いキャッチフレーズを掲げたがる。

1963年にジョン・F・ケネディの暗殺で昇格し、翌1964年の選挙戦で勝利した後、リンドン・ジョンソンが選挙戦中からの公約だった「偉大な社会」政策をぶち上げたのも、その典型と言えるだろう。

それに比べると、トルーマンが格調高いキャッチフレーズを選ぶための選択肢はかなり限定されていた。ロビイング規制法に名を借りた贈収賄奨励法は本書全体を貫くテーマだが、中身が中身だけにとうてい選挙向けの格調高いスローガンにはならない。

第二次世界大戦中は統合参謀本部に従属する機関だった戦略サービス局（OSS）を中央情報局（CIA）と改称するだけでなく大統領直属にして、議会の承認なしにどこにでも軍事介入できるようにすることも、あまり選挙でおおっぴらに言いふらしたくなる話題ではない。

世界で最初に、そして現在にいたるまで**ただひとり実戦での核兵器使用を許可した男**という経歴を英雄伝説に仕立て上げるのはどうか。

当人はこれが生涯自慢だったらしく、広島への第一弾投下直後に届いた良心的なキリスト教徒たちからの「もっと被害の少ない方法で日本を敗北に導く道はなかったのか」という手紙に、ちょうど長崎への第二弾投下が決まっていた日付で、こう返答していた。

この件について、私ほど心を痛めている人間はいないだろう。だが、私は日本軍によるまったく正当化できない真珠湾攻撃や捕虜にした米軍兵士の虐殺にはもっと心を痛めている。

彼らが理解する唯一のことばは、彼らへの爆撃だけのようだ。けだものと対峙するには、相手をけだものらしく扱ってやらなければならない。ほんとうに残念なことだが、それが真実なのだ。


どれほど多数の民間非戦闘員の命を奪うかにはまったく無頓着《むとんちゃく》に「相手が先にずるをしたのだから、その復讐のためなら何をしてもいい。ましてや相手が人間より劣る存在とあってはなおさらだ」という論理は、奇妙なほどひんぱんに反復して使われる。

先住民であるインディアンを女性や子どもまで皆殺しにした騎兵隊を英雄として崇《あが》めていた、植民地時代から西部開拓時代までのアメリカ国民の大半は心の底から同意する主張だろう。

また、現代イスラエル政府・軍を熱狂的に支持する大多数のイスラエル国民も、賛同すること間違いなしの議論に違いない。

だが、１９４０年代半ばのアメリカ国民の大半は、こうした偏見を公然とさらけ出すのは気が引ける程度には暴力信仰から脱却していた。

「原爆の父」と呼ばれるほど原子爆弾の研究開発で重要な役割を果たしたロバート・オッペンハイマーが広島・長崎の惨状を知ってからは、熱心に核兵器禁止運動をするようになったことも、その証拠と言っていいだろう。

生涯、原爆実戦使用を決断したことを誇りとしていたトルーマンは、オッペンハイマーを「あの泣き虫野郎」と罵倒していた。だが同時に、政治家として世評への気配りは心がけていて「世界中どこの国にでも原爆を落とします」というスローガンは大統領選向きではない程度のことはわかっていた。

近年、開拓時代の騎兵隊崇拝に逆戻りしてしまったように、パレスチナ民間人を一方的に虐殺するイスラエル軍を堂々と支持するアメリカ国民が増えているのは、やはり**亡国の兆し**としか言いようがないだろう。

さて、結局ハリー・トルーマンが格調高いキャッチフレーズとして「ユダヤ人の故郷となる国家創設への全面協力」を謳《うた》い上げたのは、決してナチスドイツの迫害を受けてきたことへの同情からでも、アメリカ国内でもかなり激しかったユダヤ人差別への反省からでもなかった。

寒村の村役場のようなアメリカ連邦政府大統領府

世界最大最強の軍事帝国の元首である大統領の政策決定が、いかに属人的な要因で決まるかを象徴するような話なのだ。

シオニスト集団が送りつけてくるロビイストたちには辟易《へきえき》していたトルーマンが「この男だけはチェックなしでいつでもオーバルオフィス（ホワイトハウスの大統領執務室）に出入りしていい」

と認めていたユダヤ人がいた。

ミズーリ州生まれのトルーマンが新米社会人として同州のカンサスシティで働きはじめた頃、市内の衣料品店の店員として知り合いになっていたエドワード・ジェイコブソンだった。

そしてトルーマンは、第一次世界大戦でヨーロッパ戦線に送り出される前に、オクラホマ州のロートンの兵舎に送りこまれたとき、同じ部隊に配属されていたジェイコブソンと再会した。ロートン兵舎の兵士食堂の運営者募集にふたりで応募したのだが、この小さな民営化プロジェクトに参加した兵士たちの大半が赤字経営で持ち出しになっていた中で、ふたりは投資してくれた戦友たちにかなり高額の配当を出したうえで自分たちにもきちんと利益を残すことができた。

第一次世界大戦が終わって郷里のカンサスシティに戻ったふたりは、小間物を扱う会社を立ち上げる。しかし1921年の短かったが深刻な不況で倒産し、その後1930年代大不況の頃まで延々と債務返済を続けることとなった。

長期間借金を返しつづけた誠実さを評価する向きもあるが、じつは自己破産制度を知らなかっただけだったという説もある。

棚からぼた餅《もち》でトルーマンが大統領になった頃、ジェイコブソンはアメリカ中めぐり歩くセールスマンをしていた。トルーマンは自分の代わりに全米各地の民情視察をしてくれる信頼できる友人として、ノーチェック・アポなしのジェイコブソンの立ち寄りを歓迎していた。

時代劇に出てくる名君気取りの殿様のような話だが、実際、第二次世界大戦直後のアメリカ大統領府というのは、コネさえあればそれだけ融通の利く組織だったし、その本質は今もほとんど変わっていない。

そのジェイコブソンが、もう大統領選も始まっていた1948年3月のある日、トルーマンにこう言った。

「あなたにもアンドリュー・ジャクソンという崇拝する英雄がいるように、私にもハイム・ヴァイツマンという崇拝する英雄がいる。ユダヤ人の祖国を創設するために頑張っている政治家だ。はるばる中東からあなたに会いに来ている。話だけでも聞いてやってくれないか」

で、親友からの懇請にほだされてヴァイツマンと会った。ヴァイツマンの前半生は「発酵工業の父」と呼ばれたほどの一流化学者で、後半生はユダヤ人の祖国創設のための政治家として活躍した熱弁に魅了されて、トルーマンはシオニストに転向してしまう。

1948年5月14日、アメリカは世界で初めてイスラエルを国家と承認して外交関係を樹立した国となる。

底流に流れる人種差別意識

原爆投下前後のトルーマンの日本人観はすでにご紹介したが、彼がアンドリュー・ジャクソンの崇拝者だったという事実は、さらにトルーマンの人種差別的人間観の根深さを教えてくれる。

第二国立銀行の免許期限延長を阻止して、アメリカの金融・財政が金融業界に乗っ取られてしまうことを防いだ大功績もあるジャクソンは歴代アメリカ大統領の中で、もっとも執拗かつ狂信的に「インディアンの強制移住と居留地への封じ込め」を唱え続けた人間でもあった。ハイム・ヴァイツマンも人種差別的な世界観ではアンドリュー・ジャクソンやハリー・トルーマンに引けを取らない。彼はイスラエル建国と同時に初代大統領になった。イスラエルの大統領と首相の関係は、名目上の元首と実際上の元首と見られがちだ。

また、化学者時代には精悍《せいかん》そのものだったヴァイツマンの風貌《ふうぼう》は、政治家に転じてからは朴訥《ぼくとつ》な気のいいおじいちゃんという顔になっていた。

そこで、犯罪容疑者から自供を引き出すふたりの刑事に当てはめれば、初代首相のダビド・ベン＝グリオンががみがみ怒鳴りつけて威嚇《いかく》するコワモテ刑事なら、ヴァイツマンは「おい、かつ丼を取ってやれよ」と言う温情型刑事に見える。

しかし、まだユダヤ人が欧米中で差別と偏見にさらされていた頃から、ヴァイツマンは一貫して差別されつづける植民地の先住民と連帯しようなどという気はさらさらない。あくまでも宗主国のヨーロッパ白人の視点から世界を眺めていた。

「インドではイギリス政府インド庁の役人が地元のヒンズー教徒やイスラム教徒をきびしくしつけてきたから、彼らもおとなしく白人のご主人様のいうことを聞く。だが、中東ではオスマントルコによる支配を転覆する政策に協力させるために、現地のアラブ人を甘やかしている。だから、れればダメだ」

彼らは図に乗ってご主人様にすぐ反抗する。やっぱりこういう下等な人種はきびしくしつけなければダメだ」

というわけで、トルーマンとヴァイツマンが意気投合したのは、**強烈な人種差別意識を共有**していたからだろう。

こうして「欧米各地で偏見と迫害にさらされ、第二次世界大戦中はナチスドイツによって民族絶滅の危機に瀕《ひん》し、周囲をアラブ系イスラム教徒の大群に囲まれながらも、自力でイスラエルという新しい国の建国に成功した」という、いかにもアメリカ人好みの神話が流布するようになる。

当時はまだ全米各地でかなり露骨なユダヤ人差別もおこなわれていたから、共和党のデューイ候補との進歩派票の争奪戦にも使えるということで「ユダヤ人の祖国イスラエル建国とその防衛に協力を惜しまない民主党トルーマン候補」は、格調高いスローガンになった。

実際には、まだ軍事力も警察力も持たないパレスチナ人の集落を襲撃して「土地をよこせ。資産をよこせ。命が惜しければとっとと消え失せろ」と言うシオニスト居直り強盗集団が、欧米各地とくに贈収賄が合法化されたアメリカで獲得した資金と兵器を活用して、強奪した領土に建てられた国だったのだが。

アメリカ国民の大半は、21世紀も4分の1が過ぎようとしている現在にいたるまで、アメリカ以外の世界各国にほとんど興味を持っていない。そのときどきで、国内情勢を有利に進めるために**都合のいい「物語」を切り取ってきて反復利用**するだけだ。

その初期設定で「イスラエル＝正義の味方」、「アラブ・イスラム諸国＝悪玉」という刷りこみがおこなわれたことについては、やはり人種差別的な世界観が大いに影響していると見るべきだろう。

欧米各地でユダヤ人を差別、迫害してきた前歴への贖罪《しょくざい》の念もあり、つい最近ナチスドイツによって絶滅の危機に立たされたことへの同情もありで、少なくとも進歩的、開明的なアメリカ知識人のあいだで、ユダヤ人は白人に昇格されていた。

一方アラブ系イスラム教徒が多数派を占める国々は、肌の色からして浅黒く、白人とは骨格や顔立ちがかなり違う。

イスラム教徒が絶対的な多数派でも、イランなどは国号がアーリア人の国（エーラーン）に由来するように、明らかにインド・ヨーロッパ語族の中核をなすアーリア系白人の国だ。そのへんはイスラム教徒だという厳然たる事実に比べれば、無視しても差し支えない副次的要因なのだろう。

国連がいかに権威のある機関だろうと突然自国の領土を半分以下と決められて、すなおに従う国はないだろう。パレスチナは当然この決議を拒否して、もっと公平な分割案が出るのを待っていた。

だが、その間にもまだイスラエルという国を建てる前のユダヤ人武装シオニスト集団がパレスチナ中で、パレスチナ人の土地や財産を奪い、抵抗した人間は殺傷する無法行為をくり返し、どんどん国連決議以上に広い地域を実効支配に置いていった。

そして2位以下の諸国に圧倒的な差を付けて国防予算世界一の座に君臨するアメリカは、一貫してイスラエルに最大の経済・軍事援助を続けてきた。こうして、そろそろ80年に及ぼうとするイスラエル軍の暴虐、パレスチナ人の受難の歴史が展開されてきた。

第1章

アメリカの命運が尽きたのはどの4年間？

どの4年間が命取り？

アメリカの命運が尽きた4年間というと、皆さんはどんな時期を想像されるだろうか。

1913年12月に法案は通過したけれども、発足したのは1914年だったアメリカの中央銀行である連邦準備制度の誕生から、反戦大統領として2期目の選挙戦を勝ち抜いたウッドロー・ウィルソン大統領が対独宣戦布告に踏み切る1917年までだろうか。

第一次世界大戦直後の1921年に起きた短かったけれども深刻な不況を脱却してから、急激な株価と地価の上昇を謳歌していたアメリカで、1929年の大恐慌から自動車生産台数が年間400万台レベルから100万台レベルまで落ちこんでやっと底を打った1932年までが分岐点だったのだろうか。

藪《やぶ》から棒に「米ドルの金兌換《だかん》停止」を発表した1971年から、ニクソン訪中、原油価格急騰と続き、弾劾裁判を目前に控えたニクソン大統領が辞任を発表した1974年までだろうか。

現在、現役で活躍していらっしゃる人たちが切実な生活体験から実感するいちばんの分岐点は2006～09年の4年間かもしれない。

サブプライムローンの大盤振る舞いで無理やり低所得層にまで家を持たせたツケが、住宅ローンの延滞となって現われ始めたのは2006年のことだった。

大きすぎて潰せないというご都合主義的な「強者救済、弱者切り捨て」の論理が銀行業界だけではなく、保険会社や自動車会社にまで適用されたのが２００８年。

そして前年に連邦政府から１７００億ドルという巨額の救済資金を受け取りながら、ＡＩＧが役員・職員に合計１億６５００万ドルのボーナスを払うと発表して、アメリカ国民を唖然《あぜん》とさせたのが、２００９年だった。

そのあいだの２００７～08年にはベア・スターンズやリーマン・ブラザーズをはじめとして大小さまざまな金融機関が破綻するとともに、ＡＩＧやＧＭのように潰れて当然の企業が、政府の救済を受けて図々しく生き延びていた。

私は上に列挙した４つの選択肢のどれでもなく別の４年間だと考えているが、自分の見方を説明させていただく前に、**「連邦準備制度諸悪の根源説」**から検討してみよう。

「連邦準備制度設立が諸悪の根源」説は信奉者が多いが

アメリカで3度目の中央銀行制度が確立された１９１４～17年は、どんな時代だったのだろうか。

アメリカで中央銀行が設立されたのは過去3回にわたり、１７９１～１８１１年の第一合州国銀行、１８１６～36年の第二合州国銀行、そして１９１３年に連邦議会で設立決議は出ていたが、開業は1914年となった連邦準備制度だ。

ここで**「合州国」**という日本ではあまり使われない表現を使ったことには、意味がある。アメリカ建国から間もない頃には、州が独立国で連邦政府は独立国同士の緩やかな連合体に過ぎないという勢力と、連邦政府自体が主権国家だという勢力が鋭く敵対していた。

どちらかと言えば「州＝独立国」派のほうが優勢で、アメリカ全土を対象に中央銀行を創設するなどという連邦主権国家的な政策提言は、各州の銀行行政における自治権を尊重するという妥協なしにはできなかった。

だからこそ、「アメリカという独立国全体のためではなく、各州の連合体のための中央銀行」という建前が必要不可欠だった。

20世紀初め頃までアメリカでは、中央銀行を設立しようという試みがなかなか成功しない時代が続いた。そのため各州の銀行行政がてんでんばらばらという先進国としては、珍しい金融制度が続いていた。

中央銀行不在期間の中でもとくに1837～63年は、カナダに対する「愛国」戦争（1837～38年）に始まり、アメリカ史上最大の内戦となった南北戦争（1861～65年）が激烈な消耗戦《しょうもうせん》となるにいたった時期で、戦費の調達法について中央銀行がないことの不便さが切実に実感された時期だった。

それでもなおアメリカ国民のあいだでは金融寡頭政《かとうせい》支配への警戒心のほうが強く、何をもって紙幣の価値を裏付けするかについて金本位制と金銀複本位制との激しい論争はあったものの、中央銀行設立気運はあまり盛り上がらなかった。

ウィスコンシン州のように「そもそもカネを貸して金利を取る商売自体が非倫理的だ」というイスラム教にも似た信念から銀行業そのものの存在を許さない州もあれば、「我が州には銀行は一行だけあればいい」という州もあった。おまけに一定の証拠金さえ積めば自由に銀行を開設して紙幣の発券業務もおこなえる州もあるので、統一性は皆無だった。

それでいて当時のアメリカ経済が混乱を極め、成長が抑制されていたかと言うと、そんなことはなく高成長が続いていた。各州それぞれで銀行のあり方がまったく違うことは、あまり経済成長の制約になっていなかったのだ。

世界中どこの国にも「金融市場が一握りの大手銀行に牛耳《ぎゅうじ》られてはいけない」と考える人はいた。しかし民間大手銀行だけではなく、国有あるいは国の認可を得て発券業務をおこなう中央銀行まで警戒されていたのは、アメリカだけかもしれない。

アメリカでは一般大衆のみならず各産業の大手企業の中にも民間の大手銀行が強大になることとともに、銀行を監督する中央銀行の権限が大きくなることを恐れる人たちが多かった。

のちに、あらゆる産業分野を監督すべき官庁がワイロによって各業界の大手企業に手なずけられて、まったく監督権限を発揮できなくなるばかりか、不正行為に加担するようになることを当時から予見していたのかもしれない。

19世紀末と言うと「金ぴか時代」と呼ばれることもあるほど、さまざまな分野でカルテルやトラストが業界全体を支配していた時期なのだが、じつは当時形成されていたのは産業資材から重厚長大製造業のトラストばかりで、金融トラストは登場していなかった。

1913年に連邦議会で連邦準備制度というかたちでの中央銀行設立を決議したときにも、全米の金融行政を統括する金融政策をおこなう単一銀行としてではなく、全米を12の地域に分けてそれぞれの地域にひとつずつ連邦準備銀行を置くことになっていた。

そして、連邦レベルでの金融政策は合議制で執行することにして、アメリカ国民の多くが共有する中央銀行アレルギーを回避するなどの小手先の工夫をこらして、なんとか設立にこぎつけたというのが実情だった。

こうした金融寡頭政への極端な警戒心にも配慮し、州法銀行時代からの伝統にも影響されて、1927年には「銀行は本店所在州以外に支店を出してはいけない」とするマクファデン法も制定されていた。

こうした警戒心の強さも貢献していたのだろうが、連邦準備制度設立がもたらしたと言われることの多い2大災厄は、じつは第二次世界大戦後に発生した弊害だと明らかになっている。

2大災厄とは、万年インフレでドルの価値が低下しつづけることと、ひんぱんに金融バブルが生じ、そのために多くの個人投資家が破綻する一方で大手金融機関は国の支援を受けて生き残ることだ。

慢性インフレについて言えば、たしかに現在の１ドルの価値は、連邦準備制度が発足した当時に比べるとわずか3セント分に過ぎない。

だが、ドルの価値が下り坂だけの一方通行になったのは第二次世界大戦終結後のことで、１９３０年代大不況期に２ケタのデフレが３年連続した時期もあった、この３年間に限ればドルの価値は30～40％上がっていた。

連邦準備制度が招いたとされているもうひとつの災厄、金融危機の頻発にいたっては、本格化したのは１９９０年代後半以降と、さらに遅い。

ふり返ってみれば、１９９７～98年の東アジア通貨危機・ロシアソブリン危機に始まって、２０００～02年のハイテクバブル崩壊、２００７～09年のアメリカ国内のサブプライムローン・バブル崩壊と国際金融危機、２０１１～13年のユーロ圏ソブリン危機、２０２０～21年のコロナ騒動、そして２０２２年暮れから翌年春にかけて勃発したアメリカ銀行危機と、１９９０年代後半以降**４～５年に一度は必ず金融危機が起きている**。

その最大の理由を、すでに20世紀初頭に設立されていたアメリカの中央銀行、連邦準備制度の金融行政にあると見るのは、むしろ中央銀行の政策が金融市場に及ぼす影響を過大評価することになるだろう。

アメリカ国民のあいだでは金融業界の寡占化に対する警戒心が非常に強く、そのため全国に支店網を張りめぐらせた大手銀行が誕生するのが１９９０年代半ばまで引き延ばされていた。

現在にいたってもアメリカの銀行業界には、2位ロシアの327行の12倍以上の4200行を超える銀行が存在する。つまりアメリカは、意外にも世界一銀行業界の寡占化が遅れた状態にとどまっている国なのだ。

つまり、アメリカ国民の銀行巨大化や中央銀行の権限拡大を警戒する心情は、第二次世界大戦が終わる頃までかなり効果的に金融部門の肥大化を抑制する役に立っていたと見ていい。

ここで残る3つの選択肢を飛ばして、私がアメリカの命運が尽きた4年間とは、どの4年間と見ているかをご紹介しておきたい。それは1946〜49年の4年間なのだ。

棚ボタ大統領ハリー・トルーマンの野心

第二次世界大戦の終戦直後の1946年に制定された「ロビイング規制法」という名の贈収賄奨励法は、それまで巨大化への道をさまざまなかたちで封じられていた銀行業界に巨大銀行が生まれ、金融だけでなく経済一般を牛耳るチャンスをも生んでしまった。

アメリカの政治・経済・社会がここまで落ちぶれるきっかけをつくった主な出来事は、民生部門がほぼ無傷で残った唯一の先進国として、アメリカに復興特需による一層の繁栄が期待されていた1946〜49年の4年間に起きていた。

とくに1946年は、あとからふり返れば異常とも思える法律が施行された年だった。この年

トルーマンの「偉大な大統領」妄想と行政権の肥大化阻止を狙う連邦議会が奇妙な法律を量産した1946年

ロビイング規制法という名の**贈収賄合法化法**を可決

——政治家がカネの力で動くことを禁ずるのは不可能なので、**連邦議会に登録し四半期ごとに収支を開示するロビイストを通じた献金は認め**、それ以外は非合法とすることになった

——殺人を根絶するのは無理だから、**殺しのライセンスを持ったプロに依頼するカネのある大富豪だけが合法的に殺人をできる**ようにしようと言うのと同じ

1946年雇用法によって、**雇用の安定**と**インフレの抑制**を**連邦政府の責任で達成**すると宣言

——雇用の安定もインフレの抑制も**政府が法律や規制で達成できることではない**が、双方を同時に達成するとなると不可能の二乗

立法府再組織化法で議会の**調査権限**や**調査担当職員数の拡大**を志向

——独断専行化がひどかった晩年のローズヴェルトへの警戒心が大きな政府化を助長してしまった

原子力エネルギー法で平和利用の可能性も不明なまま、**原子力は**軍ではなく**民間が管理**すると決定

にアメリカ連邦議会を通過し、大統領が署名した重要法案を並べると、上の表のとおりとなっている。

「ロビイング規制法」という名の贈収賄合法化法が制定されたことの意味は途方もなく大きい。1946年という年がアメリカにとってどんな年だったのか、ふり返ってみよう。

慣例を破って4期も大統領の座に居座りつづけたフランクリン・デラノ・ローズヴェルト（FDR）が、前年の4月に第二次世界大戦の終結を目前にして病死する。

後継者は「自分がどんなに衰弱しても生きているかぎり、にらみつけてやれば従順に言うことを聞きつづけるだろう」という理由でFDRが副大統領候補に選んだ小心なイエスマン、ハリー・トルーマンだった。

柄にもなく大統領にのし上がってしまったトル

ーマンの胸中に去来していたのは、いったいどんな思いだっただろうか。

まず、FDRが独断専行で推進した行政府の肥大化は最低でも守り抜きたいし、できればさらに推進して「FDRでさえできなかったことをやった偉大な大統領」と呼ばれたい。

もう一方で、自分にFDRのカリスマ性がないことは承知しているので上下院の議員たちにもアメ玉をしゃぶらせて、行政府に対する立法府の抵抗はなるべく小さく抑えたい。

さらに経済については、当人には返しきれないほどの債務を抱えて自営業を廃業して地方政治家に転じた人らしく、企業利益は大きければ大きいほど経済全体もうまく回るし、国民も豊かになるという信念で企業利益最優先の経済政策を志向する。

たとえば1946年の雇用法は、できるはずのない政府による雇用安定とインフレの抑制のために大量の経済学者を官僚として抱えこんだ。経済の安定という立法の趣旨には反するが、行政府のさらなる肥大化には大いに貢献した。

そして立法府再組織化法は、立法府にも調査・研究の専門職官僚を激増させてやる法律だった。こうして、大統領府と連邦議会に同じような問題を同じように調査・研究する専門職官僚がぞろぞろいながら、政策貢献度はゼロに近い状態が定着した。

原子力の平和利用などいったいどういうものになるのか、想像さえつかなかった頃に原子力エ

これが非合法で、これは合法的？

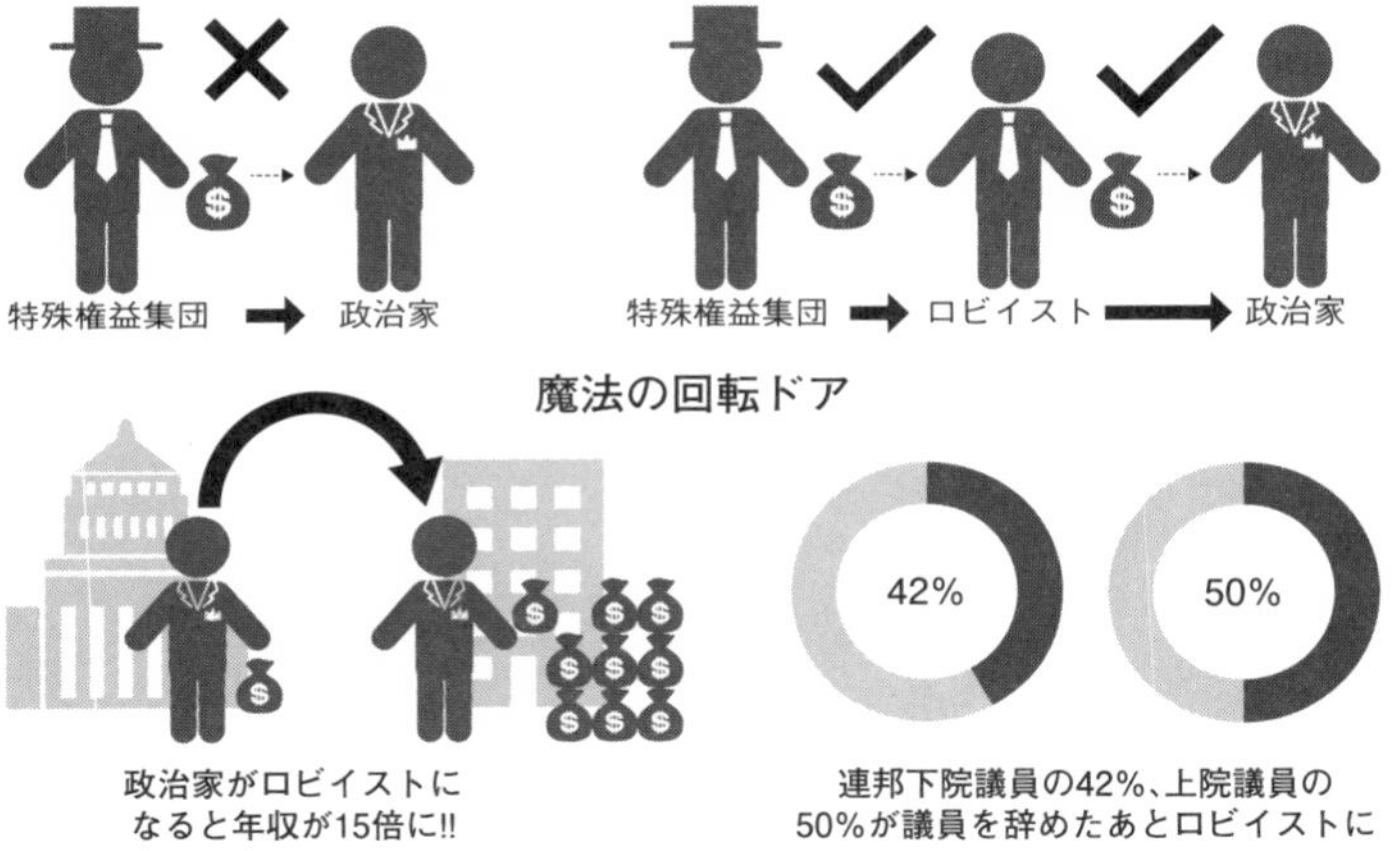

出所：ウェブサイト『Represent Us』、「Is Lobbying Good or Bad?」、2023年©のエントリーより引用

ネルギーは民間で管理する方針を打ち出した。

これも当時の予測としては、当分アメリカが独占するであろう核兵器の維持管理などを民間に任せれば大儲けする企業が登場するかもしれないという期待があったからだろう。

なんと言っても重要度最大の項目が、ロビイング規制法という名の贈収賄奨励法だ。だが、ウィキペディアを見ると、この法律は１９４６年に議会を通過した重要法案の中に入っていない。

「連邦議会と大統領府は本気でロビイングを規制しようとしたけれども効果がなく、その後もロビイングは増殖しつづけた。だからこれは失敗法案なので、重要法案とは見なせない」という解釈なのだと思う。

しかし、すなおに中身を検討すれば、これがロビイングを規制する法案だったという読み方はできるはずがない。

企業や業界団体といった特殊権益集団が直接議員にカネを渡して、自分たちに有利な法律や制度をつくらせようとすると、犯罪になる。しかし、あいだに連邦議会に登録して四半期ごとに財政報告をするロビイストをはさめば、合法的にカネを議員に渡すことができるという趣旨の法律なのだ。

どう読んでも、大企業や有力産業の業界団体が議員にカネを渡して自分たちに有利な法律や制度をつくらせる理不尽な事態が、正当で合法的な政治活動としてまかり通ることを狙っていたとしか思えない法案だ。

またロビイストがいかにおいしい職業かも、前ページ図表を見れば一目瞭然だ。ただ、議員がロビイストになれば年収が15倍になるというのは、かなり誇張した表現だ。

たしかに日本流に言えば、歳費に当たる議員年俸の15倍ぐらいの収入にはなるだろう。しかし、連邦議会議員ともなれば年俸の数倍から数十倍の献金を、企業や業界団体からロビイストを通じて受け取っている。有力議員にはかなわないが、平均的な議員よりは報酬が増える程度というのが適切な表現だろう。

やはり注目すべき第二次世界大戦直後のアメリカ社会の変貌

結局のところ、贈収賄奨励法は第二次世界大戦後のアメリカを効率向上による利益拡大を追求する国家から、**レントシーカー**（法律制度などを自分たちに都合のいい方向に変えさせることで利益拡大を目指す）国家に変えてしまった。

有力産業の寡占企業はまじめに自社の生産性を高めるより、自社に都合のいい法律や制度を議員や官僚につくらせることによる増益を志向するようになった。そのほうがずっと楽に利益拡大を図れるからだ。

また贈収賄奨励法は、アメリカを常時臨戦体制の「**永続戦争国家**」に変貌させてしまった。

この悪法制定が提供するチャンスにいちばん敏感に反応したのが、パレスチナ人が平和に定住していた土地に力づくで押し入って、まだ存在さえしていない国家の領土を拡大するために、武器と軍資金を必要としていたシオニスト（のちのイスラエル）ロビーと、戦時から平時への転換による収益激減を何としてでも食い止めようとした軍需産業ロビーである。両者の利害はほぼ完全に一致していた。

シオニスト集団はほとんど何の地盤もないところに強引に侵入して「自国」の領土としようというのだから、兵器や軍資金はいくらでも欲しい。

当時のロスチャイルド家総帥《そうすい》は、堂々とシオニスト同盟有力幹部であることを公言していた第二代ロスチャイルド男爵ウォルターから、はるかに陰険で切れ者の第三代ロスチャイルド男爵ヴィクターに代わっていた。

彼は「自分はシオニストではない」と主張していたので、少なくとも尻尾《しっぽ》をつかまれるようなかたちでシオニストたちに資金援助をしてはいなかっただろう。だが男爵の爵位継承者として当然、貴族院議員にもなっていた彼は、生涯でたった2回しか英国国会で発言していない。そのうちの1回が、1946年にパレスチナ情勢について語った次のような「証言」だった。

私はここに居並ぶ同輩貴族のお歴々に、ユダヤ人たちが過去にさまざまな迫害や虐殺に遭ってきた可哀想な人たちだから、同情してくれといった情緒的なお願いをしようとは思わない。だが、ご想像いただきたい。平和でのどかな日常生活をしているユダヤ人家族の住まいを、ある日突然武装したパレスチナ人集団が襲撃し、土地を奪い、資産を奪い、抵抗すれば命さえも奪われるのだ……。

「英国貴族院議会議事録」1946年の項より

その後、延々と語られてきたシオニスト集団・イスラエル軍擁護論の**みごとなひな型**が、まさにここにある。つまり、たしかに現実に起きていたことだが、被害者と加害者のあいだで主客が

アメリカ政府支出の対GDPシェア推移：1929〜2017年

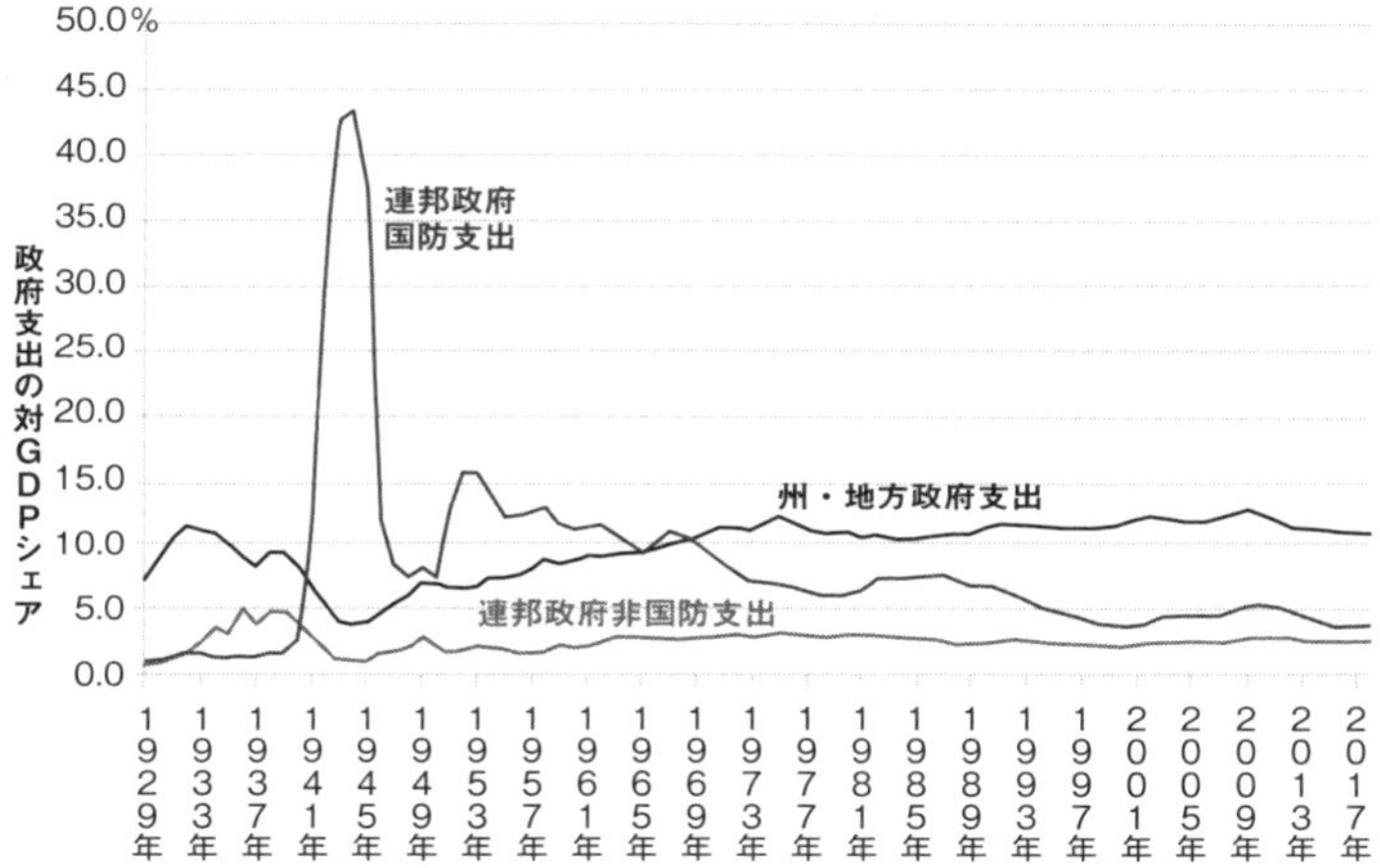

原資料：米連邦政府商務省経済分析局、セントルイス連邦準備銀行調査部
出所：Ferderal Reserve Bank of St. Louis、『On the Economy Blog』、2020年2月4日のエントリーより引用

転倒されて、ユダヤ人入植者は被害者、パレスチナ人先住民は加害者となっているのだ。

さすがに第二次大戦中に英国軍首脳に請われてＭＩ６の前身であるＭＩ５で諜報活動の主力を担っていただけのことはある。育ちのいい大財閥の御曹司というだけではなかったのだ。

生まれたてのシオニスト（のちのイスラエル）ロビーにタネ銭を供給していたのは、ほぼ間違いなくロスチャイルド家歴代当主の中でもとくに優れた策謀家だったヴィクター・ロスチャイルドだろう。

軍需産業はもっと切実にロビイングの必要性を感じていた。上のグラフで見るように、第二次世界大戦中のピークにはＧＤＰの45％近くを占めていた連邦政府の国防支出が、戦前の２％前後に激減してしまったら、業容縮

アメリカの命運を決したのは、1946〜49年に米国政府が選んだ中東などで意図的に戦争の火種を残す方針

1946年：のちの**韓国**と**北朝鮮**がそれぞれ**独立国家指向を高める**
国民党政権**南京に遷都**、**中国共産党**は国府軍への**自衛戦争**を提唱
アメリカ大統領府パレスチナの**ユダヤ人国家独立**を支持し、**軍事援助を開始**

1947年：大統領直属の**中央情報局**（**CIA**）設立
国連決議により、**パレスチナの57％がユダヤ人国家領**とされる
朝鮮半島問題を解決するための**米ソ共同委員会**が**決裂**
中共中央、**全国的反攻**を呼びかけ

1948年：米軍が史上初めて平時の徴兵制を施行
シオニストによる**パレスチナ人虐殺**が続く中、英委任統治最終日に
ユダヤ人国家イスラエルが独立を宣言し、**第一次中東戦争**勃発
大韓民国、**朝鮮民主主義人民共和国**それぞれ**独立**を宣言
人民解放軍、淮海戦役で**国府軍を破る**

1949年：イスラエル・エジプトが停戦し、**イスラエル**の**国連加盟**承認される
人民解放軍、主要都市を次々に陥落させて**中華人民共和国**が成立
国民党政権が台北に遷都し、**台湾省1省のみの政権**に
金日成を委員長とする**朝鮮労働党結成**

小どころでは済まず倒産企業が続出するかもしれない。そこであらゆるチャンスを捉えて「まだ戦時は続いている。国防費を縮小し過ぎてはならない」というロビイング活動をする。

もちろん、国共内戦の激化や朝鮮戦争の勃発にも大いに助けられたが、１９５０年にはＧＤＰの７・５％まで落ちこんだ国防支出は、１９５２〜53年には15％台まで回復していた。

その軍需産業にとって心配のタネだったのが、中国情勢は本土が共産党政権、台湾省だけが国民党政権、そして朝鮮半島は結局朝鮮戦争勃発前からの北緯38度線を休戦ラインとして、落ち着いてしまったことだった。１９５０年代半ばには、火種は残っているけれども活発に兵器を消費してくれる状態ではなくなっていたのだ。かんたんな年表で整理しておくと、上の表のとおりだ。

時代・地域別アメリカの軍事介入回数：1776〜2017年

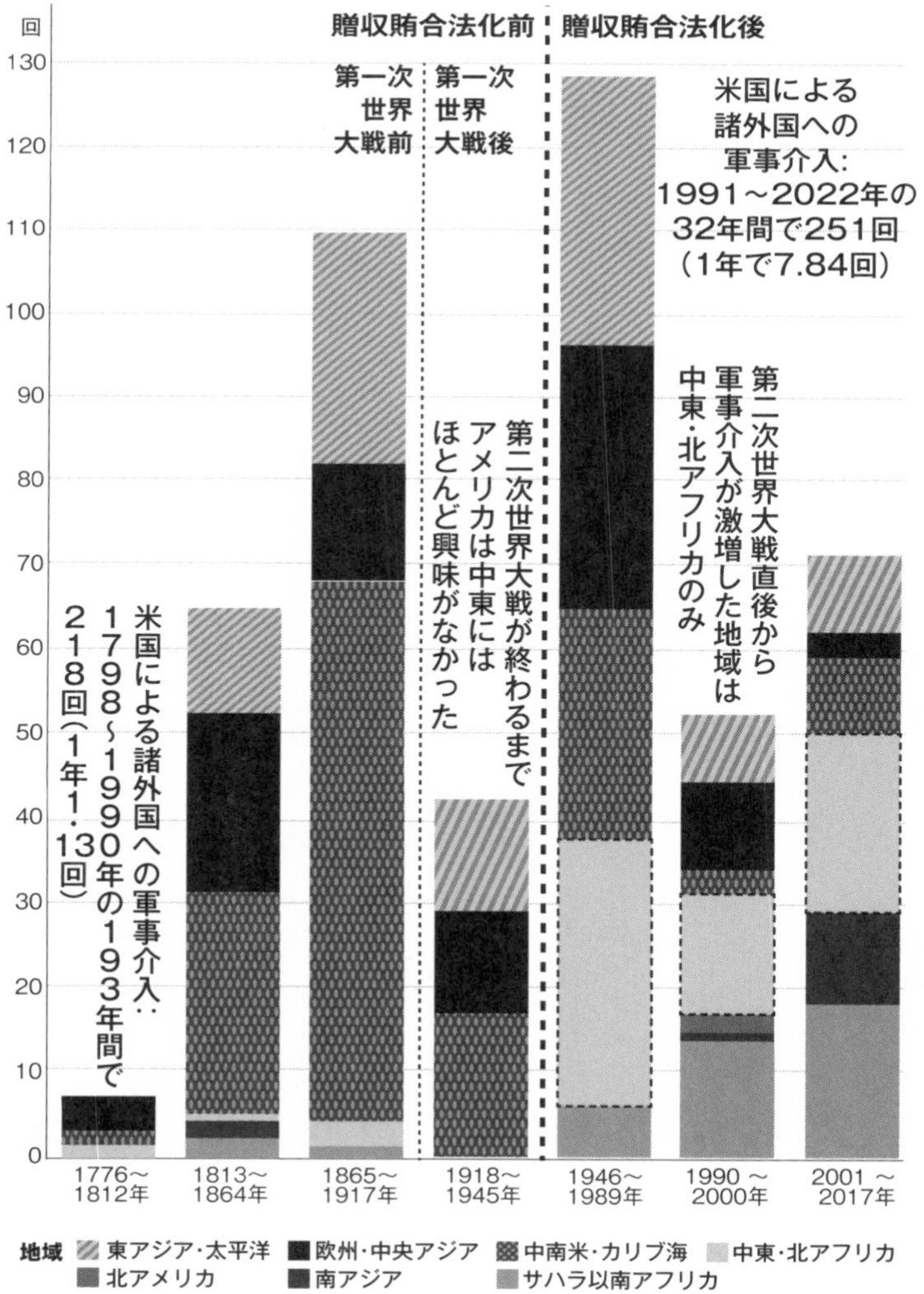

原資料：タフツ大学「軍事介入問題研究プロジェクト」
出所：ウェブサイト『MR Online』、2023年9月16日のエントリーより引用

戦前はほとんど無関心だった中東に、常に戦争の火種を抱え続けている「国家」が誕生してくれれば、中東は高成長の見こめるマーケットに変貌する。

第一次大戦末期から第二次大戦終結までの期間はゼロだった中東への軍事介入が1946～89年には激増していた（前ページのグラフ参照）。

ちょうど第二次世界大戦をはさんだ20年ほどのあいだに、アラビア半島がいかに豊富な原油埋蔵量を持っているかがわかってきたのだから、どうせアメリカは中東への介入を強めていたに違いないという反論もあるかもしれない。

だが、もしイスラエルという乱暴きわまる闖入者《ちんにゅうしゃ》がいなかったら、中東周辺の軍事・外交情勢はどうなっていただろう。何次にもわたる中東戦争がくり返されただろうか。中東全域がはるかに戦争や武力紛争の少ない地域になっていたに違いない。

産油国の大部分は、本音を言えば世界最大の石油消費国であるアメリカと仲良くしたい。たまに自国でほとんど原油を採掘できない国が産油国の油田を奪おうとすることくらいはあるかもしれないが、イラクによるクウェート占領のようにかんたんに追い返されるだろう。

イスラエルがパレスチナ人の領土に強引に割りこんで、武力を使って国連決議をはるかに上回る領土を占領しつづけているのは、アメリカの軍需産業にとって**すばらしいビジネスチャンスを創出してくれている**ということだ。アメリカの軍需産業がイスラエルを熱烈に支援するのは当然だという気がする。

一心同体のイスラエル＝軍需産業ロビーは、その後延々とイスラエルへの経済・軍事援助の最大化にまい進するようになった。

そして、ついに世界の世論に背を向け、非武装で抵抗のすべを持たないパレスチナ人の女性や子どもを片っ端から虐殺するイスラエル政府と、政治・外交・社会・文化、そして何より倫理観において**心中する**ところまで追いこまれている。

１９４７年には戦略サービス局を中央情報局に改組

贈収賄奨励法制定の翌年である１９４７年には第二次世界大戦のさ中にあくまでも戦時体制の一貫として統合参謀本部の下に設立された戦略サービス局（Office of Strategic Services、ＯＳＳ）を衣替えして、大統領直属の中央情報局（Central Intelligence Agency、ＣＩＡ）とすることも可決された。

ＯＳＳは敵国軍だけではなく同盟国軍の動向についても情報収集をし、それとともに敵国内での攪乱《かくらん》・破壊工作、そして政府転覆を狙った組織への支援や扇動も任務としていた。平和になっても、こちらの任務も引き継いでいた。

しかも、戦時中のＯＳＳがあくまでも三軍統合本部の下部組織となっていたのと対照的に大統領直属となった。このためＣＩＡ長官は大統領の了承さえ取り付ければ、諸外国の政府に対する

そして翌1947年にはCIA創設

出所：DeepBlueCrypto、2024年2月10日のX（旧Twitter）より引用

攪乱・破壊工作だけではなく、政府転覆工作までできてしまうことになった。

上の風刺漫画では、ＣＩＡが徐々に大統領の意向に背《そむ》いてでも諸外国に対する転覆工作や軍事介入の口実をつくるためのさまざまな行動をとるようになり、大統領の手に負えなくなってきたことが表現されている。

たしかにそういう面もあるが、この制度変更でいちばん貧乏くじを引いたのは左上１コマ目の背景に描かれている連邦議会だった。

２度にわたる世界大戦が起きた頃のアメリカでは、この大戦に参戦すべきかどうかで議会で活発な議論が起きていたのだが、第二次世界大戦が終わってからは、議会はＣＩＡが路線を引き、大統領がおこなった決断を事後承諾するだけの機関になり果てている。

参戦は、本来連邦議会上下両院の決議を経て

第二次世界大戦終結以降のアメリカによる軍事介入

大部分は議会の承認も宣戦布告もない爆撃、破壊工作、政権転覆の試み

中国	1945～46年
シリア	1949年
朝鮮半島	1950～53年
中国	1950～53年
イラン	1953年
グアテマラ	1954年
チベット	1955～70年代
インドネシア	1958年
キューバ	1959年
コンゴ民主主義共和国	1960～65年
ドミニカ共和国	1961年
ベトナム	1961～73年
ブラジル	1964年
英領ギアナ	1964年
コンゴ共和国	1964年
グアテマラ	1964年
ラオス	1964～73年
ドミニカ共和国	1965～66年
インドネシア	1965年
ペルー	1965年
ギリシャ	1967年
グアテマラ	1967～69年
カンボジア	1969～70年
チリ	1970～73年
アルゼンチン	1976年
アンゴラ	1976～92年
トルコ	1980年
ポーランド	1980～81年
エルサルバドル	1981～92年
ニカラグア	1981～90年
カンボジア	1980～95年
レバノン	1982～84年
グレナダ	1983～84年
リビア	1986年
イラン	1987～88年
リビア	1989年
フィリピン	1989年
パナマ	1989～90年
ハイチ	1991年
イラク	1991年
クウェート	1991年
ソマリア	1992～94年
イラク	1992～96年
ボスニア	1995年
イラク	1998年
スーダン	1998年
アフガニスタン	1998年
ユーゴスラビア	1999年
アフガニスタン	2001年
イラク	2002～03年
イエメン	2002～20年
ハイチ	2004年
ソマリア	2006～07年
イラン	2005年～現在
ホンジュラス	2009年
リビア	2011年
シリア	2011年～現在
ウクライナ	2014年＊
ブラジル	2016年
ボリビア	2019年
ベネズエラ	2019年
ガイアナ	2020年
イラク	2020年
ソマリア	2020年
アフガニスタン	2020年

＊歴然とした証拠が公表済のウクライナのマイダン・クーデターへの関与はオリジナルには記載されていない。

原資料：redfishは2023年2月22日をもって活動を終了した左翼系の情報サイトだが、第二次世界大戦後のアメリカが上に挙げたとおりの軍事介入をしてきたのは事実だ。

出所：Shakil、2024年1月20日のX（旧Twitter）より引用

からでなければできないはずの立法府の大権のひとつだ。

その意味では、直前の1946年に贈収賄奨励法が制定されたのは、大幅に立法権が侵害されることへの不満をなだめるためにロビイストを通じた**巨額献金というアメ玉**をしゃぶらせておいたという可能性が非常に高いと思う。

大統領のOKさえ出れば他国政府への軍事力の供与まで含む干渉ができることになってからのアメリカによる諸外国への軍事介入は、すさまじい勢いで増加した。

前ページ表の白ヌキ文字になっているのが、中東・北アフリカ諸国への軍事介入だ。1970年代までは意外に少なかったが、もちろんそれはパレスチナの国土にあとから割りこんで強引に領土を拡大していったイスラエルという無法国家への経済・軍事両面における援助にとどまっていて、アメリカ軍による直接の軍事行動ではないからだ。

また、2014年のウクライナでのマイダンクーデターについても、CIAの工作員が直接軍事行動の指揮を執っていたという証言もいろいろ出ている。ところがCIAの職員は軍人兵士ではないという形式論理で、この表からは除外されているようだ。

それはともかく、このアメリカが軍事介入を実行した相手国の長いリストにはあまりにもわかりやすくさらけ出されているので、かえって見逃しがちな「ある事実」にお気づきだろうか。

そう。西欧、北欧の諸国は一度としてアメリカ軍の介入を招いていなかったのだ。ヨーロッパ大陸に位置し、冷戦時にいわゆる自由主義陣営に属していた国々のうち、一度でもアメリカの軍

マイク・ポンペオ「CIA長官の任務は陸軍士官学校のモットーと正反対」と暴露

元CIA長官
「ウソをつき、
ずるをし、盗んだ」

現在アメリカがさまざまな
問題を抱えている理由を
考えると……
ウエストポイント（陸軍士官学校）
に行って最初に
教えこまれるモットーは
「ウソをつくな、ずるを
するな、盗むな。まわりに
そんな奴がいたら許すな」
ってことだった。

で、CIA長官になって
何をしたか？　ウソをつき、
ずるをし、盗んだんだ。
（爆笑）
悪党になるための一貫
教育コースを受講した
ようなものさ。
（拍手喝采）
アメリカが世界でやってのけた偉大
な実験の
思い出のよすがだね。
（大爆笑）

出所：YouTube映像『The Grayzone（https://youtu.be/DPt-zXn05ac）』より引用

事介入を招いたことがあるのは、地理的には南欧というより東欧と言うべき場所にあるギリシャ１国だけだった。

西欧や北欧では賢い人たちが国を率いていたから、アメリカという軍事大国を怒らせるような危険を注意深く避けていたからだとお思いだろうか。

まったく違う。１９６０年代から70年代にかけて、フランスのドゴール政権がせっせとドル札を集めては、アメリカの連邦準備制度に金との交換を要求していた頃、アメリカ政府はかんかんに怒っていた。

だが、フランスを爆撃するとか、ドゴール暗殺指令を出すとかは考えてみることさえしなかっただろう。少なくとも20世紀以降のアメリカは、一度としてヨーロッパ白人が人口の過半数を占めている国に宣戦布告なしの軍事介入をしかけたことがなかった。

あるいは第二次世界大戦中のドイツ系やイタリア系の移民と日系移民との処遇の差を思い出していただきたい。ドイツ系、イタリア系移民の自由が束縛されることはまったくなかったのに、日系移民は全員収容所に入れられていた。

２０１６年の大統領選で当選した第１期トランプ政権でＣＩＡ長官を務めたマイク・ポンペオは陸軍士官学校を優等で卒業した軍人だったが、軍隊とＣＩＡのカルチャーの差を前ページのように語っていた。

ようするに軍隊は「ウソをつくな。ずるをするな。盗むな」という常識的な倫理観が浸透している世界だけれども、ＣＩＡはスパイ活動が主な任務なので「ウソをつき、ずるをし、盗みもやらなければ務まらない汚い世界だった」と述懐しているわけだ。

「ウソをつき、ずるをし、盗む」程度の表現では、どれくらい汚いのかイメージがつかめないので、そこをもう少し具体的に探っていこう。

カネで動く連邦議会議員に群がるイスラエル・軍需産業ロビー

アメリカ連邦議会は経済エリート（カネで政治家を動かせる連中）が自分たちの思いどおりに支配している場所になってしまった。間の悪いことに、アメリカの金権社会化が準備万端整ったところで、アメリカは第二次世界大戦後最初の世界情勢激動期を迎えた。

この**立法権乱用のチャンス**を最初に生かしたのが、イスラエル建国を狙っていた過激派シオニストたちと、終戦で需要が激減することを恐れていた軍需産業だった。

つい最近までアメリカ政府の公式文書には「アメリカはイスラエルに対する経済・軍事両面にわたる支援を1946年から続けてきた」と堂々と書いてあった。

国連決議を受けてイスラエルが建国されたのは1948年だったから、タイムマシンでも使ってイスラエル国が出現する2年前から支援していたのかと疑いたくなる記述だった。

ごく最近「これでは、現在のイスラエルを建国したシオニストたちがまだ暗殺や押しこみ強盗をやっている正真正銘のテロリスト集団だった頃から彼らに武器を与えていたことになってしまうからまずい」と指摘があったのだろう。

現在はアメリカ連邦政府の公式文書では「イスラエルに対する軍事援助だけは1951年から始めた」と書いてある。

それはともかく1946年から始まったアメリカの海外援助で2023年9月末までの累計総額トップは、次ページの表でわかるようにイスラエルだった。

だが、イスラエル建国以前から現地に根付いていたパレスチナ人を暴力的に追い出して居座るシオニスト集団の行動を、アメリカ政府が支援していたのは事実なのだ。

オーストリア＝ハンガリー帝国によるセルビアに対する宣戦布告で第一次世界大戦が勃発する

アメリカの海外援助受領額トップ10ヵ国 1946～2019年

億ドル

イスラエル	2439	韓国	848
エジプト	1438	イギリス	782
アルゼンチン	1343	インド	729
（南）ベトナム	1289	トルコ	716
イラク	854	フランス	699

アメリカからイスラエルへの援助総額1590億ドル：1946年～2023年9月

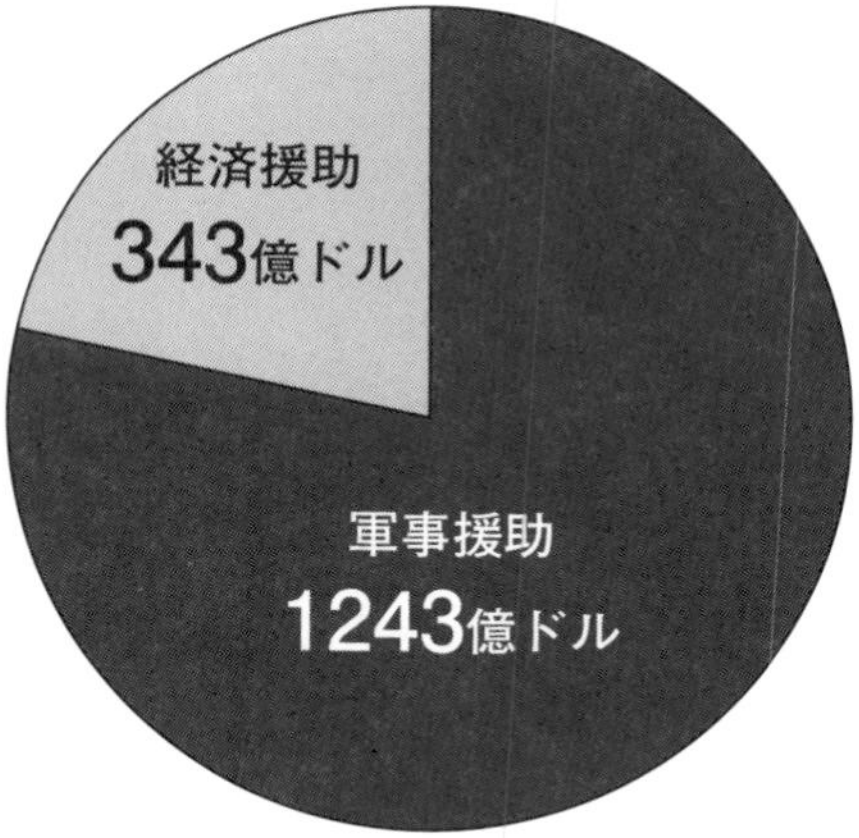

注：上の表の金額は2019年価格で実質化してある。
原資料：USA ファクツ、米連邦議会調査局のデータをスティーブン・セルマーが作図
出所：（上）ウェブ版『US News &World Report』、2021年5月24日、（下）『Jacobin』、2023年10月12日のエントリーより引用

第一次世界大戦中から第二次世界大戦直後までの中東・パレスチナ情勢

1915年：イギリスの高等弁務官マクマホン、オスマントルコからの**アラブ人国家独立支援を約束する**書簡をシャリーフ・フセイン・アリに送る
——三枚舌外交の一枚目、パレスチナはアラブ系諸民族の自治に委ねると示唆

1916年：サイクス・ピコ秘密条約締結により**中東を英仏露**3ヵ国で**分け合う**ことを約束
——三枚舌の二枚目、パレスチナは列強による国際管理下に置かれると想定

1917年：英バルフォア外相、ユダヤ系金融資本家一族当主でシオニスト活動家のロスチャイルドに**ユダヤ人の「民族的郷土」建設への賛意**表明
——三枚舌の三枚目、まったく歴史的根拠のない押し込み強盗を支援すると約束

1922年：その無責任外交の張本人**イギリスに国際連盟がパレスチナの委任統治を依頼**
——英調査でパレスチナ人67万人、ベドウィン人7万人、ユダヤ人6万人だった

1947年：イギリスは委任統治を放棄し、**国連は**アメリカの圧力のもと、それまで**パレスチナの約6％**を占有していた**ユダヤ系の領土を57％に**拡大

と、英仏伊露を中心とする協商国側諸国は、大半がオスマントルコ帝国の領土内だった中東で、トルコからの独立を目指す勢力の支援に躍起になる。

その一例が、上の略年表にまとめたとおりの**イギリスによる悪名高い三枚舌外交**だった。アラブ人にはパレスチナの独立を認め、フランス・ロシアとは旧オスマントルコ領の分割を密約していた。

おまけに世界最大級の金融資本家一族の当主であると同時に、シオニスト運動の指導者でもあったウォルター・ロスチャイルド卿には「ユダヤ人の民族的郷土」の設立を支援するとも外務大臣の書簡で約束していたのだ。

ここで注目しておきたいのは、第二次世界大戦勃発の前と後でイギリスのスタンスが大きく変わっていることだ。

第二次世界大戦前のイギリスは、アメリカに対して独自性を保った西欧諸国の盟主としての外交を志向していた。このため第一次世界大戦中という非常時に連発してしまった空手形の後始末についても、それなりに良心的な対応を考えていた印象がある。

だからこそ、1922年のパレスチナ住民調査では「パレスチナ人67万人、ベドウィン人7万人に対してユダヤ人は6万人しかいないので、ユダヤ人国家の創設などは無理に決まっている」という結果を正直に発表していたわけだ。

ところが、第二次世界大戦後のイギリスは、自国があっちこっちに愛想を振りまいてつくりだした混乱を収拾する意図さえ完全に喪失していた。結局は、アジア・太平洋戦線で**衰えゆく老大国**としての実情を再認識させられたからだろう。

第一次世界大戦後に創設された国際連盟が国際連合に改組されたのを絶好の機会と見てパレスチナの委任統治を放棄して、アメリカ主導の「パレスチナにユダヤ人国家をつくる」動きに全面的に乗っかってしまったのだ。

アメリカが日本軍による真珠湾攻撃で甚大な被害を出したのは、宣戦布告前の「卑怯な奇襲」だったからという言い訳ができるが、難攻不落と豪語していたシンガポールが陥落したのは相互に宣戦布告をしたあとのことだった。

この時点でイギリスは、第二次世界大戦後の国際情勢に関してアメリカにべったりしがみ付いていくしかないと、覚悟を決めていたのだろう。

１９３０年代大不況はふつうのバブルの後始末で済むはずだった

ここで１９３０年代大不況はなぜ起きたかに話を戻すとともに、１９２９～32年の４年間はアメリカの命運が尽きるほど深刻な危機ではなかったことを明らかにしておこう。

１９２８年の夏、当時の最先端産業、自動車製造でガリバー型寡占《かせん》の地位に就いたばかりのゼネラル・モーターズ（ＧＭ）の社長、アルフレッド・スローンはフロリダの別荘地の地価が急落し、地場の不動産業者が捨て値で叩き売りしているのを見た。そして、肥大化した金融資産が圧縮されるとともに、かなり深い景気サイクルの底が３～５年のうちにやって来ると確信した。

この深い景気の底でも自社が赤字決算に陥らないためには、どの程度の減産が必要かを計算した。その結果１９２９～32年の４年間にわたって、１９２８年には年産４００万台に達していたＧＭの生産台数を、１９３２年には年産１００万台まで下げる方針を打ち出した。

当時の最先端産業の最大手企業がこれだけ大胆な減産計画を打ち出せば、上流、下流とも影響は甚大だ。１９３２年のアメリカ製造業全体の設備投資額は、１９２８年に比べて約10％に縮小していた。10％減ではなく、90％減だ。

ただ、１９２０年代の大半で続いたバブル景気による金融資産の肥大化は、この４年間でほぼ一掃されている。ＧＭの生産台数が拡大に転ずるとともに、景気も底打ち反転の気配を見せていた。

昨今はインフレでなければ大儲けはむずかしい金融業界大手の宣伝が行き届いているため、**デフレは悪いことばかり**と思いこんでいる人が多い。だが、世の中にはかなり安定した収入はあるが、その収入が増える見こみはあまりないという境遇の人も相当な数で存在している。

そういう人たちにとって、２ケタのデフレが数年続くというのは、毎年２ケタの収入増があるのと同じことだ。１９３０年代大不況は暗い話ばかりに終始していたわけではない。

ところが、１９３２年の大統領選で勝利し、翌１９３３年に就任したフランクリン・Ｄ・ローズヴェルト大統領は、中途半端にケインズ政策を導入しては、また比較的自由放任に近い政策に戻すなどと財政・金融政策で混迷をきわめた。１９３２年を底に回復しかけていた景気をまた下降方向にねじ曲げてしまった。

とくに問題なのが、ふつうの景況であれば閑職としか思えないような事業に膨大な人員と資金を投入したことだ。しかもそうした仕事が永続するように公社や公庫などの公共機関や官民連携の事業主体をつくってしまった。

ケインズ自身は不況期の赤字財政による債務累積は、好況期に健全な財政黒字を確保して、借り換えなしの国債償還などによって均衡化できると主張していた。ところが、役所にポストまでつくって閑職への「就業」を奨励しつづければ、いつまで経っても財政は均衡化しない。

さらに本来は需要が存在する分野で働くべき人や産業資材が、勤労者に賃金給与を出すことさえできれば需要がなくても持続する閑職に吸い取られっぱなしで、需要のある分野に回らなくなる。

こうした錯誤の連続で、本来１９３４年頃までに回復していたはずの30年代大不況は１９３７年を二番底として、結局戦時経済が本格化する１９４１年頃まで続いてしまった。

公共部門や半官半民の閑職奨励組織が延々と続いていたとすれば、アメリカ経済に深刻な障害を残したかもしれない。幸いテネシー川流域開発公社（ＴＶＡ）などのごく少数の例外をのぞいて、ニューディールによって誕生した組織の大部分はその後解散あるいは消滅した。その意味でも１９２９～32年の４年間はアメリカ経済にとって致命傷となっていない。

国際情勢の激変に右往左往した１９７１～74年

１９７１～74年の４年間も、アメリカの命運が尽きるほど大きな変化があった転換期の有力候補と言えるだろう。

第二次世界大戦終結から１９７０年までと１９７１年以降では、労働生産性の伸び率がほぼ半減するほど大きな生産性低下が起きていた。さらに勤労者の賃金給与は、半減した生産性上昇率ほども伸びなくなり、１９７０～90年代にかけてほぼ横ばいにとどまっていた。

この４年間は、とくに国際情勢での変化が大きかった。まず１９７１年に、フランスからの執拗な米ドル札の金地金への兌換要求に音を上げたニクソン大統領（当時）が、突然「米ドルの金兌換停止」を宣言した。

米ドルが世界の基軸通貨として貿易や資本取引でひんぱんに使われていたのは、世界中の通貨の中で米ドルだけが要求次第で金1トロイオンス当たり35ドルという価格で金と交換できる要因も大きかった。

米ドル以外の通貨は、それぞれ米ドル1ドルが自国通貨でいくらにあたるかの為替レートを固定して、間接的に金の裏付けのある通貨ということになっていたからだ。

しかし、国際貿易・資本取引における米ドルの地位は、ほとんど金兌換停止によって低下しなかった。ちょうどこの年、アメリカの貿易収支が赤字化し、アメリカは国際貿易で赤字の分を貿易相手国に米ドルを支払うかたちで決済していたので、貿易総額に占める米ドルのシェアはむしろ突出度を高めたからだ。

翌1972年にはニクソンの中国電撃訪問と、米中国交回復があった。また5月に日本赤軍によるイスラエルの空港での銃乱射事件があり、9月には開催中のミュンヘンオリンピック選手村でパレスチナ・ゲリラがイスラエル選手団を人質に取るという事件も起きていた。

さらに1973年には、米軍の南ベトナム撤退完了、イランによる石油施設の国有化、第四次中東戦争勃発、OPEC諸国によるイスラエル支援国に対する原油輸出禁止と価格引き上げ宣言（第一次オイルショック）と世界情勢が激変する。この中で、ニクソン大統領はウォーターゲート事件によって辞任は時間の問題というところまで追いこまれていた。

１９７４年には原油の禁輸は解かれたが、原油価格はそれまでのバレル当り2～3ドルから10ドル台に乗せ、ほぼ３００％の値上がりとなった。７月にアメリカ下院司法委員会がニクソン弾劾訴追勧告を出し、翌８月にはニクソン大統領が辞任した。

たしかに国際情勢は激変し、なかにはアメリカ経済にとって深刻なマイナス要因となる変化もあった。その典型がガソリン価格の高騰で、クルマなしには日常生活での移動にも差し支えが出てくるアメリカでは、経済活動停滞の原因となった。

だが、これまで湯水のようにガソリンを使っていたアメリカにとって、エネルギー資源の節約によって経済効率化を図る余地は大きかったのだ。それなのにアメリカは結局、このチャンスを生かせず、じりじり経済成長率が低下するのを放置していた。

もともとアメリカよりはるかにエネルギー効率が高い経済を運営していた日本が、１９７４年単年で見ると戦後初のＧＤＰマイナス成長を記録しながら、その後さらに省エネ度を高めて、１９７５年以降順調な高成長軌道に復帰したのとは対照的だった。

つまり政治・外交情勢の激変は、アメリカ経済が陥っていた慢性疾患を白日のもとにさらしただけであって、この時期にアメリカ経済が劇的に悪化したわけではなかった。

金融危機続発を招いた寡占化した大手銀行による投機の蔓延

ロビイング規制法成立からちょうど10年後の1956年には、持株会社を通じて銀行が複数の州に支店を持つことを禁ずる「銀行持株会社法」という法律が制定された。これは多くの州に支店を出すことを禁じられた大手銀行が、持株会社という裏口を使って多くの州に支店網を築くのを封じるための法律だった。まだこの頃までは、カネの力で買収されてしまった議員ばかりではなかったようだ。

しかし、ロビイング規制法成立の約50年後の1994年に制定され、1997年からフルに施行された州際銀行支店効率化法によって、とうとう大手銀行資本が自由に多数の州に支店網を構築できるようになってしまった。

当時の監督官庁は「そもそも銀行が1州の中にしか支店網を持てないという制約が時代遅れで不自然なものだから、この規制緩和によって銀行業界全体の効率性が増す」というスタンスをとっていた。

だが実際は、多くの州に支店を持つことができなくても、大手行と中堅以下の銀行のあいだの経営規模格差はかなり大きくなっていた。1991年末のアメリカに存在していた銀行の数と、資本の統合度から見ると以下のとおりだった。

複数行を支配する持株会社傘下の銀行は行数で31％だが、総資産では銀行業界全体の76％を持ち、銀行1行だけを持つ持株会社が運営する銀行が行数で42％、総資産の19％を占める一方、持株会社化していない単一行は行数では27％あったが、総資産の６％しか持っていなかった。

セントルイス連邦準備銀行のホームページにも掲載された『州の境界を超えて――アメリカ銀行業界の新たな夜明け』という論文のタイトルからも「この改革は画期的で銀行業の効率化に貢献するすばらしい規制緩和政策だ」という意気込みが読み取れる。

だが、こうした規制緩和が社会全体にとって有益なものとなるためには、あらゆる業界で大手企業が監督官庁を抱きこんで自分たちに有利な法律や制度をつくらせているロビイング規制法のような悪法をまず廃棄しておくことが必要だった。

その点がおろそかにされたため、州際銀行支店効率化法制定後のアメリカ銀行業界は、まさに強大な大都市の大手行が、地方の中小銀行を吸収合併する草刈り場となってしまった。

贈収賄奨励法が撤回されないまま弱肉強食の買収・合併が増えたため、１９８０年代後半から90年代初めの貯蓄貸付組合危機が収まったあとは下げ止まっていたアメリカに存在する銀行の数がふたたび急ピッチの減少に転じた。

中堅以下の銀行を吸収してますます資金力が強まった大手行は、明らかに従来より積極的にリスクの大きな資金運用をするようになっていた。

大手銀行は「たっぷりワイロを貢いでやった政府は、絶対に自分たちを潰せるわけがない」と確信して危険な投機に資金を注ぎこんでいた。一方、中堅以下の銀行は、生き延びるために本業の与信（＝融資）でリスクの大きな融資をせざるを得ない状況に追いこまれていた。

2011年に全米経済研究所が刊行した『ロビイングと金融危機』と題したレポートは、1999〜2006年の8年間で全産業のロビイングが20％台の伸びにとどまる中、金融業界によるロビイングは30％を超える伸びを示したことを指摘していた。

そして、この間に住宅ローン総額の勤労年収に対する倍率は1・9倍から2・3倍に上がって危険な水準に達していた。銀行業界は住宅ローンを証券化して投資家に売り捌《さば》くことを容易にする法律制度改正の恩恵を受けて、借り手が破綻しても被害を小さく抑えられるようにしていたことも、このレポートは指摘していた。

そこで、5年に一度は起きるようになった金融危機の中でも最大の影響を世界経済に与えた2006〜09年の国際金融危機こそアメリカの命運を決めた4年間だったのか、考えてみよう。

第二次世界大戦後最大の金融危機となった2006〜09年はどうか？

1994年から州境を超えた銀行の合併統合が解禁され、1999年から商業銀行業務と投資銀行業務の兼営禁止が解除された。**金融危機頻発の原因**は、このことによって5大銀行とそれ以下の銀行とのあいだの格差が急速に広がったことではないだろうか。

その結果、５大銀行は軍産複合体や医薬複合体が第二次世界大戦後ずっと続けてきたように、贈収賄奨励法を活用して監督官庁を丸めこんでやりたい放題。どんなに巨額の損失を出しても国に救済されて**焼け太り**という状態になってしまった。

贈収賄奨励法が施行されからのアメリカでは、物価上昇率がマイナス、つまりデフレになることが皆無に近く、慢性的にインフレの続く経済状態になっている。

第二次世界大戦前は、一定期間インフレが続くと必ず揺り戻しが来て、デフレになっていた。その結果ドルの価値も一方的に下がりっぱなしではなく、インフレ期間で下がったドルの価値が、デフレ期間で回復するサイクルになっていた。

ところが自己資本の数倍の借金ができる寡占企業、あるいは十数倍から数十倍の借金ができる金融業者にとって、巨額の資金を借り続けているだけで自動的に元利返済負担をインフレ分だけ踏み倒すことのできる**インフレの慢性化した経済**は、願ってもない好環境だ。

逆に時おりでもデフレが来る環境、とくに１９３０年代大不況時のように2ケタのデフレが３年も続くことがあると、金融機関も「巨額の借金をしても、長いあいだ借り続けていれば必ずインフレによって元利返済負担は減る」と安閑としてはいられなくなる。

デフレはインフレと正反対に名目では同じ金額の資産の実質価値が上がる現象なので、借金の負担はどんどん目減りするのではなく、どんどん重くなってしまうからだ。

戦争や積極財政の莫大な費用をまかなうために膨大な金額の国債を発行しがちな国もまた、

延々とインフレが続く金融環境なら安心して莫大な金額の国債を発行するが、ときにはデフレにもなる金融環境なら、国債増発にも慎重になる。

こうした産業界、金融業界、そして国家に共通して利益をもたらすインフレは、連邦準備制度設立以来、一貫して**国策として推進**されてきたという印象を持っている人が多い。

実際に、毎年のインフレ率は低くてもインフレが延々と続くことによって、現在の1ドルの価値は19世紀最後の年、西暦1900年の1ドルと比べてわずか3セントに下落したというほど、庶民にとって暮らしにくい世の中になっている。

だがインフレ率のデータを調べてみると、デフレの年がほぼ皆無になり、毎年少しずつでもインフレが続くようになったのは、連邦準備制度設立直後のことでもなければ、1990年代に入ってからのことでもない。第二次世界大戦が終結した1940年代半ば以降のことなのだ。

これはやはり、中央銀行の金融政策だけで慢性的なインフレ状態を維持することはできず、有力産業の寡占企業や金融業界から送りこまれたロビイストを通じて、議会がインフレ持続政策を追求してきたからこそ実現したと見るべきではないか。

アメリカ国民がほぼ2世紀にわたって警戒していた金融寡頭政がついに実現してしまった20世紀末からの11年間（1999～2009年）は、1930年代大不況時（1929～39年）の1・2%に次いで低い、1・9%という成長率にとどまった。

これだけでも、金融業界の大企業が寡占性を強めることが、経済成長にとっていかに大きなマイナス要因かわかる。

なお「この期間には２０００〜02年のハイテクバブル崩壊と２００７〜09年の国際金融危機が入っているから、異常に低成長になっていただけだろう」との反論があるかもしれない。金融業界が寡占性を強めたことがふたつの金融危機と無関係だとすれば、そう考えることもできるだろう。

だが、ベア・スターンズやリーマン・ブラザーズばかりかウォール街の大企業のほとんどが危険なギャンブルに手を出して「勝てば儲けはオレのもの。負ければ損は政府が埋めてくれる」という態度だったことを考えれば、これを偶然の一致と見るのは不自然だろう。

また、もし１９９９〜２００９年のふたつの金融危機は金融業界の寡占化の進展と無関係に起きた「偶発事故」だったとすれば、２００９〜19年の11年間の平均実質ＧＤＰ成長率は、１９９９〜２００９年の成長率に比べて大幅に回復していたはずではないだろうか？

実際には２００９〜19年の11年間の平均実質ＧＤＰ成長率は２・０％で、１９９９〜２００９年の平均成長率よりわずか０・１パーセンテージポイント上昇しただけだった。

それなのに、２００９〜19年の金融業界は大盛況だった。どうしてそんなことが可能になったかと言うと、労働分配率（ＧＤＰの中の勤労者の取り分）を減らして、資本（資産家）の取り分を増やしつづけたからだ。

つまり低成長のもとで金融市場が活況を呈するのは、低成長で金融市場も低迷するより資産を持たない庶民にとっては悪いことなのだ。

また、国際金融危機を通じて顕著なのは、新しい問題が出現したというより長年にわたってじわじわ膨らみつづけていた膿《うみ》がついに出口を探し当てて噴出したという印象が強い。

金融派生商品についても、銀行が融資を証券化してリスクを投資家に押し付けることについても、サブプライムローンのように低格付けが当然な金融商品が、あちこちから寄せ集めて、切ったり貼り合わせたりすれば高格付けになることも、すべて危険性は昔から指摘されつづけていたことだ。

第2章

ワイロ万能政治の勝者たち

たるみきった軍需産業各社の服務規律

２０２２年のロシア軍によるウクライナ侵攻、そして２０２３年のイスラエル軍によるガザ侵略という大ニュースの陰に隠れてしまった感が強いが、コロナ騒動に明け暮れた２０２０〜21年はアメリカ社会が抱えていた病巣がさまざまなかたちで一挙に政治・経済・社会を揺るがす問題として噴出した、特異な2年間だった。

この2年間は１９４６年にロビイング規制法という名の贈収賄奨励法が制定されて以来、甘やかされ放題で成長してきたアメリカの軍需産業が、**ついに破局を迎えた2年間**だったとさえ言えるだろう。

アメリカの軍需（国防）産業が、いかに安定して高い利益率を誇ってきた業界だったかというところからふり返ってみる。国防総省が大手から中小まで計50社の出入り軍需産業各社に対するかなり詳細な発注状況を調査したデータがある。

このデータを見ると、２０００〜19年の20年間は売上規模が10億ドルに達しない中小規模の企業に営業赤字が出ることはあっても、全体としてかなり高い利益率で推移してきたことが推測できる数字になっている。

なかでも売上規模が１００億ドルを超える大手8社――２０２０年以降はレイセオン社がレイ

アメリカ軍需産業の安定した好収益

各年直近10年間の累計利益率：1973～2016年

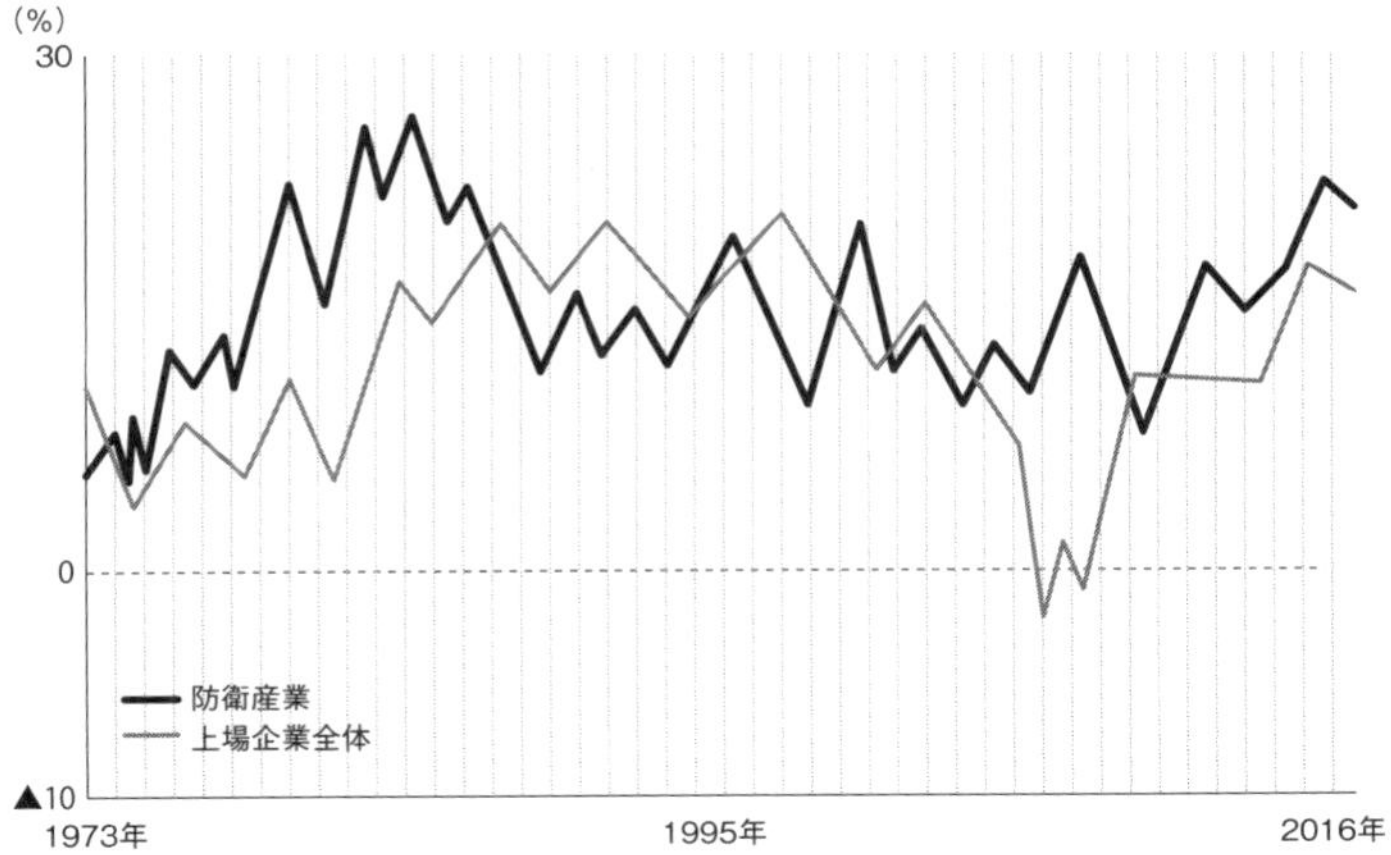

出所：ウェブサイト『Medium Anduril Blog』、2022年6月6日のエントリーより引用

セオン・テクノロジーズ社（現ＲＴＸ社）に吸収されたので大手７社になった――については、２０１０～19年の10年間米国籍で軍需主体の企業はすべて２ケタの営業利益をあげていたことがわかる。

さらに特筆すべきことがある。直近10年間の累計利益といった非常に長い視野で見ると、アメリカの民生産業は２００７～09年頃に二度マイナスに落ちこんでいた。ところが、上のグラフでおわかりのように軍需産業は一度もマイナスになったことがない。むしろ、国際金融危機の頃は高めの10年累計利益率を確保していた。

世界中どこでもその傾向があるが、アメリカ連邦政府はとくに顕著に民間企業の業績が悪いとき、**軍需産業への資金投下を増やす傾向**がある。第二次世界大戦以降でもっとも深刻な金融危機だった２００７～09年を例にとって、その差を検証してみよう。次ページのグラフが示すとおりだ。

軍需がなければ、２００７〜09年のアメリカ経済は１９３０年代大不況並みに落ちこんでいたかもしれないことがわかる。これほど手厚く保護されていた軍需産業の中でも、民生用の旅客機と合わせればアメリカ最大の売上を誇るボーイング社が、最近つまずきつづけている。

ボーイング社の利益率が急低下した理由は明白だ。２０２０年以降あまりにも多くの大ニュースが報道されたため、お忘れの方が多いかもしれないが、２０１８〜19年、２年連続でボーイング社の最新型旅客機７３７Ｍａｘが乗員・乗客合わせて２００名近い犠牲者を出す墜落事故を起こしたのだ。

この大惨事には、間接的ではあるけれども非常に大きな要因が介在していそうだ。ボーイングを始めとするアメリカの軍需産業各社は、国防予算からの発注を受けるにあたってあまりにも有利な条件で受注できることに慣れきって就業態度などで規律が緩んでいた様子が散見されていた。

その弛緩した服務規律が、ついに新機種ではないが既存機種の大々的な設計変更にまで及んでしまったのではないだろうか。

ボーイング７３７Ｍａｘ機の原型となった７３７シリーズは、１９６７年に初就航した７３７-１００以来、中距離を航行する座席数中規模の旅客機の中では圧倒的に高いシェアを持つ花形機種を多数産み出してきた。

ところが、世紀の変わり目となった１９９０年代末から２０００年代初頭にかけて、旅客機の

不況時のアメリカ産業界の軍需依存度

耐久財出荷額変化率
2000～09 年の累計変化率

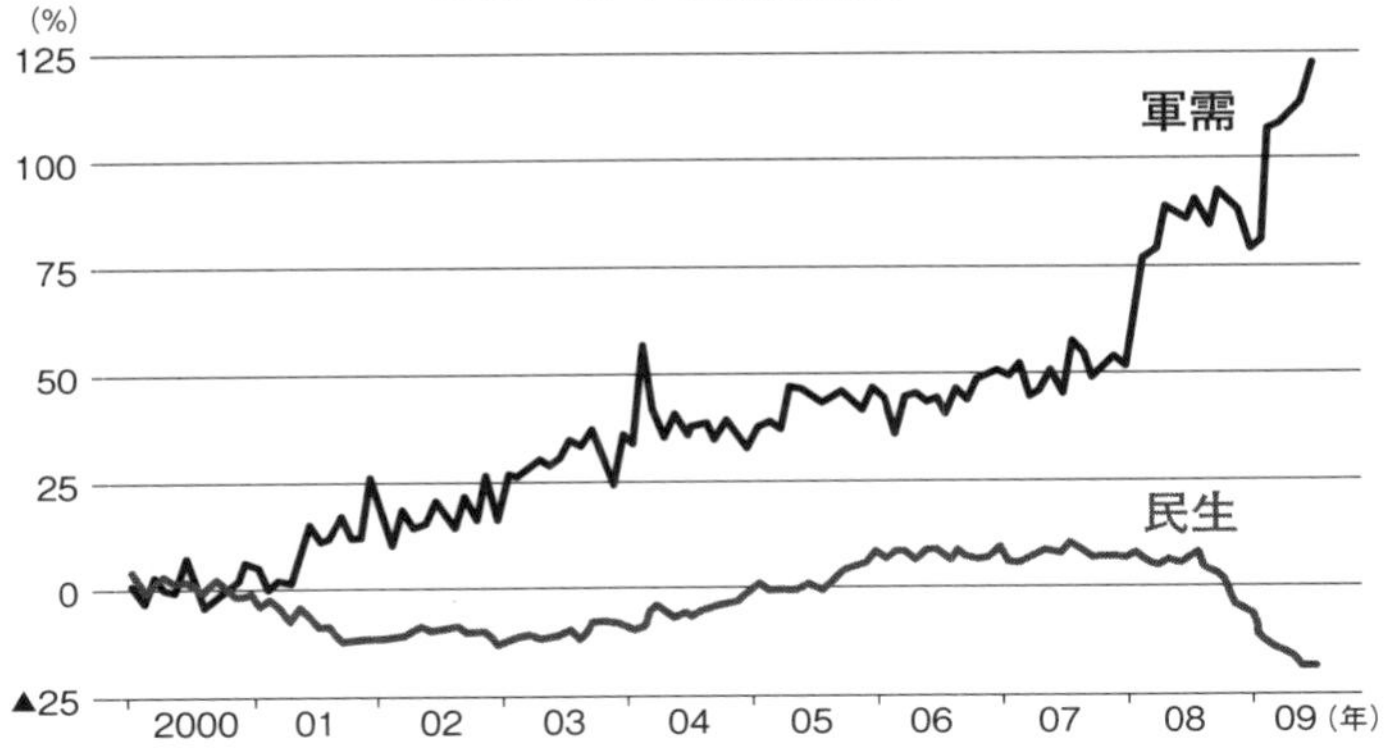

耐久財出荷額と受注額の変化率

2008 年上半期～2009 年上半期の変化率

	出荷額	受注額
軍需産業		
航空機	23%	18%
その他軍需	10%	▲6%
軍需計	15%	3%
民生産業		
金属素材	▲40%	▲44%
金属加工品	▲12%	▲18%
機械	▲18%	▲29%
コンピューター	▲18%	▲20%
通信機器	▲33%	▲18%
半導体	▲33%	不明
電子装置・機器	▲20%	▲26%
自動車・同部品	▲30%	▲31%
航空機	▲ 7%	▲65%
民生計	▲20%	▲27%

原資料：連邦政府商務省国勢調査局データをヘイヴァー・アナリティクスが集計、作図
出所：ウェブサイト『The Big Picture』、2011年6月3日のエントリーより引用

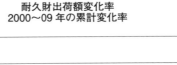

売れ筋がもう少し航続距離が長く、もう少し大勢の旅客を積みこめるタイプに変わっていたのだ。

この分野では、1970年に設立されたヨーロッパ諸国連合の航空機製造会社エアバス社のA320neoという機種が、原型であるA320がボーイング737より機体が太いことを利用して大きなエンジンを採用してボーイングから市場シェアを奪う形勢になっていた。

そこで、ボーイング社としては機体の細い737に強引に大きなエンジンを装着するために、これまでの737型機より機体前方の高い位置にエンジン取り付け箇所を変更した。しかし、この設計変更によって737Maxには深刻なリスクが出てきた。

エンジンという重い部品が機首に近いところにあると、機首側に浮力が生じて機体が立ち上がる格好になって、失速する懸念が大きいのだ。

同社の研究開発陣はこのリスクを抑えるために、標準装備として「操縦性補正システム（MCAS）」という自動制御装置を737Maxに取り付けることにした。

しかしボーイング社は、顧客である航空会社にこの自動制御装置が装着されていることをきちんと説明せずに「737が原型になっているから、737の操縦桿を握ったことのあるパイロットなら、約2時間の机上講習だけでMaxも操縦できる」と宣伝していた。

2016年に初就航した737Maxはたちまち人気機種となり、インドネシアのライオン航空機が墜落した2018年10月頃には、完成した機体が格納庫だけには収まらず従業員の駐車場にまで駐機して世界各国の航空会社への納機を待つ状態だった。

それだけでも顧客に対する重大な背信行為なのに、737Maxはもうひとつ大きな問題も抱えていた。期待の安定性維持に非常に重要な役割を果たす「迎え角センサー」が1機にふたつしか装着されておらず、しかもたったひとつだけが作動している状態での飛行もかなりひんぱんだったと言われている。

そんな中でライオン航空機が墜落した際には、たったひとつだけ作動中だったセンサーが機体は水平であるにもかかわらず、機首が浮き上がっているとの間違った情報をフライトコンピューターに送ってしまったようだ。

そのためMCASが起動されて、水平の機体を強引に機首が下向きになるように変えてしまい、操縦士が何度手動で機首を持ち上げても、執拗に機首を下げる動きをくり返していたと、後日の原因調査で判明した。

大惨事を防ぐために何度も手動で機首を持ち上げたのに、そのたびにまた機首を下げられてしまう体験をくり返したパイロットの絶望感と恐怖心は、想像するにあまりあるものがある。

原因はたんなる研究開発費の節減か？

それから半年もたたない2019年3月に、エチオピア航空の737Max機が同国首都アジスアベバ空港を離陸した直後に墜落したのも、ほぼ同様の理由だったと言われている。

いったいなぜ、ボーイング社はこれほど安全対策が不備なままで、新型機種を就航させてしまったのだろうか。

よく持ち出される説明が「アメリカ産業界のご多分に漏れず、航空機という人間の命を預かる製品を送り出す企業までもが、増配や自社株買いにばかり熱心になって研究開発費を節約しすぎた」というものだ。

たしかに２０００年代と２０１０年代の軍需産業大手各社の研究開発費率を見ると、もともと総売上の５％にも満たない３・６％だったものが３・１％に悪化していた。

そして、研究開発費と設備投資額の合計も６・２％から５・９％へと絞りこんでいるのに、配当や自社株買いといった株主還元は総売上の３・７％から６・４％へと大幅に増やしていた。

軍需産業アナリストの中には「アメリカの軍需産業大手は研究開発に潤沢な資金を投じないから中国の大手に売上高成長率で負けている」と警鐘を鳴らしていた人もいた。

実際、２０２１年の売上高成長率を見ると、中国大手２社が９〜10％台の成長だったのに、アメリカの大手５社の中でこれに匹敵する売上成長を遂げたのは、現職のロイド・オースチン国防長官がもと自社の重役だった、ＲＴＸ社の９・１％だけで残る４社は１〜６％の減収だった。

ＲＴＸだけ業績が良かったのも、画期的な新製品や新技術を開発したからではなく、カネとコネがすべてのこの業界で**現職の国防長官が味方**に付いていたという理由のほうが大きいだろう。

技術革新の停滞が決して資金繰りがキツかったからではないことは、軍需産業各社は共通して民生専業の企業よりはるかに多額のキャッシュフローを維持していることでもわかる。

実際のところ、国防総省は軍需産業各社の総売上をはるかに上回る金額のR＆D（研究開発）投資をしてくれている。しかも具体的な製品化は、だいたいにおいて軍需産業に発注するわけだから、民間の軍需産業各社がR＆D投資に回す金額が自社売上の３％だろうが４％だろうが大勢に影響はないのだ。次ページのグラフの上段の折れ線と、下段の「航空・国防」の太い折れ線を見比べていただきたい。

下段の折れ線は、グラフというより模式図と言ってもいいほど細かい増減を省略しているから
かえってわかりやすいが、軍需産業は売上推移で見るかぎり**完全な成熟産業**だ。これだけはっきりした成熟産業に、最大顧客が毎年年商の２～３倍のR＆D投資をしてくれているのだから、こんなにおいしい業界もないだろう。

２０００～19年の総合収益率を見ても、民生専業は５～15％だったのに対して、軍需産業は15～23％と大きな差があった。なぜこれほどの差があるかというと、以下のように民生産業では考えられないほど発注側が業者に「優しい」からだ。

たとえば、新製品や新技術の開発費のかなりの部分というより、おそらくおつりがくるほどの金額を負担してくれる。受注価格が決まってからも製造時に不測の事態が生じてコスト高になれば、コスト積み上げ方式で受注価格を引き上げてくれる。新プロジェクトの資金調達を発注側がしてくれる。支払いは確実に30日以内といった民生産業では考えられない優遇措置が多い。

米国防総省と民間企業の実質R&D投資額推移（2009年米ドルで実質化）：1953〜2016年

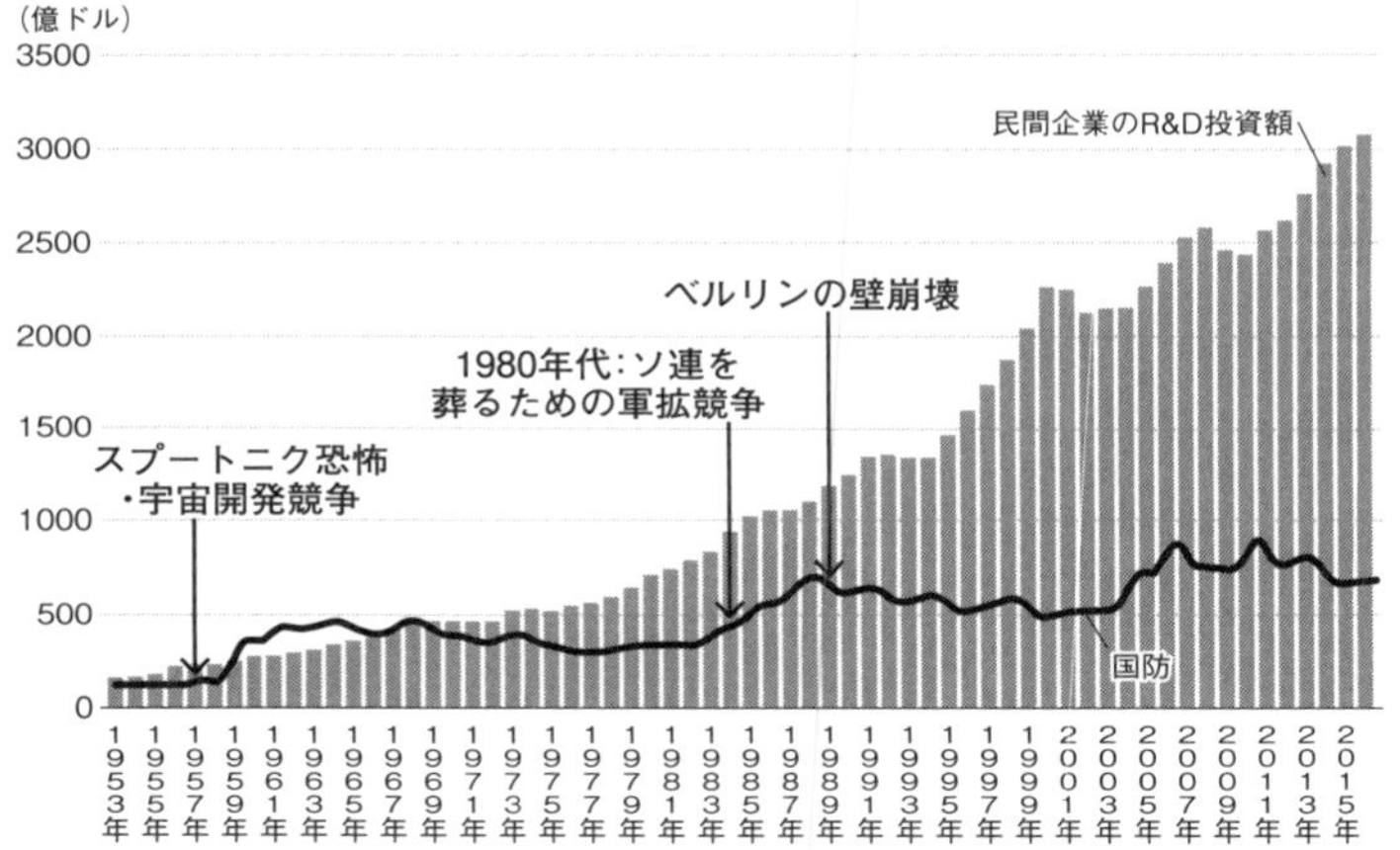

原資料：アメリカ国立科学財団、米大統領府行政管理予算局データをジェネラル・カタリスト社が作図

米主要産業の増収経路比較：1945〜2020年

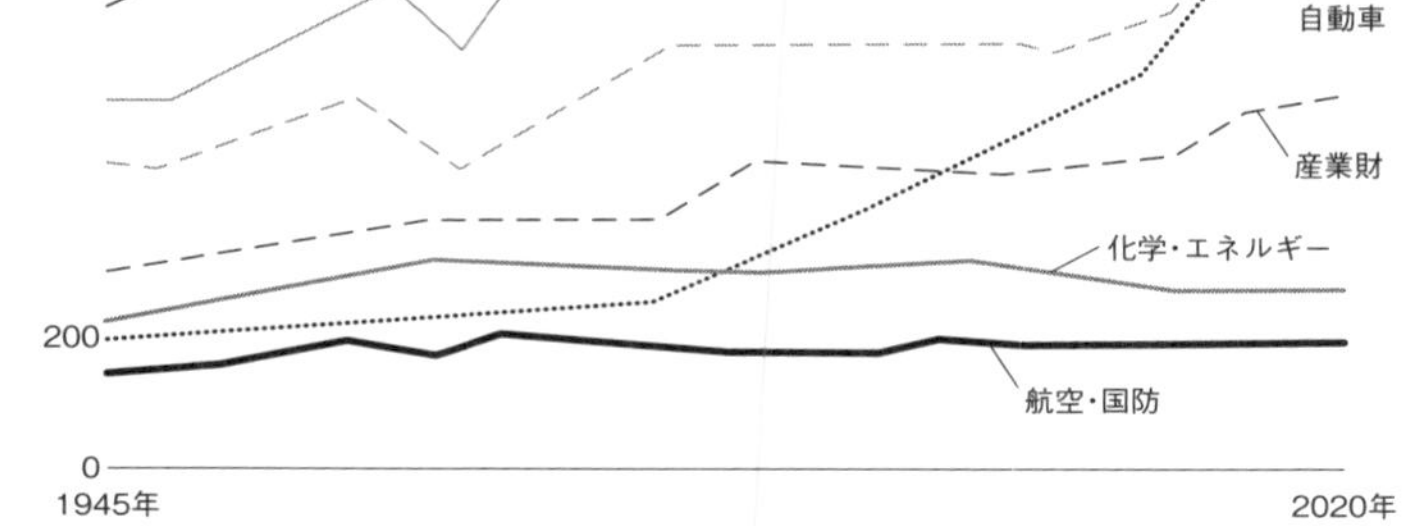

出所：ウェブサイト『Medium』、2019年10月3日のエントリーより引用

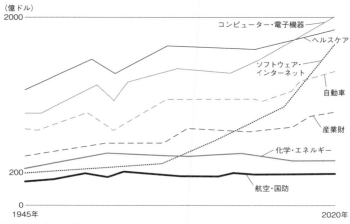

こうした優遇措置も、ほぼ全面的に軍需産業お抱えのロビイストを通じて、「国防族」議員たちに有利な法律や規則をつくらせてきたからこそ、獲得したものだ。

もちろん、この贈収賄奨励法は軍需産業だけを利するわけではない。さまざまな産業団体や寡占企業が業界構造だけでなく、ときには社会全体を自分たちに有利なかたちに変えようとする法律や制度を政治家・官僚たちにつくらせるための道具として使うようになっている。

また、同一人物があるときは企業重役として贈賄側に回り、あるときは議員として法律を制定したり、事業官庁の高級官僚として企業に発注したりする収賄側に回り、またあるときには両者のあいだを取り持つロビイストに変わるわけだ。

同一人物が贈賄側、収賄側、そして仲介者とくるくる立場を変えながら、政財官界を貫く強固な利権共同体の一員として儲けつづけていることを、**「回転ドア」**と表現する。

私の知っているかぎり、先進国と呼ばれる国々で贈収賄というカネの力によって政治・経済・社会を自分たちの都合よく変えることがこれほどやすやすと合法的にできる国は、アメリカだけだ。

そして、軍需産業は製薬産業や医療関連の職能団体とともに、この合法化された贈収賄を最大限活用している集団のひとつだ。その赫々《かくかく》たる成果は、前ページ上段のグラフで軍需産業が儲けるための研究開発にアメリカ政府がいかに巨額の資金を投じているかを見ても明らかだろう。

２０１６年度予算を例にとれば、国防費総額５８０３億ドル中の13・６％、兵器弾薬資器材調達額1401億ドルの56・5%に当たる791億ドルが、本来であれば軍需産業各社が自社の費用とリスク負担でおこなうべき研究開発検証評価資金として国防省予算に計上されていた。

ロシア軍によるウクライナ侵攻によって久しぶりに大戦争勃発の危機が近づいた2022年度（2021年10月〜2022年9月）には、研究開発検証評価予算はさらに拡大していた。

国防費総額7789億ドルの15・3%、兵器弾薬資器材調達費1390億ドルに対しては実に85・5%に当たる1188億ドルに達していたのだ。軍需産業各社は決して研究開発費をけちっているわけではない。むしろ、放漫財政と言えるほど莫大な金額を遣っている。

ただ、その金額を自社が負担するのではなくて「**親方星条旗**」でアメリカ国民にツケを回しているにすぎない。自社負担で大きな研究開発プロジェクトを推進して結局モノにならなければ、全額自社の損失になる。しかし、国防総省を通じて国民の税金で払ってもらうことができれば、損失は自社ではなく**国民がかぶる**ことになる。

失敗した研究開発プロジェクトのコストでさえ、自社の中間マージンを上乗せした費用請求をおこなっている。それが通れば、利益を押し上げることさえできる。これほどおいしい仕事に慣れていれば、民間企業相手に受注した仕事でも、つい設計から製造まであらゆる段階で手抜きが多くなる。

あまりにも受注側にとって有利な環境に慣れ切っているからこそ、ボーイング社が737Maxを市場に投入する際にも、多少の失敗は取り返すことができるという安易なスタンスで臨んでしまったのではないだろうか。

次世代主力戦闘機F35は、基本的操縦基準を満たさない欠陥機

かなり長期にわたって製造販売を中止していた737Maxは、安全性を高める設計変更後販売を再開し、しばらくのあいだ事故を起こさずに済んでいた。しかし2024年1月、飛行中のアラスカ航空機のドアが落ちて緊急着陸するという事故が起きた。

大惨事にいたる可能性もあったこの事故は、ドアパネル取り付け用ボルトが4個もはじめから装着されていなかったという、とんでもない手抜きミスが原因だったと判明した。

2018〜19年の737Max連続墜落事故以来、ボーイング経営陣は人気回復のために施工現場の工程管理といった地味だが重要な仕事より、自社がいかに先駆的にLGBTQIA+のための機会均等化に取り組んでいるかを強調する会社になっていた。

その後もボーイング機では車輪が脱落したり、双発エンジンの一方が火を噴いて片肺飛行で最寄りの空港に不時着したりといった大惨事と紙一重の事故が続いた。そして2024年3月中旬、ボーイング社の品質管理担当だったジョン・バーネット元重役がサウスカロライナ州の検察当局によって同社の品質管理体制について証言聴取を受けているさ中に不審死を遂げた。

バーネットは、かなり昔からボーイング787ドリームライナーの品質管理に重大な問題があ

ると内部告発を続けていて、社内で報復的な冷遇を受け2017年に辞職していた。1回目の証言を終え、2回目の証言を目前に控えていたタイミングで、宿泊先の駐車場に置いていた自動車の中で拳銃自殺を遂げたと発表されている。

しかし当人はやっと自分の長年の主張が日の目を見ると張り切っていたし、親しい友人に「もし自分に不測の事態が生じたら、絶対に自殺ではないと思ってくれ」とも言い残していた。

おそらくボーイングから巨額献金をもらっているサウスカロライナ州選出の議員で検察当局の内情にもくわしい人間が「このままでは巨額賠償責任を問う刑事訴追になりそうだ」と思って殺させ、警察にも手を回して強引に自殺として幕を引かせたのだろう。現代アメリカ社会では、こんな事件がありふれた出来事になってしまっている。

民間航空会社向けの旅客機製造が本業のボーイングの問題を取り上げて軍需産業を判断するのは、説得力に欠けるとお考えだろうか。

2024年2月3日、ロシア系のウェブサイト『スプートニク・インターナショナル』は、ペンタゴン自身の調査レポートが「次世代主力戦闘機と期待されているロッキード・マーチンF35には基本的操縦基準を満たしていない箇所が65もある」と指摘していたことをすっぱ抜いている。

そして同レポートは「他にもいろいろ問題が生じているので、F35はまたしても契約どおりの期日でのテスト飛行開始には間に合わないだろう」とも述べていたと報じている。

甘やかし放題に甘やかされて育ったアメリカの軍需産業各社は、契約どおりの日程でテスト飛

ロビイング投資額最多20企業・団体、2021年

ロビイング企業・団体	投資額
アメリカ商工会議所	6639万ドル
全米リアルター協会	4400万ドル
米国研究製薬工業協会	3038万ドル
ビジネスラウンドテーブル	2912万ドル
ブルークロス・ブルーシールド	3518万ドル
米国病院協会	2513万ドル
メタ（フェイスブック）	2070万ドル
全米医師会	1949万ドル
アマゾン	1932万ドル
米国化学工業協会	1664万ドル
RTX（旧レイセオン・テクノロジーズ）	1539万ドル
全米製造業者協会	1530万ドル
ロッキード・マーチン	1440万ドル
NCTAインターネット・テレビジョン協会	1410万ドル
アメリカ退職者協会	1368万ドル
ボーイング	1345万ドル
コムキャスト	1338万ドル
バイオテクノロジーイノベーション協会	1329万ドル
ベライゾン・コミュニケーションズ	1324万ドル
CTIA（無線通信業者協会）	1243万ドル

出所：ウェブサイト『Open Secrets』、2022年4月19日のエントリーより作表

行ができるように問題点を解決しておくといった**信義にかかわる規律が守れない企業体質**になっているようだ。しかし、それでなんらかのペナルティを科されるわけではないらしい。

企業だけでロビイング額トップ20社を比べると、4分の1に当たる5社が軍需依存度の大きな企業となる。上に掲載した表で2021年の企業＋産業団体のトップ20団体を見ても、軍需産業大手は20団体中3社となっていて、ハイテク2社、情報通信2社を抑えてトップだ。

ただ、次ページのグラフで同じ2023年の産業別ロビイング投資額から見ると軍需産業は第8位となっていて、意外に小さな金額しか投じていない。

理由の一端は、単一企業としては5位のロビイング投資をしているボーイング社が、業界団体としては軍需ではなく航空運輸産業に属して

ロビイング投資額で見るアメリカの10大産業

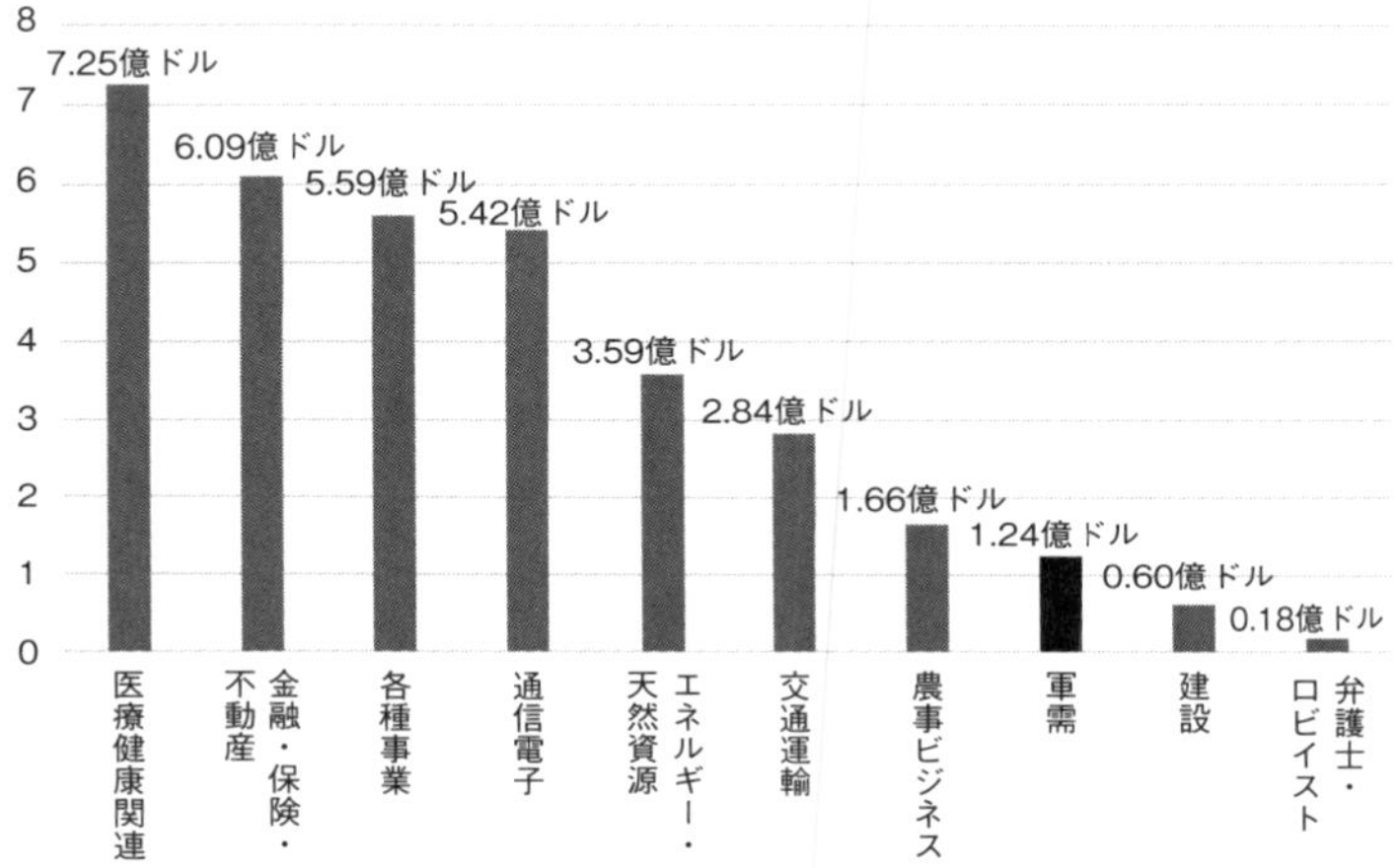

原資料：2023年2月16日の時点でオープン・シークレットが集計した2022年の実績
出所：ウェブサイト『Open Secrets』、2023年2月16日のエントリーより作成

いることだ。

もっと大きな要因としては、軍需産業が非常に寡占化の進んだ業界であって、中小零細企業が少額の資金を出し合って業界団体としてロビイングをすることが少ないという産業構造も影響している。

ちょっと古いデータになるが、２００７〜14年の献金額トップ２００社の献金総額とその見返りとしての官公庁からの受注・補助金受領総額、２００５〜14年の献金額６大産業の図表（次ページ）をご覧いただきたい。

上段の献金総額と受注・補助金総額の比較を見ると、ロビイストを通じて政治家に献金できないような企業は**腹が立ってしょうがないだろう**という数字になっている。献金58億ドルに対して受注・補助金総額４兆ドルと、じつに６９０倍のリターンだ。

アメリカ政治献金トップ200社の献金総額と見返り

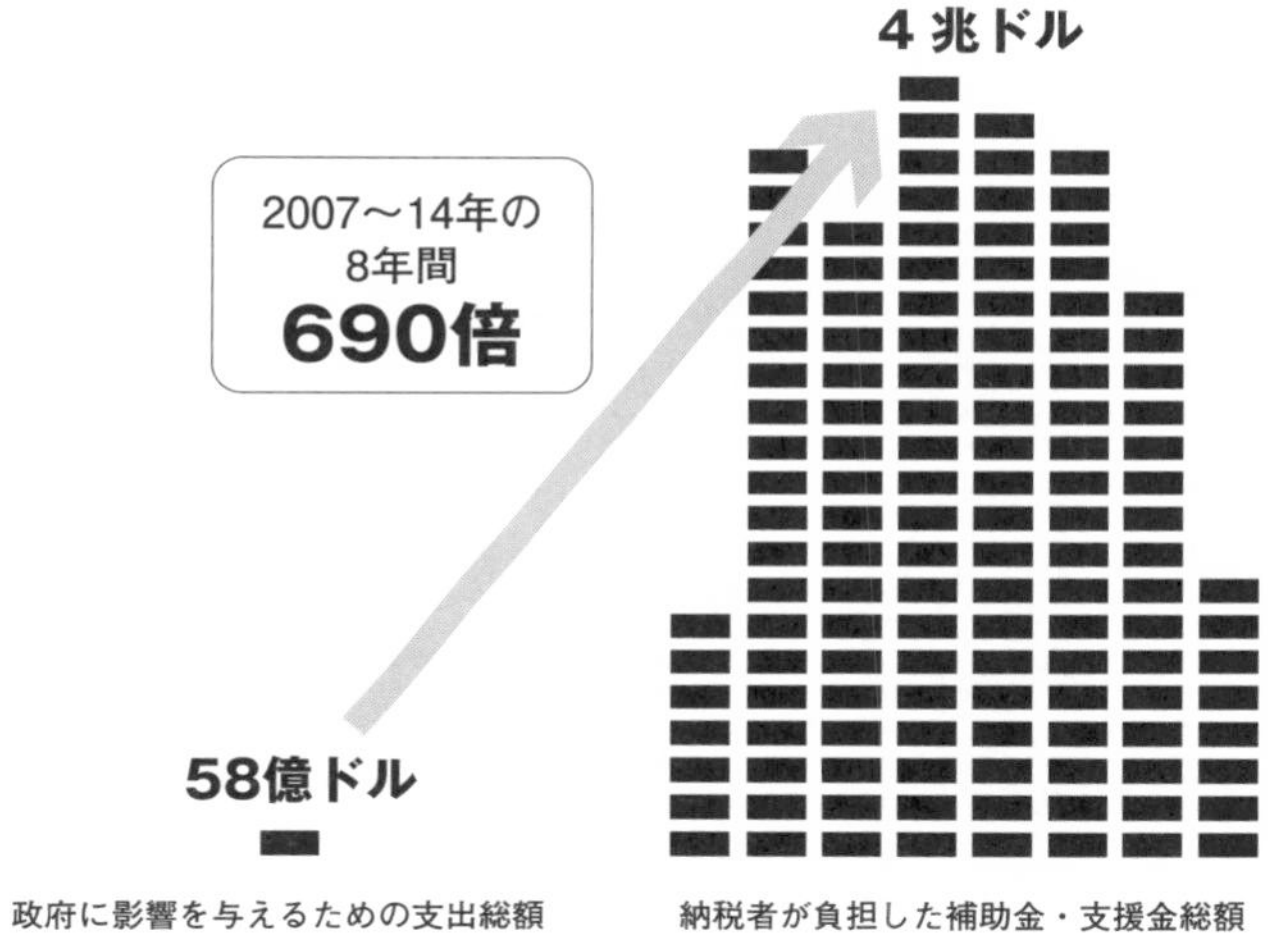

政治献金にもっとも積極的な 200 社の献金総額とその「収益性」

アメリカ政府への献金6大産業：2005〜14年の累計額

医薬品	金融
21億6000万ドル	42億9000万ドル
エネルギー	**農事ビジネス＊**
29億3000万ドル	12億1000万ドル
国防	**情報通信**
12億6000万ドル	35億ドル

＊農業協同組合などではなく、肥料会社・飼料会社・種苗会社・穀物商社などの事業の複合体
原資料：リプレゼント・アス
出所：(上) ウェブサイト『Independent Voter News Network』2015年5月7日、(下)『MIC.com』同年5月9日のエントリーより引用

ただ、この690倍を収益率と呼ぶのは誤解を招く。官公庁の仕事だからといって、原材料にも勤労者にもまったくカネを遣わずに受注案件をこなせるわけがないからだ。当然コストを引いて考えるべきだが、それにしても**すさまじい好収益**になりそうな数字だ。

下段には2005~14年の10年間の累計で国防産業が遣った献金額は12億6000万ドルで、農事ビジネスの12億1000万ドルを鼻の差でしのいで全産業中5位だったと記載されている。業界全体の売上規模に比べればずいぶん張りこんだ献金をしているが、もちろんそれは受注に成功したときの収益性がべら棒に高い発注をしてくれるからだろう。

ロビイング合法化の隠れた問題点のひとつが、あらゆる業界を寡占化してしまう傾向があることだ。中小零細企業が集まって業界として献金しても、業界内にもいろいろ対立があるので、あまり焦点を絞った陳情もできないし、直接的な恩恵につながりにくい。だが1社だけとか、2~3社の寡占企業が献金すると、その企業に有利な法律や制度をつくらせやすい。

その結果、アメリカでは本来さまざまな個性を持った中小零細企業が大多数であるべきレストラン、靴屋、アクセサリーショップといった業態でも、あらゆる産業で寡占企業がロビイングによって自社を有利にする競争をしているのと張り合うために、没個性の金太郎アメ的な品揃えしかできない全国展開のチェーン店となってしまう。

世の中には「あと何十年かで中小零細企業はこの世から消え去る」などとバカげたことを言う自称経済アナリストもいるが、何のことはない。アメリカで起きたどんな悲惨な現象でもまるでいいこと、見習わなければならないことのように言う、**アメリカかぶれの愚鈍さをさらけ出しているだけなのだ。**

軍需産業に勝るとも劣らない利権がのさばる医薬品業界

産業別で最大級のロビイング投資をしている医療・健康関連業界は、大手製薬会社が巨額献金をしているだけではなく、さまざまな業界団体や、医師会・看護師会などの職能団体もそれぞれロビイングをしているだけに、総額が大きくなっている。

ちなみに、医療・薬品分野は軍需と並んで、政府省庁のような大規模な需要家と市場を通さずに相対取引で売上の多くを稼ぎ出す分野でもある。

アメリカ連邦政府国防総省の出入り業者を受注高順でトップ10社まで数え上げると、みごとに軍需と医療・健康関連の企業ばかりで固めている。

2021年度のランキングで言うと、1～7位までのうち6社を軍需、航空機製造、造船が占めている中で、唯一製薬業界からファイザーが5位に割りこんでいる。さらに8位は健康保険のヒュマナ、9～10位にはモデルナとリジェネロン・ファーマが並んでいた。

巨額献金では製薬業界首位のファイザーと並んで、あまり実績のないモデルナがWHOのお墨付きを得て、全世界でほとんど効かないだけでなく深刻な薬害のあるコロナ・ワクチンの2大販売会社のうちの1社になったのは、アメリカ国防総省への熱心な献金のおかげかもしれない。

軍需産業と製薬産業・医療サービス業界にはふたつの共通点がある。ひとつは、大口顧客との相対取引のうま味を知っていること。そしてふたつ目はどちらも**人命を人質に取った商売**だということだ。

軍需産業の場合、非常にわかりやすい。新型兵器を開発する際、ごちゃごちゃ余計な機能でクリスマスツリーのように飾り立てて、旧型兵器よりはるかに高い単価にしてしまう。「そこまでいろいろな機能を詰めこむ必要があるのか」と聞かれると、「ある仮想敵国でこんな機能を持った新兵器を開発中だから、わが国もそれに対抗するこれこれしかじかの機能を持った兵器を開発しないと、攻めこまれて多くの犠牲者を出す可能性がある」と応ずる。もともと兵器の性能に関する専門知識を持っているわけでもない質問者は引き下がることになる。

医療サービスや医薬品の業界も、命を狙ってくる敵が細菌やウイルスなどの微生物が多いというだけで、基本的な構造は同じだ。命にかかわるような病気が相手で「この薬さえ使えば大丈夫」と言われれば、かなり高めの価格設定だったとしても患者は支払わざるを得ないことが多い。

新しい病気が発見されるたびに今まで人類が経験したことがなかった新しい危険性が指摘される。しかも、この病気を防いだり直したりするには、これまで市場で売られていなかった新しい薬を開発する必要性があると強調される。

製薬業界にも長い歴史があり、その中でアスピリンやペニシリンは次々に新しい適応症が発見されている、ところが、こうした定番薬品の売上をいくらか伸ばしたところで製薬会社も医師もあまり儲からない。

だが、研究開発段階からまったく新しい薬を手がけるとなると、はるかに巨額の投資が必要になるし、その投資に見合う利益を稼ぐ展望が開けてくる。

さすがに**目のつけどころが違う**と感心することがある。「病名ひとつに対して新開発の薬ひとつ」という対応関係を言い出したのは、原油採掘から精製までの工程では儲かるだけ儲け尽くして、石油の次に儲かる商売を探していた頃のジョン・D・ロックフェラーだったと言われている。

新薬重視までは世界中どこの国の医薬品産業でも同じことだが、アメリカの場合はさらにロビイストを通じた巨額献金という強い味方が加わる。命にかかわると言われれば高い価格を受け入れる消費者が多いうえに、もっと高くするための法律や規則を連邦議会議員につくらせることができるのだ。

第二次世界大戦中から続いた規制物質の「薬品化」

第二次世界大戦中は枢軸国側だけではなく、連合国側でも長時間労働をさせても事故や生産遅延を起こさないように、現在ならきびしく規制される化学物質を「眠け覚まし」や「士気高揚」の市販薬として売ることを許可していた。

第二次大戦直後の経済復興期にも、こうした危険な薬物は特例として市販薬としての流通が許可されていたのだが、ほとんどの国で1950年代半ば頃までにはきびしい規制のもとで管理されるようになった。

とくに敗戦国として一時的にアメリカ軍の占領下にあった西ドイツや日本では、戦時中は派手に使っていた覚醒剤などの管理が厳重になった。

ところが、ここに顕著な例外があって、アメリカでは製薬業界大手にうま味のある「非常時体制」を平時に持ち越すことを許すロビイングによって規制が緩和されっぱなしになるケースが多かった。

1950代初期の代表的な事例をふたつご紹介しよう。抗うつ剤としてのリタリンも、痩《や》せ薬としてその名も食欲抑制（appetite control）を略してアペトロールも、それなりの効果はあった。ただし依存症形成のリスクが大きいので、医師が本来の目的で処方することは減っていった。

しかし、はっきり言って依存症形成リスクが大きいということは、製薬会社にとっては需要を長期にわたって拡大できる「良い製品」となることを意味する。そこで製薬会社は、なんとか適応症の転換（repurpose）によって薬品としての寿命を引き延ばそうと執拗に画策する。

こうした製薬会社の努力のおかげで、非常に多数の患者を出現させることに成功した可能性がそうとう高いのが、注意欠陥多動性障害という「病気」だ。

注意欠陥多動性障害（Attention Deficiency Hyperactivity Disorder、略してADHD）とは、とく

に幼児期から少年期にかけて発症することが多い、注意力が散漫でじっとしていることが苦手という症状に付けられた病名だ。

子どもの頃に注意力が散漫だったり、じっとしているのが苦手だったりするのは、病気というよりむしろ個性と見るべきではないかと私は疑っていた。だから、この病気を発症する子どもの数が１９８０年代頃から急激に増えていった事情をいろいろ調べてみた。

もちろんほんとうに深刻な病気として治療を必要とするケースもあったのだろう。だが、大半はリタリンとか、効能を発揮する期間を長くしたメチルフェニデート製剤であるコンサータの売上拡大のために、必要以上に多くの症例がＡＤＨＤと診断されてきたのではないかとの疑いが濃厚だ。

まず怪しいのは、ＡＤＨＤに顕著な効能を示すとされているメチルフェニデートの消費量があまりにもアメリカ１国に偏っていることだ。

アメリカ社会に「注意力が散漫でじっとしているのが苦手な子ども」を大勢生み出す要因があるのかもしれないとも思う。それにしても全世界の消費量の85％を地球上の全人口の４・１％の人口しかない国だけで消費しているというのは、やはり不思議だ。

さらに１９９０年代末以降も、ＡＤＨＤと診断される人たちの全人口に占める比率は上昇しつづけている。ところが、かつてはほぼ唯一の特効薬とまで呼ばれていたリタリンを服用している子どもたちの比率は、延々と下がりつづけているのだ。

同じメチルフェニデート製剤でも、服用したあと有効成分を体内で徐々に放出する工夫をしたので服用回数を少なくして、依存症形成リスクも低めたといわれる「徐放性」のコンサータという薬がリタリンからシェアを奪っているのかもしれない。

だが、2001年にはADHDの子どもたちの約3分の2がリタリンを服用していたのに、2018年にはその比率が8%に下がっているのは、やはり不自然な気がする。

ただ、すでに異常なほどADHD症例の多いアメリカ国内でさえ、マーケットリサーチ企業は「そろそろリスクの高い覚醒剤系医薬品の売上は横ばいにとどまるようになるけれども、それ以外の医薬品の高成長は続く」といった強気の予測を出している。

もともとリタリンという薬の寿命を延ばすために多くの症例が発見されるようになったADHDでも、さすがに覚醒剤を常用することの危険が知れ渡ってリタリンを処方されることが少なくなってきた。

そうすると、今度は覚醒剤以外の医薬品がADHD用に処方されるとの予測で、やっぱりADHDは医薬品の売上成長に貢献すると予測されているわけだ。

また、以前は総人口に占めるADHD患者の比率がアメリカよりはるかに低かったヨーロッパ諸国やアジア太平洋諸国でもADHDの症例は増えている。医薬品市場の中で高成長を維持する分野にとどまると期待されている。

アメリカ国内では、ADHDは依存症形成リスクの大きな薬品を処方しなくてもいいケースがかなり多い病気だという認識が徐々に浸透してきたのではないだろうか。

それにしても、あるマーケットリサーチ企業は2022年に161億ドルだったADHDの市場規模が2030年代初頭、つまり10年以内に倍増しているだろうというかなり強気の予測を出していた。何がなんでも依存症形成リスクの高い物質を医薬品として売りたいという製薬メーカーに迎合した予測だろう。

私がADHDは完全に医療関係者や製薬会社がつくり出した病気ではないにせよ、彼らの宣伝によって大きく患者数を増やした病気だと確信したのは「ADHDと診断され薬品投与を受けている子どもたちの両親によるレポート　2003～11年」という医学論文を読んだためだ。

この論文の中で、ADHDの子どもたちの比率を、人種・民族系統や家庭内で日常会話に使っていることばの違いに応じてグループごとに算出した箇所がある。その概要は次のとおりだった。

白人世帯では12・2%、黒人世帯では11・9%、ヒスパニック世帯では6・9%となっていた。なんとなくラテン系の人たちは移り気で行動派のイメージがあるが、統計はまったく逆の数字を出している。

ここまでは、人を偏見で判断してはいけないというだけのことかもしれない。しかし、家庭内の日常会話を英語でしている世帯では12・4%、それ以外のことばを使用している世帯では2・7%と非常に大きな差が付いていたのだ。

小学校低学年の児童がADHDだと判定されるきっかけの多くが、授業中に先生の話を聞かないでいることだそうだ。あまり英語ができないので、そうなることが多そうな日常生活で別のことばを使っている家の子どもが、これほどADHD発症率が低いのだ。

これはもう、製薬会社のコマーシャルやニュース報道などでADHDということばが出てきても、それが何を意味するかわからない、あるいは興味を持たない家庭で育った子どものほうがADHD発症率は低いことの歴然たる証拠ではないだろうか。

そしてADHDの多くが、知らないとか関心が低いという理由で認識されないでいれば、それなりに成人に近づくにつれて症状そのものも弱まっていく程度の病状であることが多いのではないだろうか。

ADHDは危険な薬の正当化に大いに貢献

現在、アメリカ社会で依存症形成や薬物過剰摂取死に関して大きな問題になっている3分野と言えば、ADHD治療薬としての覚醒剤、双極性障害（躁鬱《そううつ》症）治療薬としての抗うつ剤、建前としては末期がんの患者の激痛を緩和する薬となっているオピオイド（合成麻薬）だろう。

そしてマーケットリサーチ産業は、こうした依存症形成リスクの大きな薬剤がいかに大きな潜在市場を持っているかを強調するレポートを多数出している。

規制物質市場全体の半分近いシェアを占めているオピオイドが、末期癌患者の激痛を緩和するためだけに使われているはずはない。

とにかく良く効く鎮痛剤を患者が欲しがると、製薬会社からのキックバックも大きいし、同じ患者が何度も処方をもらいに来るので自分の所得増加にも貢献するオピオイドを処方する。このような医師が多いからこそ、これだけの数字になっているのだろう。

また、覚醒剤も規制物質市場全体の4分の1近くになっているが、投薬などしなくても成長につれて自然治癒することが多いADHD患者に処方されるだけではなく、本来疲労を感じているべきときにも元気でいたい人たちからの要望に応じる医師が多いことを示唆している。

こうした規制物質市場の繁栄がとくにアメリカで目立つのは、やはり1946年のロビイング規制法制定によって製薬会社が多額のワイロによって薬品行政当局を丸めこむことができるようになった第二次世界大戦以降のことだと思う。

アメリカ英語の中で、さまざまな医薬品関連用語がどの程度の頻度で出現するかを調べたデータは、「アディクションとドラッグス」というふたつのことばについて、明瞭に第二次世界大戦直後からの急増を示していた。

やや専門性が高いアディクションということばは、1970年代後半にピークを打ってその後は横ばいになっている。アディクション症状を示す人を見る機会が多くなるにつれて、ことば自体の衝撃性も1970年代末頃には薄れていったのだろう。

それに比べて、ごく一般的に薬という意味でも使われているし、最近ではとくに非合法で所持したり、服用したりする中毒性や依存症形成リスクの高いクスリに使われることが多くなったドラッグスの使用頻度は、21世紀に入ってからさらに加速して伸びている。

規制物質市場急拡大の主役はオピオイド

ドラッグスということばの使用頻度が大激増したのは、オピオイド依存症に陥った人を身の回りで見聞きすることが非常に多くなったからだろう。薬物過剰摂取死全体を見ると、男性で2010年代後半に横ばい状態になっていたものが、2020年のロックダウンやマスク着用が強制されていた時期に大激増した。

現場に出なければ仕事にならない人たちのあいだで「家に閉じこもっていて手持ち無沙汰だけれども、政府に支給された特別手当や失業保険給付の割り増しがもらえるので、とりあえず使うカネはある」ということで危険な薬物摂取が増えていたらしい。

その意味からもロックダウンやマスク着用の強制は、ほんとうに大きな被害をアメリカ国民に及ぼしたと思う。なかでも犠牲者が増えたのがオピオイド服用による過剰摂取死だった。

フェンタニルを中心とする合成オピオイドの過剰摂取死は、2015年まで年間1万人未満だったのに、2016年には2万人を超え、2019年には4万人近い数字になっていた。それが2020年には6万人、そして2021年には7万人を超えていたのだ。

第二次世界大戦直後には痩せ薬として使われていたメタンフェタミンなどの覚醒剤も2016年頃から犠牲者数が激増を続けている。薬物過剰摂取死の原因となった薬品の中で合成オピオイドに次ぐ第2位となっている。

オピオイド全体の犠牲者数は2021年に8万人を突破し、全薬物過剰摂取死のうち約8割を占めるにいたった。

医師の処方箋をもらって服用する処方箋オピオイドは過去3〜4年、年間犠牲者数が1万人台前半にとどまっている。オピオイド中毒死全体の中では低めに見えるが、かなり大きな問題をはらんだ数字だ。

まず、オピオイド常用者が医師にオピオイドを何度も処方してもらっているうちに、もっと強い刺激を求めてフェンタニルなどの違法オピオイドに移行するようになった。このため処方オピオイドの犠牲者数としては、横ばいにとどまっている可能性がある。

また、医師の処方箋どおりの量を服用していれば安全なはずなのに、犠牲者が出ること自体が大問題だ。おそらく同時に数人の医師から処方してもらって危険な量を服用することができる、つまり処方箋薬局で名寄せをして危険な量を売らないようにする体制ができていないのだろう。

このへんにも製薬会社の「売らんかな」の姿勢がちらついている。ただ、それでは医師同士、あるいは薬剤師同士でひとりひとりの人間について過去に書かれた処方箋を共有していればいいのかというと、そこには大きな危険がつきまとう。

世界中の人間の過去にかかった病気からどんなものに対するアレルギーを持っているかまで調べ上げた記録をネットワーク化するのは「パンデミック条約」に名を借りて、国家主権を超えて人類を直接支配しようとしている**世界経済フォーラムや世界保健機関（ＷＨＯ）の思う壺**にはまることになるからだ。

アメリカでも貧困世帯が多いウエストバージニア州の小さな町の病院に勤務していた60代の女医が大量のオピオイドを処方していた。近隣にあまりにもオピオイド中毒死が多いことに気づいた警察が捜索に乗り出したときには、アメリカと犯罪者相互送還協定を結んでいないカリブ海の国の小さな孤島を買って、そこに移住していた。

オピオイド処方を乱発すれば、それほど儲かるのだ。１日当たり何十通のオピオイド処方箋を書くと、製薬会社から**手厚いキックバック**が受けられる。

製薬業界と医師会が手を組んでロビイストを雇い、ありとあらゆる医療行為を割高にしているアメリカでは、この状況を抜本的に改善することはできそうもない。

アメリカのオピオイド禍の深刻さは、製薬会社や医師たち自身が呼び水となってこれだけ悲惨な犠牲者の出る問題をつくり出しているところにある。

さらに、本来そうした行為を取り締まるべきアメリカ食品医薬品局（ＦＤＡ）もアメリカ国立衛生研究所（ＮＩＨ）も完全に製薬会社や病院協会や医師会からのワイロに取りこまれて、国民大衆による追及から製薬業界や医師たちを守る側に回っている。

その結果、アメリカ国民は**世界一多額の医療費負担**をしていながら、平均寿命は先進諸国の中で唯一80歳を大幅に割りこみ、発展途上国並みの水準にとどまっているのだ。

アメリカが贈収賄を正当で合法的な政治活動と見なすロビイング規制法という悪法を廃棄しないかぎり、軍事産業や医薬品産業がコネとカネで政治・経済・社会を歪め続けることを阻止できないのではないかと、私は思っている。

ただ連邦議会議員たちは、ほぼ例外なくどこかの業界や企業からロビイスト経由で莫大な献金を受けている。このことを考えると、議会でこの百害あって一利ない法律を廃止することは不可能なのではないだろうか。

選挙を通じた体制内変革の可能性が絶望的に低いのが、ロビイング規制法という名の贈収賄奨励法がつくり出した利権集団のやりたい放題の法律・制度の改悪ができる現代アメリカの実情なのだ。

そしてイスラエルという小国が、文字どおり鼻面をつかまえてアメリカという大国を引きずり回すことができているのも、第二次世界大戦終結直後からイスラエルロビーと軍需産業ロビーが結託して、自分たちに有利な議会活動をする連邦議員たちを育てつづけているからだ。

イスラエル無条件全面支持も贈収賄奨励法のたまもの

現在にいたっても人口1000万人弱、国内総生産（GDP）約5000億ドルのイスラエルが、毎年GDPの5％前後を軍事予算として使えてきたのは、アメリカ政府が単年度で40億ドル近い軍事援助を毎年与えつづけてきたからだ。

その莫大な金額は、次ページの2段組グラフの上段でもわかるように、21世紀に入ってからのさまざまな軍事紛争の中でも飛びぬけて悲惨な民間非戦闘員、とりわけ女性や子どもたちを狙った虐殺行為を可能にしている。

国民経済の規模から見れば破格なほど巨額なイスラエルの軍事予算は、ひたすらパレスチナ人を殺傷してきた。さらにパレスチナの国土と資産を奪うために、そして近隣のアラブ系・イスラム教徒が多数派の諸国がパレスチナ支援の軍事行動を起こすのを抑制するために使われてきた。

2024年のイスラエル軍事予算はアメリカからの通常の軍事援助に140億ドル追加があるので、おそらくGDPの8％前後に肥大化するだろう。

公然と「ガザ地区を当分人の住めない瓦礫《がれき》の山にする」とうそぶいているネタニヤフは、この焦土作戦の総軍事費を500億ドルと見積もっている。そのうちの3分の1強は、別に日々の生活費に困っているわけでもないイスラエルに対するアメリカからの軍事援助だ。

イスラエル・ガザ戦争での1日当たり子どもの犠牲者数

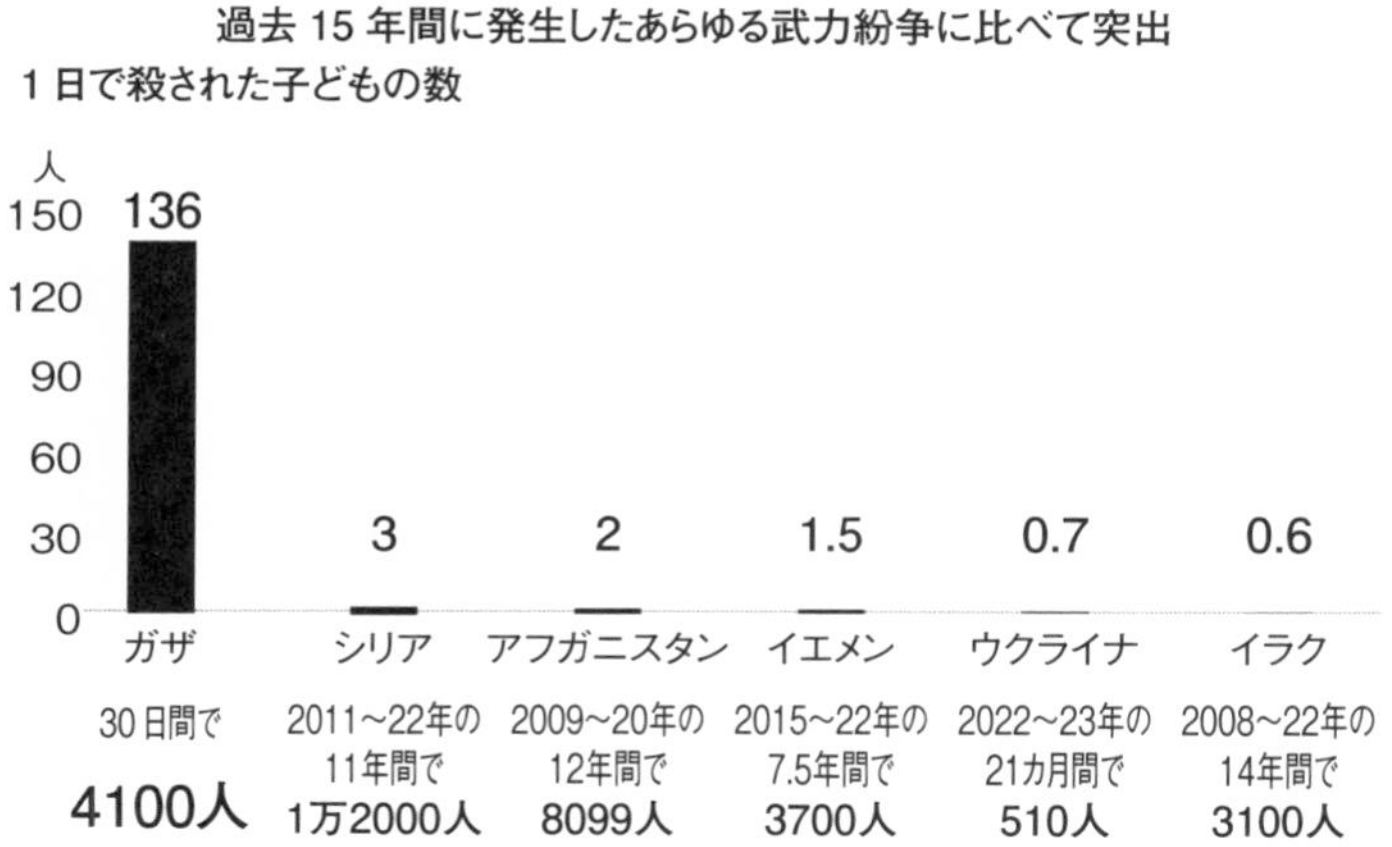

アメリカによるイスラエルへの経済・軍事援助

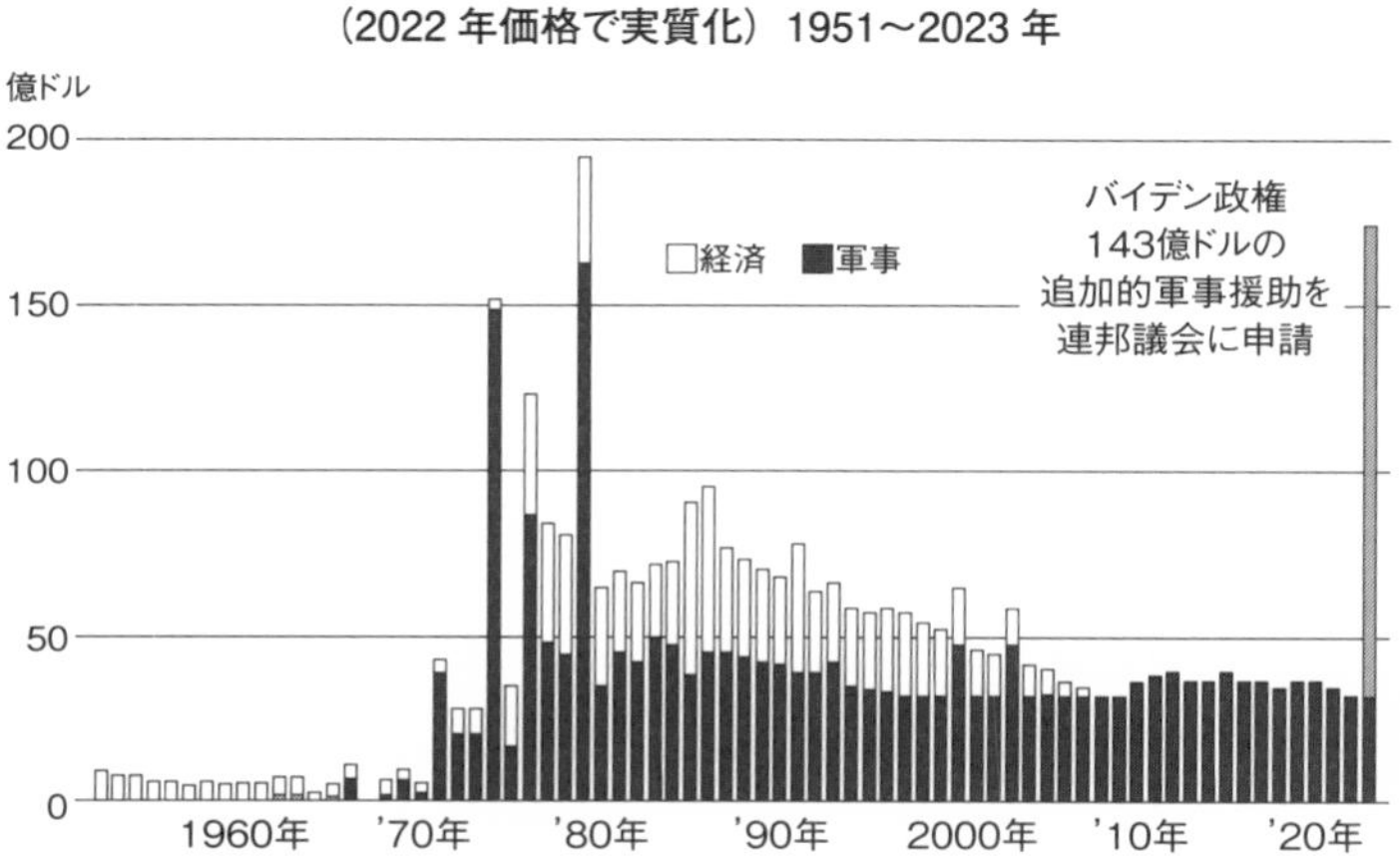

原資料：（上）ユニセフ、OCHA、UNAMA、ウクライナ政府のデータをアルジャジーラが集計、（下）米連邦議会調査サービス「USAID」データをAxiosが作図
出所：（上）ウェブサイト『The Automatic Earth』、2023年11月8日、（下）『Mish Talk』、2023年11月7日のエントリーより引用

つまり「戦場でどんな暴虐をほしいままにしようと、アメリカ政府はもう我々について来るしかない」という確信がなければ、そもそもできるはずがなかったのが、イスラエル陸・空軍共同で遂行しているガザ壊滅作戦なのだ。

この点については、バイデンの前の民主党大統領バラク・オバマがそれまで年間30億ドルだったイスラエルへの軍事援助を２０１９年から38億ドルに増やしたことも大いに貢献している。

オバマというとアメリカ初の黒人大統領として好感を持っている方が多いだろう。しかし在任の８年間に合計７ヵ国に対する空爆についてゴー・サインを出した、第二次世界大戦中以外には**類例のない好戦的な大統領**だった。

さらに１９２５年のジュネーブ議定書で使用が禁止され、１９７２年のジュネーブ条約で使用だけではなく、保有も開発も売買、輸出入も禁止された生物兵器の開発に異常な意欲を燃やしていたのもオバマだった。

ここで56ページに掲載した１９４６年以来のアメリカから諸外国への累計援助額トップ10ヵ国の表と、その中でイスラエルが獲得してきた金額を経済援助と軍事援助に分けた円グラフをもう一度ご覧いただきたい。

なお、アメリカによる対外軍事援助額で現在２位となっているエジプトも、本来同じイスラム教国としてパレスチナに同情的な国民を軍の力で強引に押さえつけてアメリカにこびを売る現軍事政権を延命させるために出しているので、間接的なイスラエル支援だ。

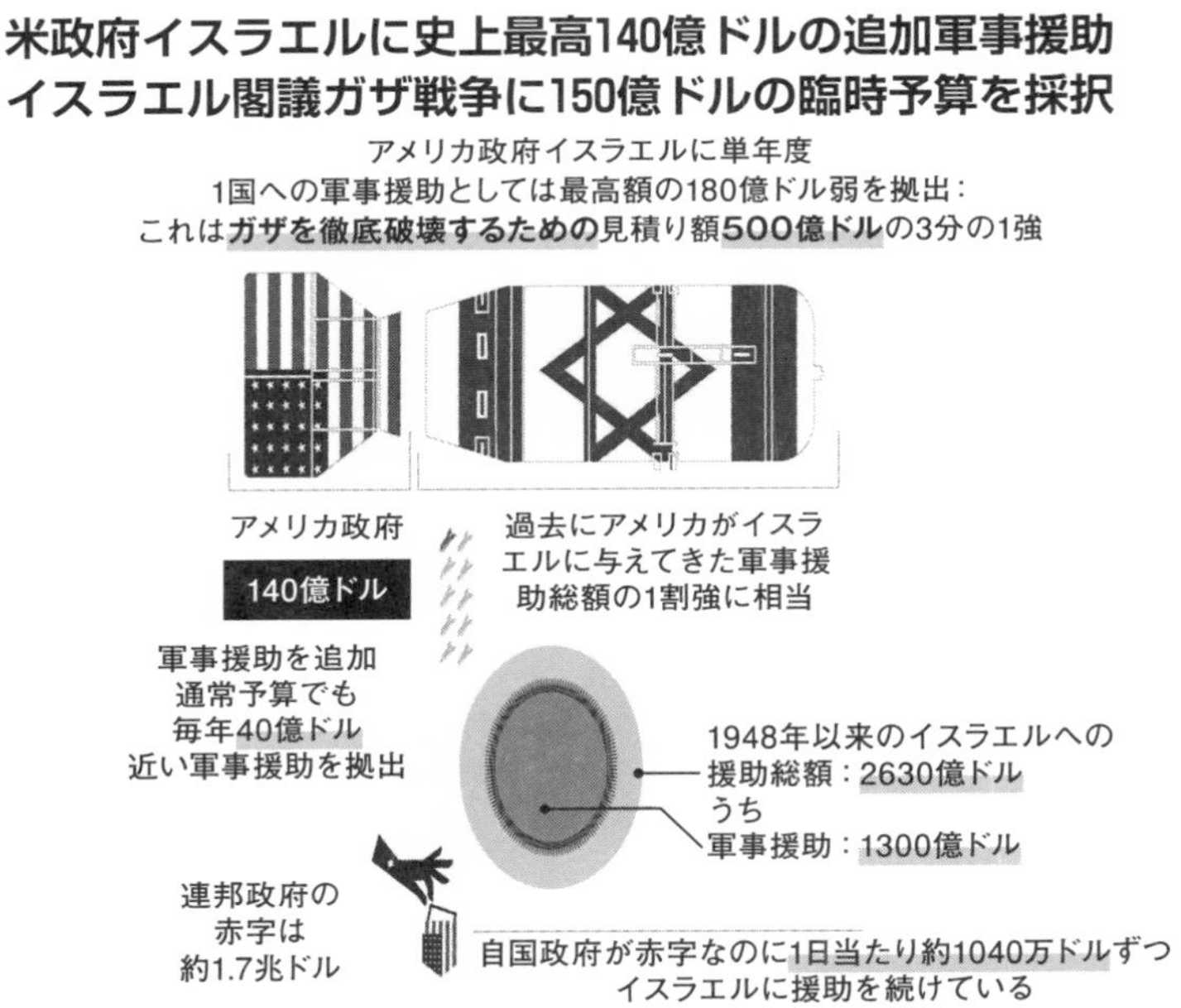

米政府イスラエルに史上最高140億ドルの追加軍事援助
イスラエル閣議ガザ戦争に150億ドルの臨時予算を採択
1国への軍事援助としては最高額の180億ドル弱を拠出：
これはガザを徹底破壊するための見積り額500億ドルの3分の1強

通常予算でも

援助総額：2630億ドル

軍事援助：1300億ドル

約1.7兆ドル
自国政府が赤字なのに1日当たり約1040万ドルずつ

ふくむ補正予算を採択

出所：Defund Israel Now、（左）2023年12月28日、（右）2024年1月16日のX（旧Twitter）より引用

オバマによるイスラエル軍事援助大幅増額
この増額はアメリカ国民の租税負担増に直結

2016年9月14日、オバマ政権はイスラエルへの軍事援助の単年度総額を27%増やして38億ドルとすることを決定した。

年間30億ドルを拠出していた頃から、アメリカ連邦政府は他の全援助対象国への軍事援助総額を上回る軍事援助をイスラエル1国に与えてきた。

増額となった年間38億ドルの軍事援助は、2019年から発効した。

その他諸国への軍事援助総額と比べると
イスラエルへの増額分の巨大さがわかる

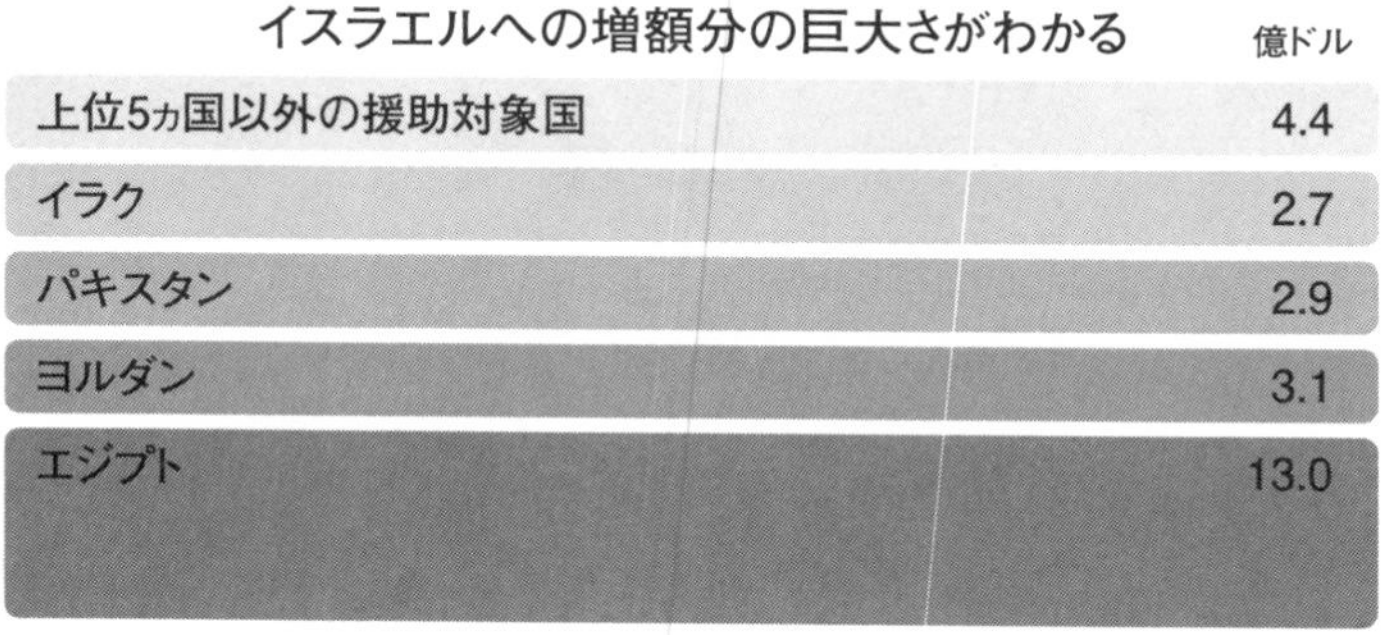

	億ドル
上位5ヵ国以外の援助対象国	4.4
イラク	2.7
パキスタン	2.9
ヨルダン	3.1
エジプト	13.0

原資料：ビジュアライズ・パレスチナ
出所：Defund Israel Now、2023年12月3日のX（旧Twitter）より引用

いったいなぜ、アメリカ政府はこれだけ大っぴらに人道上の犯罪行為をくり返すイスラエルを支援しつづけているのだろうか。

連邦議会議員の立場としては、一心同体とも言えるほどの連係プレイを見せるイスラエルロビーと軍需産業ロビーに迎合する政策を推進すれば、ロビイスト経由で巨額の献金が入ってくる。しかし逆らえば次の選挙で強力な対立候補を立てられて議席を失う危険が大きいからだ（次ページの図解参照）。

自分たちに有利な政治をしてくれる議員に大金を投じるスポンサー集団は多いが、自分たちに敵対する議員を落選させるために大金を投じる集団は、イスラエルロビーぐらいだろう。

アメリカの政界で大物を目指す政治家のほとんどは、連邦議会議員のうちからイスラエル＝軍需産業ロビーと強固な絆を築いておかなければ、大統領選に立候補するところまでたどり着けない仕組みなのだ。

とにかくアメリカの政治は、連邦議員や大統領として当選が確定した人間に、あとからロビイストを通じた巨額献金によって有力産業団体や巨大寡占企業が言うことを聞かせることができる仕組みがすっかり定着してしまっている。

だからロビイストを雇って巨額献金をするための潤沢な資金を持つ企業、産業団体、大富豪にとって、ロビイングはちっとも危険なギャンブルではない。勝ち馬が決まってから馬券を買うのと同じ安全確実で大きな収益の上がる**「投資」**なのだ。

イスラエルへの軍事援助の構造

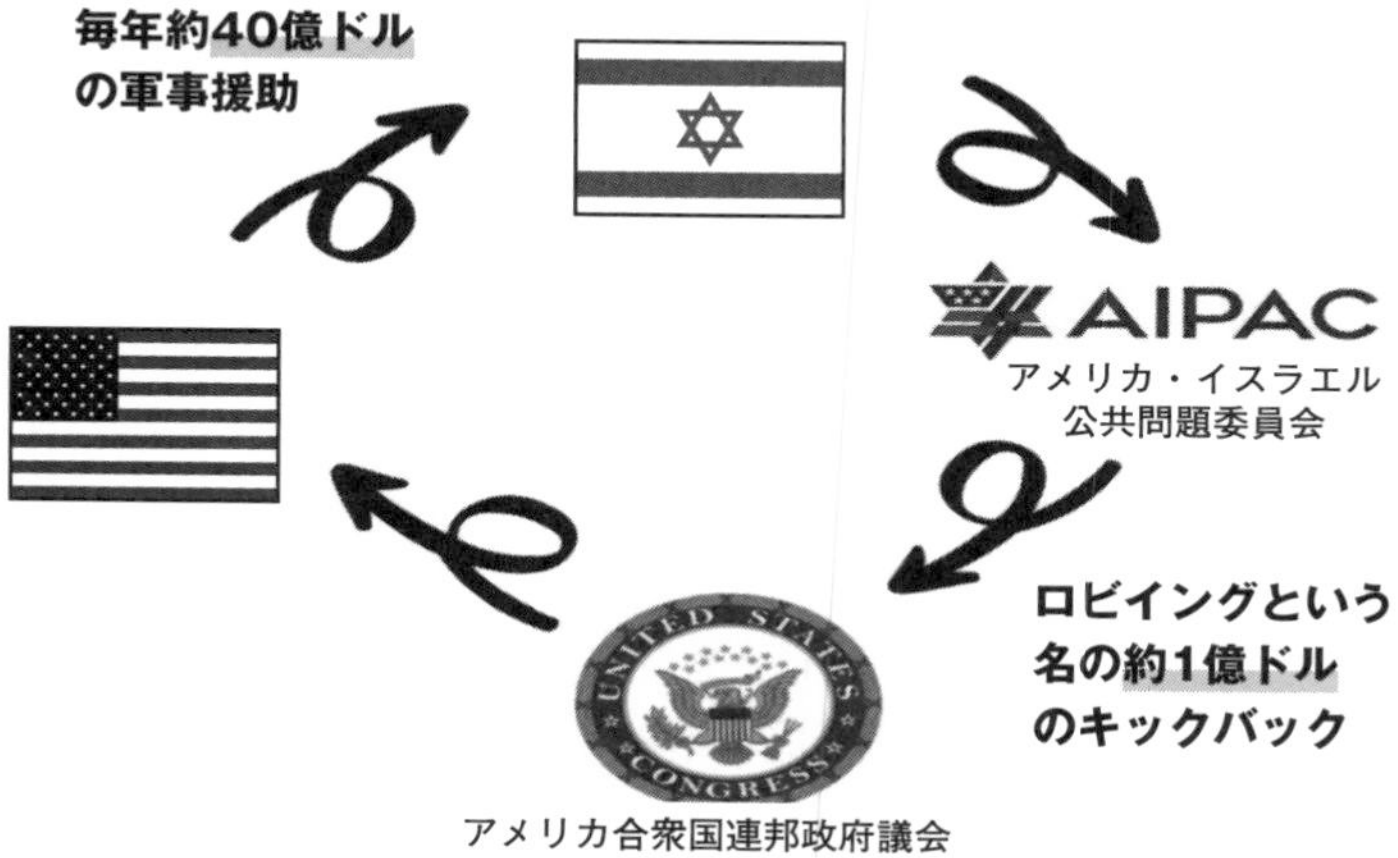

出所：Defund Israel Now、2023年12月31日のX（旧Twitter）より引用

武力を持たないパレスチナの民間人に襲いかかって「土地を寄こせ、家を寄こせ、財産を寄こせ。命が惜しければとっとと消えうせろ。抵抗すれば皆殺しだ」と脅す完全武装したテロリスト集団を、アメリカ政府は第二次世界大戦直後から全面的に支援していた。

そもそものちにイスラエルの初代首相となったダビド・ベン＝グリオンは、まだ過激派シオニスト集団の頭目だった第二次世界大戦中に、ある仮定の質問にこう答えていた。

「ロンドンなら100万人のユダヤ人を収容できるが、パレスチナなら50万人分の収容能力しかないと言われたらどちらを選ぶかって？　パレスチナに決まっているじゃないか。しょせん他民族の領土で窮屈な居候生活をするより、自分たちで奪い返した土地の主人公として暮らしたいからだ」

第二次世界大戦後、イスラエルが建国されるとその初代首相として1948～63年という長い任期を務めたベン＝グリオンは、首相就任直前の1948年に建国を待たずに既成事実化していたイスラエル軍の士官たちに対する演説でこう述べていた。

我々はイスラエルをアラブ人たちの影響から解放するために、テロ、暗殺、脅迫を活用しなければならない。そして彼らから土地を奪い、彼らにはあらゆる社会的サービスを与えずに押し通すのだ。

こうしてパレスチナ人から強奪した土地を国土として、自分たちこそ「この国の主人公」と宣言している。しかもパレスチナ人を2級、3級の市民あるいは人間以下の動物と見下しておこなった殺傷と破壊の「成果」として、旧パレスチナのほぼ全域を支配下に置いてしまった。

贈収賄奨励法制定以降のアメリカ社会は、何から何まですべてカネを有効に使ってあらゆる法律や制度を自分たちに有利なかたちに変えた者が勝ちという**あさましい社会**になった。その結果、連邦議会議員の倫理性に対するアメリカ国民の信頼は地に堕ちている。そこまでは、当然すぎるほど当然の話だ。

だがカネの力で政治家を自由自在に動かせるようになったことの影響は、想像を絶するほど社会の隅々にまで浸透している。第二次世界大戦後のアメリカでは、学界で高い評価を受け、一流大学の教授になったり権威ある研究所で要職に就いたりするにも、どれほど巨額の外部資金を導入したかが、もっとも重要な判定基準となっている。

贈収賄の合法化に起因する多種多様な変化の複合汚染は、いたるところで顕在化している。

ガザにおけるイスラエル軍による民間非戦闘員の大量虐殺、ウクライナでの米軍による生物兵器開発を隠蔽するための2014年のマイダンクーデターと、それに対する8年越しの反撃としてのロシア軍によるウクライナ侵攻、大したことのない感染症を大疫病とあおって危険な遺伝子改変「ワクチン」を強制接種する医療行政、気候変動危機論者が振りかざす二酸化炭素悪玉論、世界的な幼児売春組織網の形成、情報産業大手の国家権力と癒着した「諜報」産業化、その底流に常に存在していた欧米人の人種差別から発する人口削減論。

すべては**「ヤバいことならカネになる」**という陳腐だが歴然とした事実に支えられた現象であるだけに、これらの現象の根底にある闇は暗く、深い。

第3章

大手メディアもワイロ万能政治の使いっ走り

アメリカでさえ国民の過半数はガザ停戦を支持している

大手メディアがハマス非難一色に染まっていた10・7事件直後の世論調査結果でさえ、アメリカ**国民の過半数はガザの即時停戦を支持**していた。

次ページのグラフに出ているように、有権者全体としても賛成が3分の2、反対が4分の1で残る1割がわからないという回答だった。さらに民主党支持層のあいだでは賛成が80%、反対が12%、わからないが8%と、圧倒的多数が停戦を支持していた。共和党支持者のあいだでさえ賛成が56%、反対が34%、わからないが10%と、賛否の差はかなり詰まるが賛成が過半数だった。

現職のジョー・バイデンは民主党から出馬した大統領だから、ふつうに選挙結果が政策に反映される国なら、当然アメリカもイスラエルによるガザの武力侵略を抑制して停戦に持ちこむ努力をするはずだろう。

ところがバイデンは、イスラエル軍を抑制するどころか140億ドルという前例がないほど大規模な追加的軍事援助をして、イスラエル軍をけしかけている。

アメリカの有権者全体としての反応は「2大政党には失望したけれども、まだ投票で連邦議員や大統領を決める間接民主主義に絶望しているわけではない。もっとマシな人間を2大政党以外の政治団体や個人のあいだで探そう」ということのようだ。

アメリカ国民は党派を問わずガザ停戦を支持
2023年10月18〜19日の世論調査結果

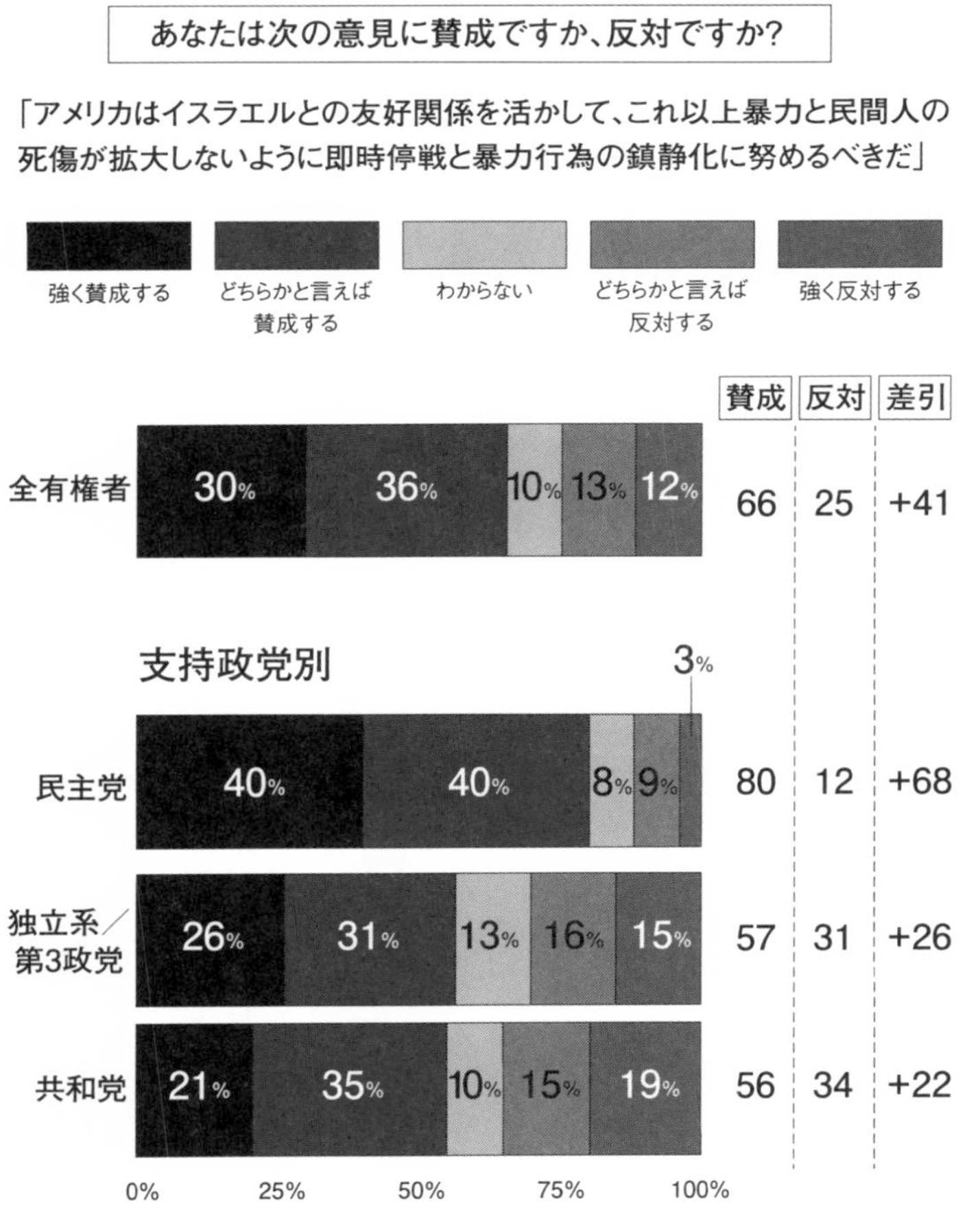

原資料：2023年10月18〜19日に有権者1329人に対してデータ・フォー・プログレスがおこなった世論調査結果
出所：ウェブサイト『Data for Progress』、2023年10月20日のエントリーより引用

連邦政府はだれのためにに政治をしているか？
世論調査結果：2002〜2020年

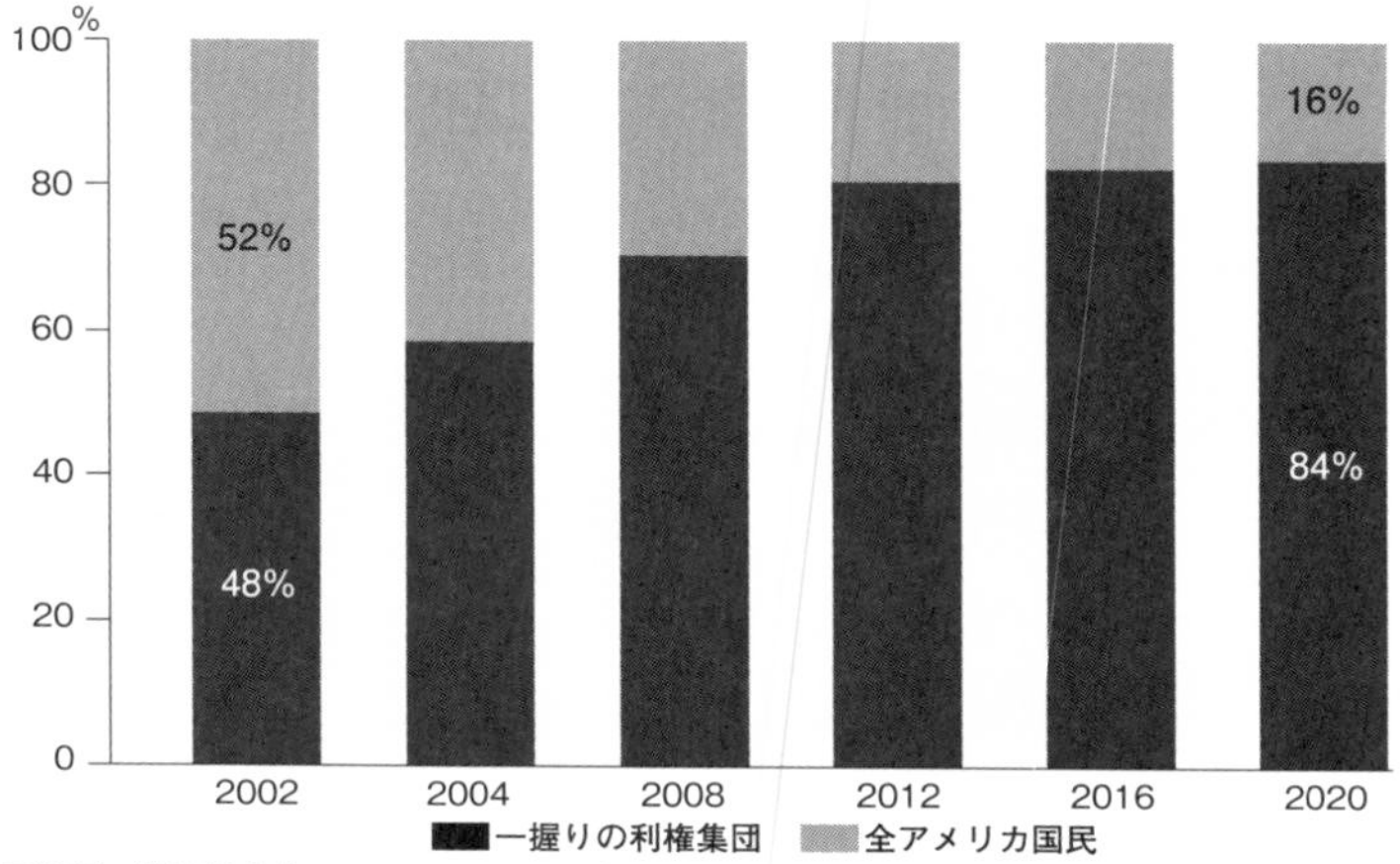

原資料：世論調査「electionstudies.org」
出所：Missing Data Depot、2024年1月11日のX（旧Twitter）より引用

最新の世論調査結果では、民主党・共和党ともに支持者が25％まで減少し、逆に独立系の有権者が49％とほぼ半数を占めた。

それでも選挙結果を見れば、独立系と自己規定する有権者がどんどん増えていることなどまったく関係なさそうに民主・共和両党推薦の候補者が当選するケースが圧倒的に多くなっている。上院・下院を問わず、議員の95％以上が2大政党所属だろう。

これは単純に2大政党制という政治システムの問題だろうか。

アメリカの場合、あらゆる選挙が小選挙区制、つまり1選挙区からはひとりしか当選しないシステムなので、国勢に影響力のある政治家を選ぼうとすると2大政党のどちらかの候補しか選ぶ余地がないという事実が問題の核心なのだろうか。

私はアメリカ全土を1選挙区にして比例代表制で当選者を決めても、数人の当選者を選ぶ選挙区中心の中選挙区制にしても、アメリカ政治が民意とかけ離れた政策を推進してしまう弊害は解消できないと思う。またアメリカ国民の中にも、そう感じている人は確実に増えている。前ページのグラフにその絶望感が表れている。

２０００～02年のハイテクバブル崩壊のどん底期でも「政治家はアメリカ国民全体に奉仕している」との声が52％とかろうじて多数派だった。

しかし、その後急激にアメリカ政治に幻滅する人が増え、国際金融危機のまっただ中にあった２００８年には、「一握りの利権集団のための政治をしている」との回答が70％弱と完全に逆転していた。

そしてコヴィッド－19が流行し、ロックダウンや外出時のマスク着用の強制といった政策をゴリ押しする自治体が増えた２０２０年には、「一握りの利権集団のために働いている」と答えた回答者が84％に達した。

低評価に背かないアメリカの連邦議会議員の政策選択

それにしても、現代アメリカ社会における連邦議会議員の倫理性についての国民的な評価の低さには驚くべきものがある（この本をここまでお読みいただいた読者の皆さんにはあまり意外性はないかもしれないが)。

アメリカで自動車のセールスマンというと、舌先三寸で消費者を丸めこんで欠陥車を高く売りつける詐欺師同然の商売として非常に嫌う人が多いが、連邦議員は自動車セールスマンより倫理性を高く**評価する人の少ない職業**だ。その評価の低さを次ページのグラフでご確認いただきたい。迷惑電話をしつこくかけてくる「電話勧誘員」のおかげでやっとビリをまぬかれているだけで、それ以外には連邦議員より「倫理性が高い」との評価が少ない職業は存在しない。

さらに「倫理性が低い」という評価の多さでは、59%の電話勧誘員を抜いて62%と堂々たるトップだ。連邦議員の倫理性についての評価がここまで下がったのはなぜだろうか。

最大の理由は、1946年にロビイング規制法という名の贈収賄奨励法が施行されて以来、どんなに志の高そうな候補者に票を投じても、当選した瞬間から**大企業や大富豪の使いっ走り**になる事例ばかり見せつけられてきたことだろう。

この点に関しては、計量政治学の分野でマーチン・ギレンズとベンジャミン・ペイジというふたりの学者がしっかりした研究論文を書いている。アメリカの議員たちはいったいどういう基準で上程された法案に対する賛否を決めているのかという実証研究だ。

まず、大富豪たちの賛否がどの程度議員の賛否に影響を与えているかを118ページのグラフで見てみよう。

ちょっと読みにくいグラフになっているので、少し細かくご説明しておこう。横軸が10%ずつ

さまざまな専門職の倫理観評価:2023年調査

これらの専門職の人たちを倫理観で「非常に高い」「高い」「平均的」「低い」「非常に低い」の５段階で評価してください

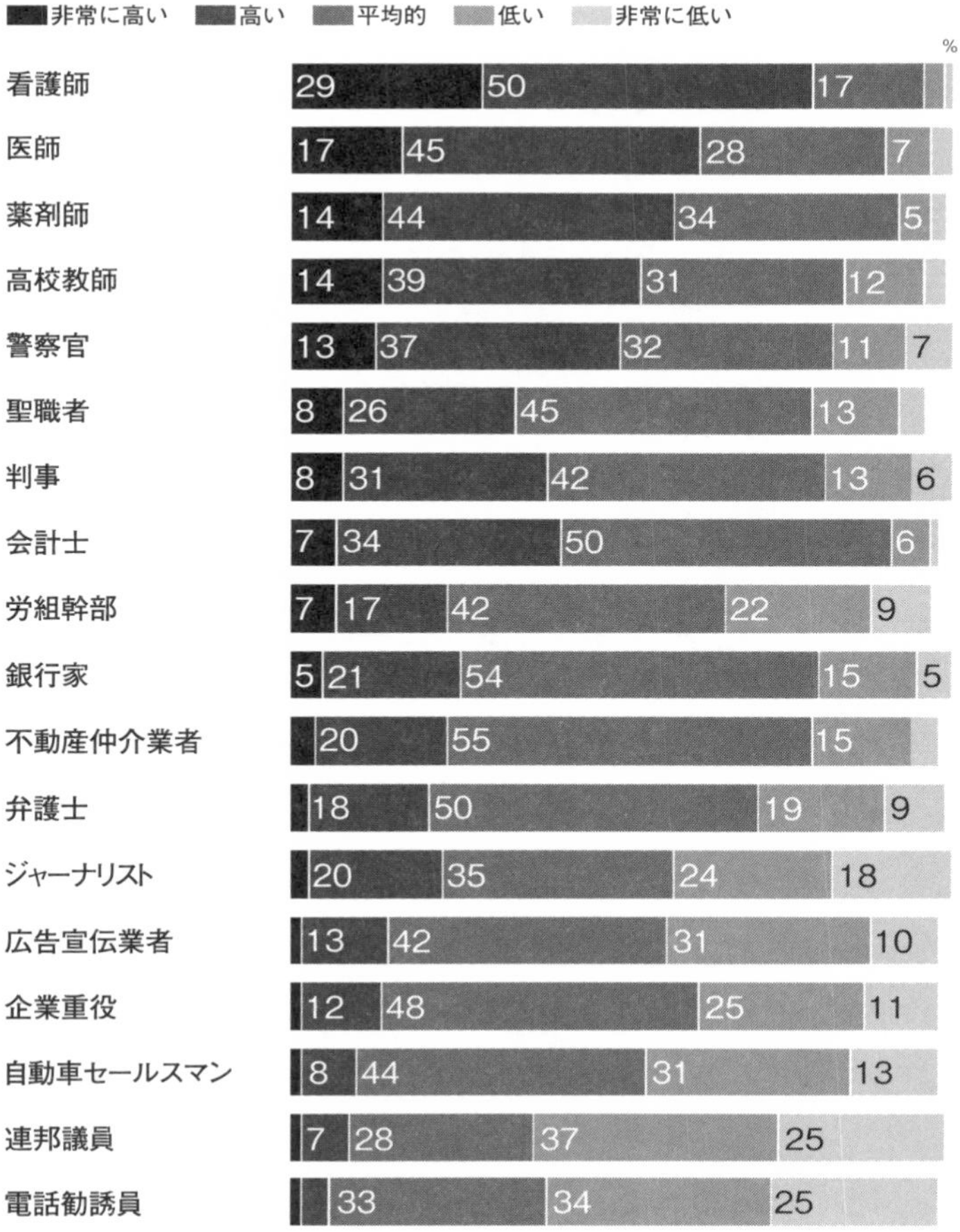

注：意見無しは表示せず。5%未満の数値記載も省略。
原資料：ギャラップ社が2022年11月9日〜12月2日におこなった世論調査結果
出所：ウェブサイト『Gallup News』、2023年1月10日のエントリーより引用

アメリカの金権政治は経済エリートの利害を一方的に優先することで成り立っている

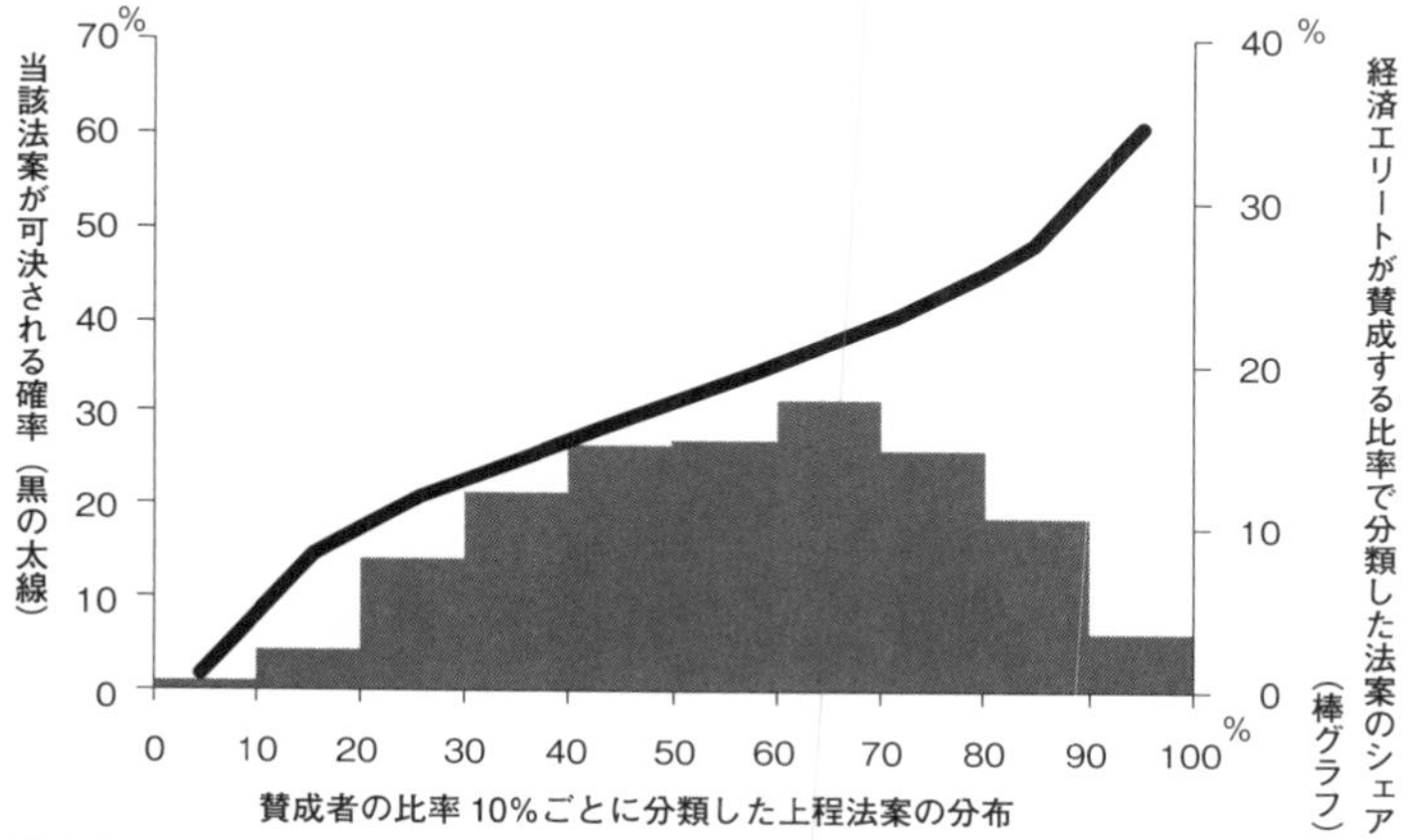

出所：Martin Gilens and Benjamin I. Page『Testing Theories of American Politics: Elites, Interest Groups, and Average Citizens』、Cambridge University Press（2014年9月18日刊）より引用

そして一般大衆の意向はほぼ完全に無視される

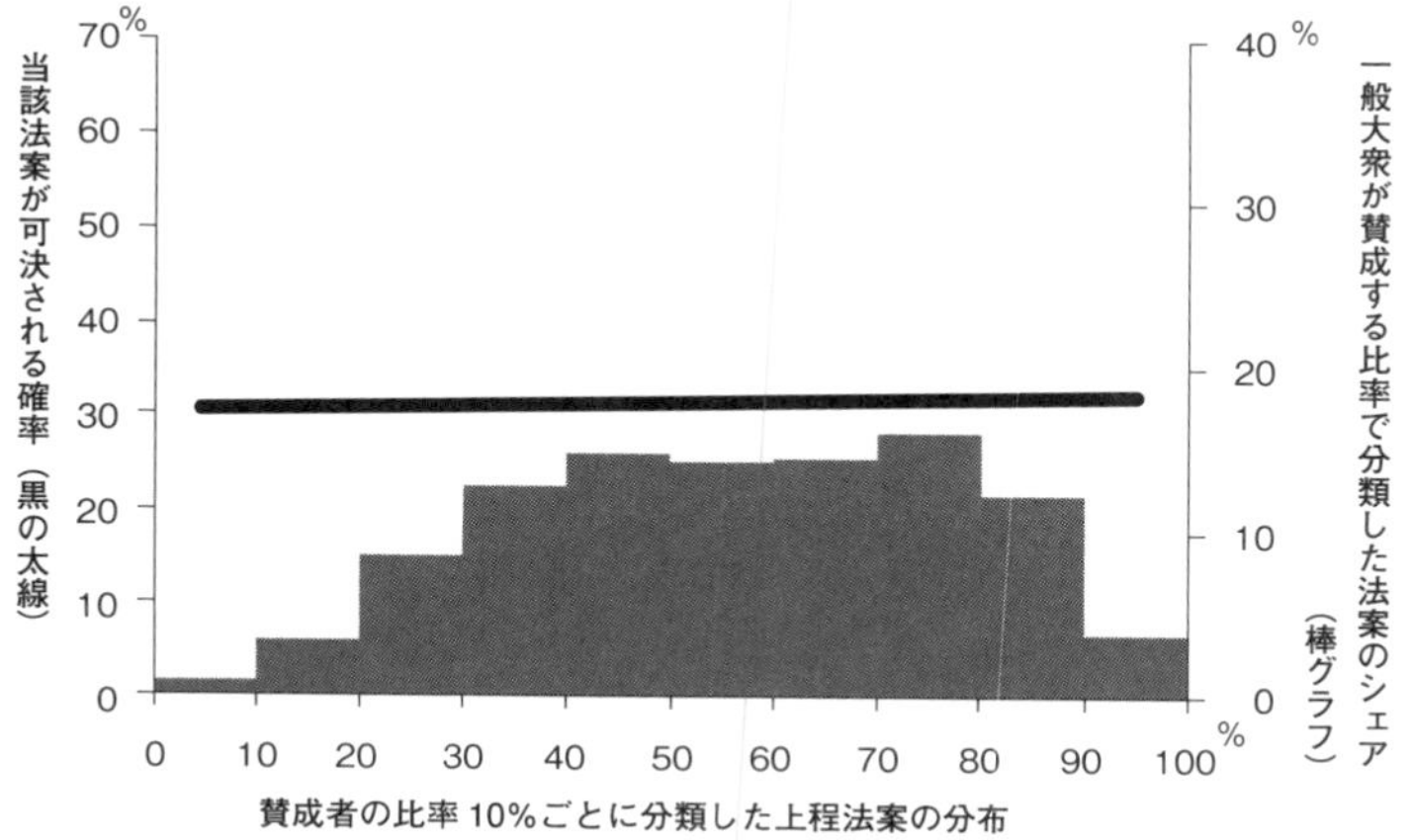

出所：Martin Gilens and Benjamin I. Page『Testing Theories of American Politics: Elites, Interest Groups, and Average Citizens』、Cambridge University Press（2014年9月18日刊）より引用

に区切ってあるのは、大富豪や高級官僚や一流企業の重役といった経済エリートのうち何％が賛成している法案かということだ。０～10％なら、もちろん経済エリートの０～10％が賛成していることを意味する。

そしてその上に立っている棒グラフの高さは、その議会に上程された法案の中で何％に当たるかを示している。経済エリートの０～10％しか賛成者がいなかった法案は、全法案の１％ぐらいしか上程されていなかったわけだ。

黒の折れ線は０～10％の賛成者しかいなかった法案のうち何％が可決されたかを示している。皆無ではなかったが、２％ぐらいしか可決されなかったようだ。

約30％といちばん全上程法案に占める比率が高かった経済エリートの60～70％が賛成している法案は、ぐっと可決率が上がって40％近くが可決されていた。

経済エリートの賛成率が90～１００％まで高くなった法案は全法案の６～７％ぐらいしかなかったが、60％強が可決されていた。

ご覧のとおり、みごとに経済エリートの賛成率が高いほど可決率が高くなっている。経済エリートがほとんど賛成しない法案は絶対と言っていいほど可決されないし、経済エリートの90～１００％が賛成する法案は60％以上の確率で可決されるのだ。

それでは、一般大衆の賛否がどの程度議員の賛否に影響を与えているかに移ろう。前ページの下段のグラフだ。

こちらは、あまりくどくどご説明する必要はないだろう。一般大衆の0～10％しか賛成者がいなくても可決率は約30％、一般大衆の90～１００％が賛成していても可決率は約31％と、ほとんど変わらない。

議員たちは、経済エリートの意見にはとても良く耳を傾けるが、一般大衆の意見はほぼ完全に無視しているのだ。どうして経済エリートの言うことには耳を傾けるかというと、ロビイストの鼻ぐすりが効いているからだろう。

アメリカ国民は政治にもメディアにも絶望している

２０１９～23年の**たった5年間で、アメリカ国民の価値観に凄まじい変化**が起きた。愛国心、信仰、子育て、コミュニティへの参加といった概念を非常に大事だと思う人が激減する一方、金銭が大事だと思う人が微増していたのだ。

「これほど重大な問題に関する価値観が、こんなに短期間で激変するはずがない。おそらく、２０１９年と２０２３年のどちらか、あるいは双方で回答者のサンプリングに問題があったのだろう」という見方もある。

でも私は、第二次大戦直後から知的エリートたちのあいだで高まる一方だった拝金主義の風潮が、ついに一般大衆まで**「この風潮に逆らってもムダだ」**と思いこませるに到ったのだと感じて

ユダヤ人全体が抑圧者だと見なすべきか、それは間違ったイデオロギーか？

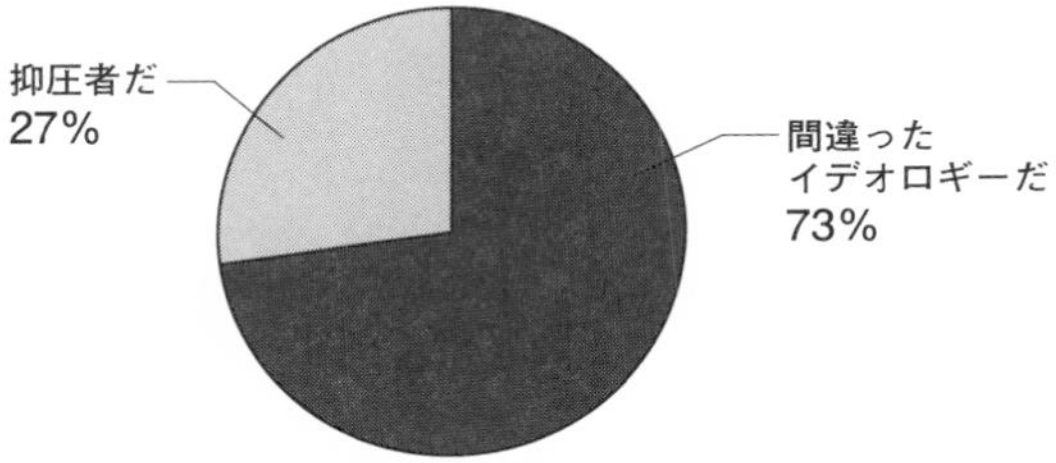

	18〜24歳	25〜34歳	35〜44歳	45〜54歳	55〜64歳	65歳以上
抑圧者	67%	44%	36%	24%	15%	9%
間違ったイデオロギー	33%	56%	64%	76%	85%	91%

出所：Harvard CAPS-Harris Poll『Approval and Mood of Country: December 2023』、2023年12月13〜14日のエントリーより引用

いる。

とくにここで私が問題としたいことがある。それは、コミュニティとの関わりだ。他の伝統的に高く評価されていた価値観が重視されなくなっていく中で「最低限、となり近所とは仲良くしようよ」という考え方は２０１９年までは顕著に上昇していた。

そこに２０２０年のコロナ騒動が持ち上がり、ワクチン接種をめぐっても、地球温暖化そのものが問題か、再生可能エネルギーは実用に堪《た》えるかといった点でも、それまで仲良くやっていた人たちのあいだで敵味方がはっきり分かれることが増えた。

世界経済フォーラムなどのグローバリストたちが意図的にこのタイミングを狙ってやったことなのか、偶然なのかまではわからないが、現代アメリカ社会はさまざまな争点でコミュニティの分断が起き、庶民にいたるまで「最後の砦」がカネという風潮が一般化してしまった。

そんな中で、かすかに希望の光が差しこんできたと感じられる世論調査結果も出ている。その一例が前ページに掲載した「ユダヤ人全体が抑圧者だと見なすべきか」という設問への年齢層別の回答だ。

たしかに65歳以上の高齢者たちは91％対9％という大差で「ユダヤ人全体が抑圧者だというのは間違ったイデオロギーだ」と答えているのに対し、18～24歳の若年層は「抑圧者」67％対「間違ったイデオロギー」33％と完全に逆転している。

高齢者のほうが若年層より早く死に絶えていくことを考えれば、アメリカ国民のものの見方についても将来に希望が持てそうな気がする。だが、私はいくつかの点でアメリカ国民の考え方が内面から変わっていくとは思えない。

幻想と切り捨ててはいないが、**過度の期待は持たないほうがいい**と思う。

まず現在65歳以上のアメリカ人は、１９５０年代末に始まって60年代後半に本格化した公民権運動とベトナム反戦闘争を闘った人たちが多数派だった世代（いわゆるベビーブーマー）だという事実だ。

そこには「人間歳をとるほど頭が硬くなって保守化するものだ」という一般論以上の深刻な事情があると私は考えている。アメリカの知的エリートたちは、ほんとうに世界情勢について無知で不勉強だ。

だいたい30代を過ぎると大手メディアの中で自分の好みに合った主張をそっくり請け売りするだけになってしまうのに、いかにも自分が思いついたように表現することにかけては巧みだ。

さらに彼らが公民権・ベトナム反戦闘争を闘っていたのが、どんな時代だったかも重要だ。ユダヤ人たちは第二次世界大戦中の迫害や虐殺のおかげでようやく白人身分に昇格させてもらったけれども、地方に行ったり、当時の高齢者層の間に入ったりすると、まだ露骨なユダヤ人差別が残っていた。

ユダヤ系のアメリカ支配は完璧に近づいている

だから当時アンチ・セミティズム（反ユダヤ主義）を批判するのは、先進的で勇気の必要な言動だった。今は時代がまったく違う。ユダヤ系が米国民全体に占める比率はたった2％なのに、豊かさや社会的な影響力では他の人種や民族を圧倒している。

イスラエル政府は、完全にアメリカ政府を手玉にとって、**やりたい放題**をやっている。もう23年も前に、当時のイスラエル首相アリエル・シャロンは次ページ上段のように語っていた。

「我々ユダヤ系がアメリカをコントロールしている」と豪語する根拠はふたつある。ひとつは次ページ下段の一覧表でご覧いただけるとおり、ほんとうに重要な分野で活躍しているユダヤ系の比率が驚くほど高いことだ。

2001年10月3日（9・11事件直後）、当時のイスラエル首相が自信に満ちて豪語したこと

我々が何かするたびに、あなた方は
「アメリカがああ出るか、こう出るか」と
うるさくおっしゃる。
ここではっきりさせておきたい。
アメリカがイスラエルにかける圧力など
まったく無視していい。
アメリカをコントロールしているのは
我々ユダヤ系なのだ。

2001年10月3日、イスラエルのKOLラジオで、
シモン・ペレスの質問に答えたイスラエル首相
（当時）アリエル・シャロンのことば

出所：Defund Israel Now、2024年1月6日のX（旧Twitter）より引用

「我々ユダヤ人がアメリカを統制している」との発言が空虚な大言壮語でない数々の証拠

1）　アメリカ国民中のユダヤ系比率：2%
2）　米国軍人兵士中のユダヤ系比率：0.3%
3）　ハーバード大学在校生中のユダヤ系比率：25%
4）　現最高裁判事中のユダヤ系比率：33%
5）　アメリカの10億ドル長者中のユダヤ系比率：35%
6）　現バイデン政権閣僚中のユダヤ系比率：90%（30人中27人）
7）　現連邦上院議員中イスラエルロビーからの献金受領者比率：84%
8）　エプスティン顧客リスト著名人中ユダヤ系比率：52%（77人中40人）
　8.1）　うち**10億ドル長者中のユダヤ系比率：76%**（21人中16人）
　8.2）　うち**国家元首級政治家に占めるユダヤ系比率：67%**（6人中4人）
　　ユダヤ系の4人はすべてイスラエル首相
　　残る2人は米大統領ビル・クリントンと英首相トニー・ブレア
9）　連邦準備制度理事会歴代議長・副議長のユダヤ系比率：33%（40人中13人）
10）2020年選挙戦での大口献金トップ27人中のユダヤ系比率：63%

出所：Defund Israel NowによるX（旧Twitter）、Rogue DNCによるInstagramへの投稿、Open Secrets.orgが収集したデータなどより作成

10億ドル長者の中でのユダヤ系比率は35%で、これでも低いほうだ。高級官僚の中で閣僚まで登り詰めるユダヤ系の比率（90%）、２０２０年大統領選で巨額献金をした富豪に占めるユダヤ系の比率（63%）、一流メディアで論説委員を務めるユダヤ系の比率（これはこの表には出ていないが、おそらく90%を超えるだろう）、すべて軽く50%を突破している。

今やユダヤ系こそ特権階級にのし上がっているのだ。正気の人間ならユダヤ人を差別するなどという畏《おそ》れ多いことをするはずがない。なんの得にもならないのに、偏見の持ち主として爪弾《つまはじ》きにされるからだ。

私が見聞きしたかぎりでも「アンチ・セミティズム」という表現が持ち出されたのは、イスラエル政府やイスラエル軍のパレスチナ人に対する迫害や殺戮を批判した人へのまったく反論にならない「反批判」のレッテルとして使われたときだけだ。

つまり、アメリカの知的エリートの大多数が発するアンチ・セミティズムということばは、イスラエルによるパレスチナ人迫害を覆い隠す隠れ蓑《みの》になっているのだ。

とにかくユダヤ系がアメリカの全人口に占める比率はたった2%に過ぎないから、イスラエル軍によるパレスチナ人民間非戦闘員の虐殺を批判しただけで「アンチ・セミティズム」とレッテル貼りをする人たちの大部分は、ユダヤ系ではないと思う。イスラエル軍がどんなに非人道的な行為をしているかも知っているだろう。

頭はいい人たちだから、それと知らずに21世紀最大の人種迫害の隠れ蓑を提供しているはずはない。わかったうえで、ユダヤ系と仲良くしておいたほうが**経済的にも社会的にも都合がいい**からやっていることなのだろう。

もうひとつイスラエルの政府首脳がアメリカ世論をコントロールできると豪語する理由は、完全にカネの力がものを言うアメリカという利権社会で、親イスラエル派と親パレスチナ派のどちらにたっぷりカネを出せるスポンサーがついているかと言えば、圧倒的に親イスラエル派だからだ。

そして現在18〜24歳の世代にも、私はあまりアメリカ社会を変えてくれるだろうという期待を持っていない。その理由は「ハマスが一掃された後のパレスチナには、どんな政権がふさわしいか」という質問に対する回答だ。

まず驚くのは「パレスチナの自治に任せるべきだ」という当然すぎるほど当然の回答が最多数になっている年齢層がひとつも存在しないことだ。

そもそもほとんどのアメリカ人には「他国の政治・経済・社会に口を差しはさむのは内政干渉といって、戒めるべきことだ」という観念がない。このことを考えれば、ごく自然にこういう回答分布になってしまうのかもしれないが。

なお、ここで唯一この当然の選択肢が40%台に乗せているのは18〜24歳の若年層なので、この点からも期待が持てそうに見える。

だが、「パレスチナ自治」「アラブ諸国との合意の上で限定的自治」「イスラエルに委任」の3

択のうちどの回答が最多数かというと、年齢層が低くなるほど「イスラエル統治に委ねるべきだ」という回答が多くなる傾向があり、18〜24歳層では45％とあらゆる年齢層の中で最多数となっている。

海外情報となると、大手メディアのお仕着せ以外には収集がむずかしかった20世紀と違って、最近では世界中のＳＮＳ利用者の多くが母国語とともに英語でも情報発信をしている。

英語国民が調べる気になれば、ほとんどの国で起きていることについて現地の生々しい情報を集めることができる。そうすれば、１９６７年以来延々とイスラエルによる軍事占領下に置かれているパレスチナ人の境遇がいかに悲惨かはすぐわかる。

それでも「パレスチナ人の国をイスラエル統治に任せよ」という回答が最多数になっているのを見れば、「ユダヤ人全体が抑圧者だ」という回答が67％だったのも、「今はパレスチナ人びいきが流行りみたいだから」程度の軽薄な選択だった可能性も大きい。

現代アメリカの公共初中等教育がほぼ壊滅状態で、アメリカ国民の大多数が自分でものを考える習慣を身につけるチャンスもないまま社会に出るか、大学に行くかという状態だ。だから、しかたのないことかもしれないが。

長くアメリカを観察していると、こういうふうにがっかりさせられることは、数え切れないほど多い。

私は過去7〜8年アメリカ社会が腐敗堕落した最大の原因は「ロビイング規制法」という名の

オープン・ザ・ブックス
今日のムダ遣い2023年11月6日

OPENTHEBOOKS.COM
今日のムダ遣い
あなたのおカネですよ！

バイデン政権がパレスチナ人たちに
10億ドル
財源が連邦政府ってことは、
あなた方納税者のおカネですよ

エルサレム・ポスト紙の「セレブリティ・
ニュースと文化」面掲載の大見出し

THE JERUSALEM POST

エルサレム・ポスト＞セレブリティ・ニュースと文化欄
メタ、アップル、グーグルなどのほぼ
軒並みハイテク大手はイスラエル支持を表明
WALLA!記者、2023年10月16日午前8時4分投稿

出所：（上）ウェブサイト『Real Clear Wire』、2023年11月6日のエントリー、（下）「エルサレム・ポスト」紙、同年10月16日付見出しより引用

贈収賄奨励法だと確信して、それを立証するためのデータ集めも一生懸命やってきた。

その過程でひんぱんに参照させてもらったのが、『Open the Books（帳簿を見せろ）』というウェブサイトだった。巨大企業や有力な産業団体などのロビイングについて詳細な資料をかなり迅速にアップデートし続けているサイトだ。

ただ気になっていたのが、アメリカ・イスラエル公共問題委員会（ＡＩＰＡＣ）を含めて、ユダヤ系、福音派クリスチャン系のイスラエルロビーについての記載が異常に少ないことだった。

もちろん、アメリカ政府は他国の利益のためにロビイング活動をする団体には一定の制約を科している。ところがＡＩＰＡＣだけは、アメリカ国民がアメリカの利益のためにつく

った団体と一緒にしていて、一切の制約をまぬかれていることも指摘しない。

その理由が、つい最近判明した。前ページの図表の上段にあるような偏向記事を堂々と公表するサイトだったのだ。

イスラエル軍がパレスチナ人を大量虐殺するための通常軍事援助38億ドル、臨時追加予算140億ドルには一言も文句も言わず、罪滅ぼしにもならないパレスチナへの「人道的」支援たった10億ドルをムダ遣いと批判しているのだ。

他にはロビイング関連のデータを定期的にアップデートしてくれるサイトはあまりないので、今後もこのサイトも使いつづけるしかないが、イスラエルロビーについては意図的な過小記載の危険があることを常に頭に置いて使う必要がありそうだ。

民主党大口献金者はイスラエルべったり

ついでと言うにはあまりにも大きな話題だが、前ページ表下段でおわかりいただけるように今をときめくハイテク大手も、創業者がユダヤ系であるか否かを問わず、ほとんどがイスラエルべったりのスタンスを取っている。

それにしても、エルサレム・ポストというイスラエルの新聞が得意げに「ハイテク大手はみんなイスラエル支持だ」と主張する記事の分類が、なんと「セレブリティ・ニュースと文化」欄に

ハイテク大手・新興企業「従業員」が選挙運動に献金した金額の党派別内訳:2022年中間選挙

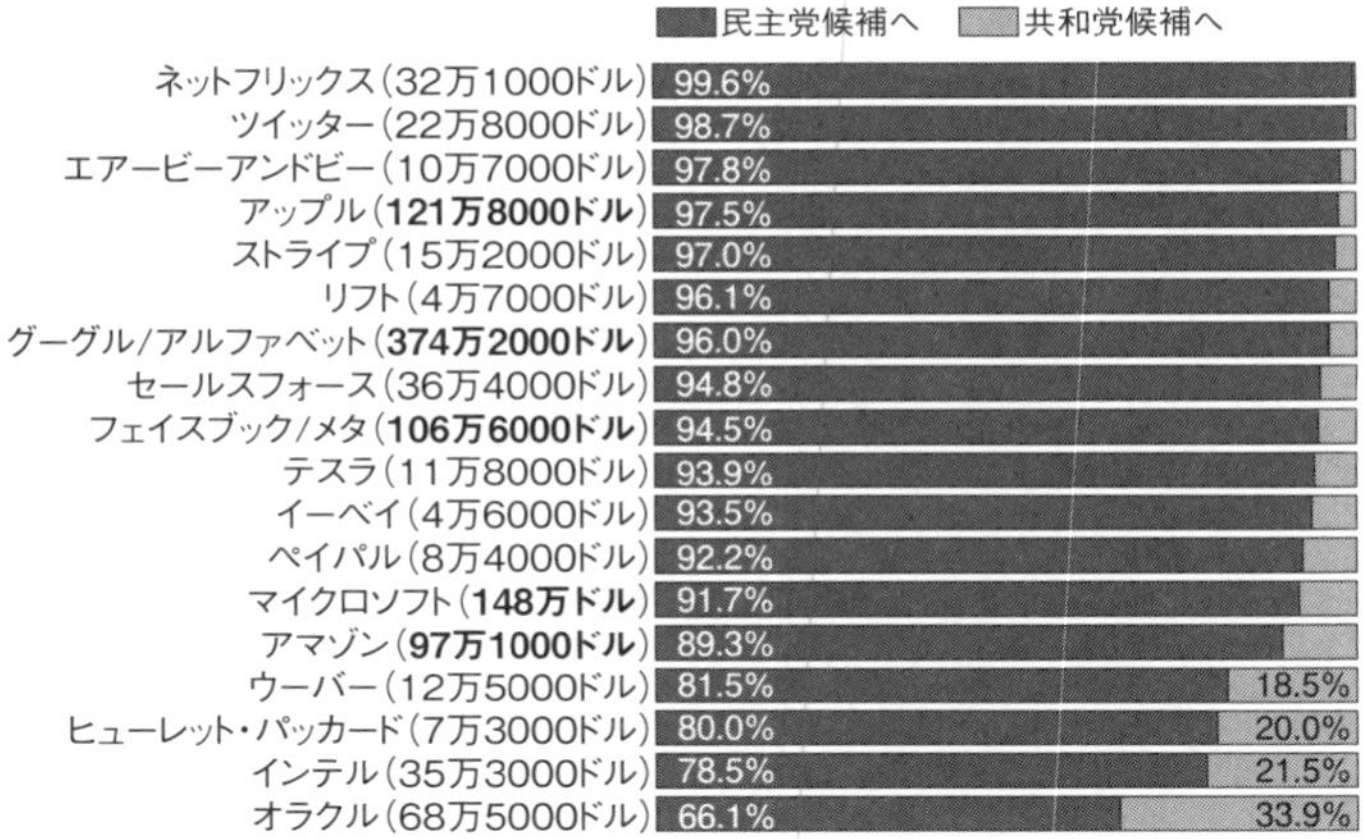

注：2022年中間選挙での1候補者当たり200ドル以上の献金額を集計。
原資料：連邦選挙委員会が2023年10月26日に公表したデータをセンター・フォー・レスポンシブ・ポリティクスが作図
出所：Balaji@balajisによる2023年11月24日のX（旧Twitter）より引用

なっているのが、ほんとうに不愉快だ。

この連中は巨大企業の支援も受けてパレスチナ人の虐殺を続けることを、セレブのゴシップ並みの軽薄さで報道しているのだ。

その巨大企業の献金先は、上のグラフが一目瞭然で示すとおり圧倒的に民主党だ。

選挙戦で1票でも多く票を取りたいときだけは**弱者の味方を装っている**が、実際に法律や制度をどう変えるかになると、巨大寡占企業の経営者たちとズブズブのなれ合い関係で動くのが、**民主党リベラル派という偽善者集団**なのだ。

リベラリズムとは、ヒマを持てあました金持ちが「無知蒙昧《もうまい》な大衆に自分たちの言うことを聞かせてやろう。もしおとなしく言うことを聞かないなら、国家権力を使って強制することも辞さない」という政治・社会思想だ。

日本語では形容詞形でLiberal、名詞形でLibertyのことも「自由な」とか「自由」と訳すし、形容詞形でFree、名詞形でFreedomのことも「自由な」とか「自由」と訳している。だから、勝手に両者は同じような「自由主義思想」で尊重される概念だと思いこんでいる。

だが、このふたつの「自由」はまったく違う概念なのだ。Freeというのは束縛からの解放を意味する自由であって、奴隷が自分を解放してくれというときにはSet me free！と言う。間違ってもGive me libertyとは言わない。Give me libertyのあとにはOr deathと付いて、もし思いどおりに生きられないくらいなら**いっそのこと殺してくれという、わがままな主張**なのだ。

Freedomは奴隷の自由への希求であり、Libertyはもともと自由な人間の勝手気ままに生きたいというぜいたくな望みだ。自分たちの思いどおりにしたいのがリベラル派だから、相手が自分たちより弱いと思えば、当然相手も自分の流儀に従わせようとする。

リベラル派の正体

リベラル派は日本人が考える「自由」主義者どころか、他人を自分の思いどおりに動かそうとするおせっかい焼きである。そのおせっかいに従わない人間に対しては権力に頼ってでも自分たちの主張に従わせようとする人たちなのだ。そのへんの事情をみごとに浮かび上がらせた世論調査結果が、次ページの6個の円グラフだ。

まずここに出てくる回答者たちが、どんな人たちかからご紹介しておこう。一般有権者は注釈する必要もないが、ここで「1%のエリート」と呼ばれている人たちは、所得や資産が上から1%以内といった機械的基準で選ばれた人たちではない。

大学院履修歴以上の学歴があり、1平方マイル当たり1万人以上というアメリカではそうとう人口密度の高い大都市都心部に住み、年収が15万ドル以上の人たちだ。人数にするとちょうどアメリカの総人口約3億3000万人の1%、330万人前後になるそうだ。

そして、アイヴィーリーグのエリートというと、この3条件の上にハーバード、エール、プリンストン、コロンビアといった超一流大学卒という条件が加わる。

上段の現在の家計状況を見ると、一般有権者では「悪くなっている（40%）」が「良くなっている（20%）」の2倍もいるのに、「良くなっている」が1%のエリートでは84%、アイヴィーエリートでは88%と圧倒的に改善している。

ご愛敬なのは、1%エリートでは「悪くなっている」が0%なのに、アイヴィーエリートではわずか3%とはいえ存在することだ。

下段に移ると1%にしろ、アイヴィーにしろ、エリートは一般大衆よりはるかに強烈に他人を拘束し、統制したがっていることがわかる。アメリカをほんわかとしたイメージだけで考えてい

最近、あなたの家計は改善していますか、悪化していますか

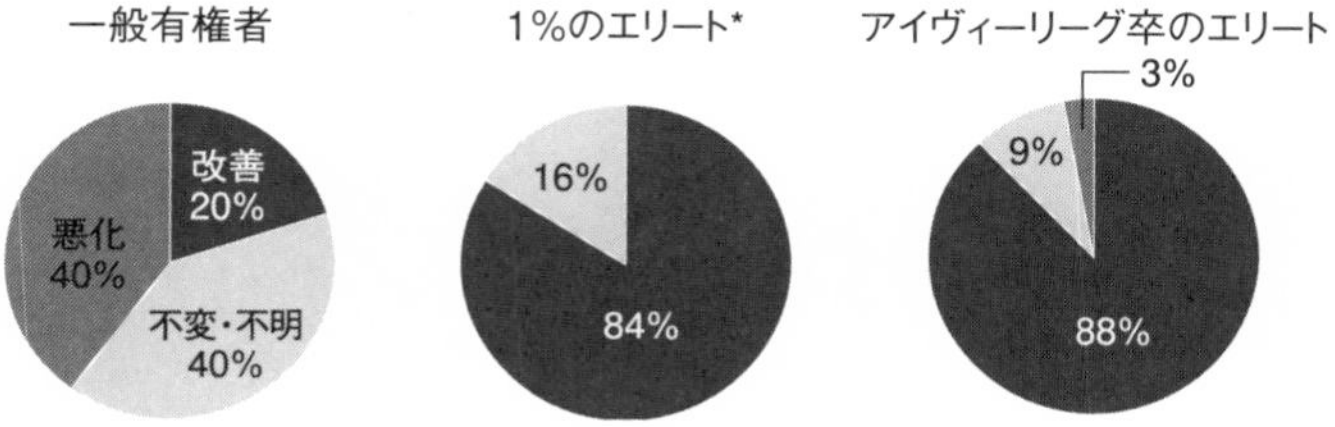

アメリカは自由があり過ぎですか、政府の統制があり過ぎですか、ちょうど良く均衡が取れていますか

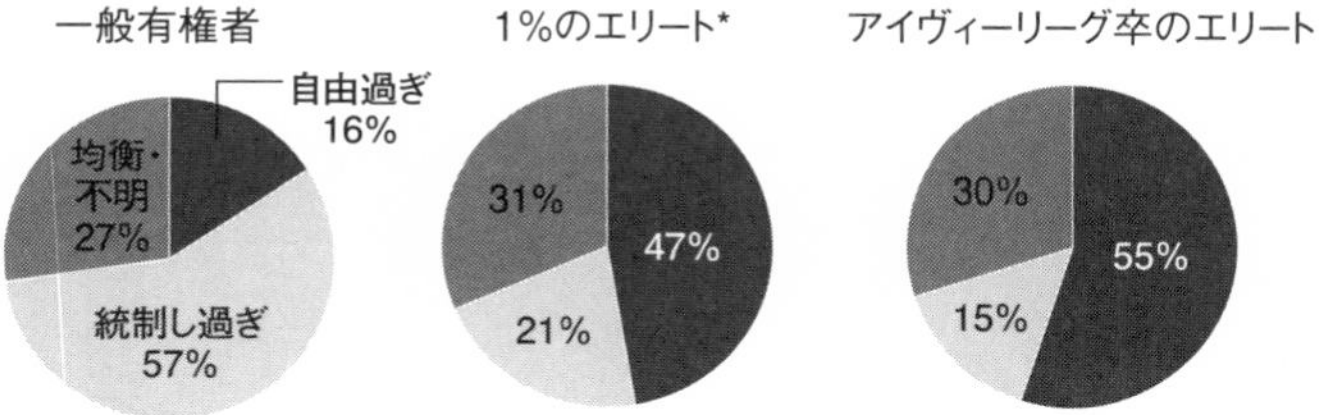

＊大学院履修歴があり、1平方マイル当たり住民1万人以上の地域に住み、年収が15万ドル以上の3条件を満たすアメリカ国民：全人口の約1%。
出所：Committee to Unleash Prosperity、『Them vs. U. S.: The Two Americas and How the Nation's Elite Is Out of Touch with Average Americans』（2024年1月）より引用

る人たちは、一般有権者の57%が統制過剰と思い、16%しか自由過剰と思っていないのが奇妙に見えるかもしれない。

だが、私は現代アメリカ社会なら、カネも権力も持っていない一般大衆の80〜90%が統制過剰と思っていても違和感はない。そして自由過剰が1%エリートで47%、アイヴィーエリートで55%なのは、むしろ少なすぎる感じがする。とにかく**他人を自分の思いどおりに動かしたがる人たち**だからだ。

次に、地位も教養も資産もある人たちが、なぜ世界経済フォーラムのような安っぽいペテン師集団にコロッと騙されるのかを教えてくれる次

気候変動対策としてガソリン、肉、電力の配給制に賛成ですか、反対ですか？

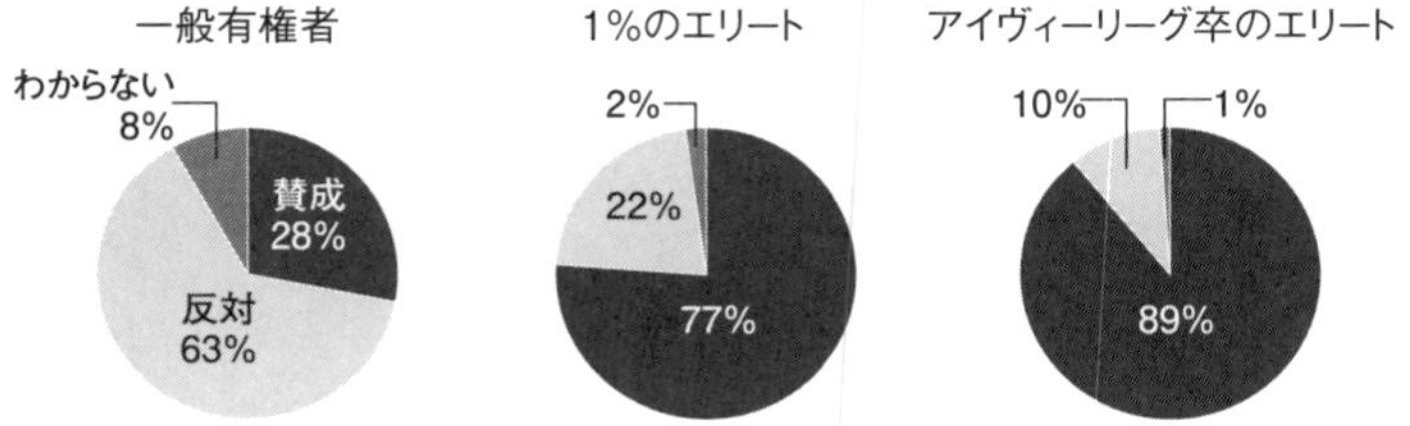

気候変動を食い止めるために、次のどれを禁止することに賛成しますか？

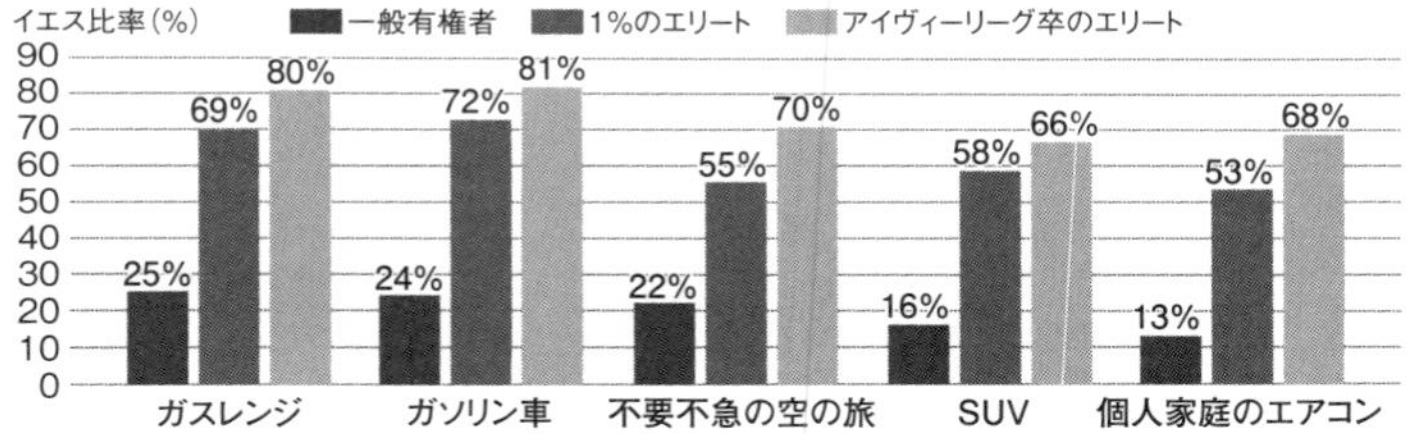

出所：Committee to Unleash Prosperity、『Them vs. U. S.: The Two Americas and How the Nation's Elite Is Out of Touch with Average Americans』（2024年1月）より引用

のふたつの設問に移ろう。

上段の配給制に関する質問に対してエリートの賛成者が多いのは、もちろん彼らはどんなに厳しい配給制になってもくぐり抜けるツテを持っているから、日常生活で不自由を感じることはないという実利的な意味もあるだろう。

だがそれ以上に、彼らは自分たちより下と思っている人たちが窮屈な思いをするところを見たがるのだ。そこに**純粋な快楽**を見出しているといってもいい。

奴隷所有者が「奴隷に絶対服従の精神を叩きこむには、ときどき無理難題を吹っかけて、できませんとか口答えをしたら、痛い目を見せてやるのがいちばんだ」とか理屈を言う。しかし実際には絶対服従の精神を叩きこむことなどどうでもよくて、ただひたすら人をいじめるのが好きなだけだということが多い。奴隷を人間と思っているかどうかはまた別問題だが。

下段についても、エリートにガスレンジやガソリン車を禁止すべきだという人が多いのは、人為的二酸化炭素排出量をネットでゼロにするなどという目標とはほとんど関係ない。あまり多くの選択肢を持たない下々の者が日常生活で不便な思いをすること自体が嬉しいのだ。

不要不急の空の旅で1％エリートとアイヴィーエリートの回答がばらけるのは、「自分がする空の旅はどんな場合でも不要不急ではあり得ない」という確信を持っている回答者がアイヴィーエリートのほうにかなり多いからだろう。

最後になぜ私が1％エリートもアイヴィーエリートも民主党リベラル派と決めつけたような書き方をするのかというと、自分をエリートと見ている人たちの74％が民主党支持者で、残りは共和党支持者と独立系が半々というぐらい、アメリカの知的エリートは民主党リベラル派に集中しているからだ。

だが、下々の者たちが苦労するところを見るのが大好きな民主党リベラル派のエリートたちは、同時に「自分たちこそ弱者の味方だ」という偽善的なメッセージも、とても巧妙に発信しつづけている。

そこで非常に皮肉な現象が起きる。たんまり儲かる職業として民主党連邦議会議員や州議会議員になることを選んだ連中と、選挙で民主党に投票することを選ぶ一般有権者とのあいだに、深刻な亀裂が生じているのだ。

民主党のことを「弱者の味方だ」と確信して投票してくれる若年層の希望に添った政策を展開するか、毎年巨額の献金をしてくれるハイテク寡占企業の意向に添った政策を推進するかと言えば、もちろん後者に決まっている。

これはもう、アメリカの若年層有権者の不勉強を今さら批判しても仕方がないだろう。

次ページで紹介する有権者一般を対象とした世論調査では、民主党支持層はかなりまともになってきた。

イスラエル支持率は２００２年の18％から２０２１年の12％まで下がる一方、パレスチナ国承認賛成派は１９９８年の36％から２０２１年には62％にまで上がっている。

共和党支持者たちは、紛争が深刻化するにつれてイスラエル政府やアメリカ政府の情報を鵜呑《うの》みにする人が増えたようで、２００２年の40％から２０２１年の61％へと親イスラエル率が高まっている。

半面、共和党支持者のあいだでさえパレスチナへの反感がやや弱まってきた感はあり、パレスチナを承認すべきだとの声は１９９８年の31％から２０２１年の33％に高まっていた。それにしても、２０２１年の段階で共和党支持者の６割以上がイスラエルを支持していたというのは、やはり気が重くなる事実だ。

支持政党別アメリカ国民のイスラエル支持率

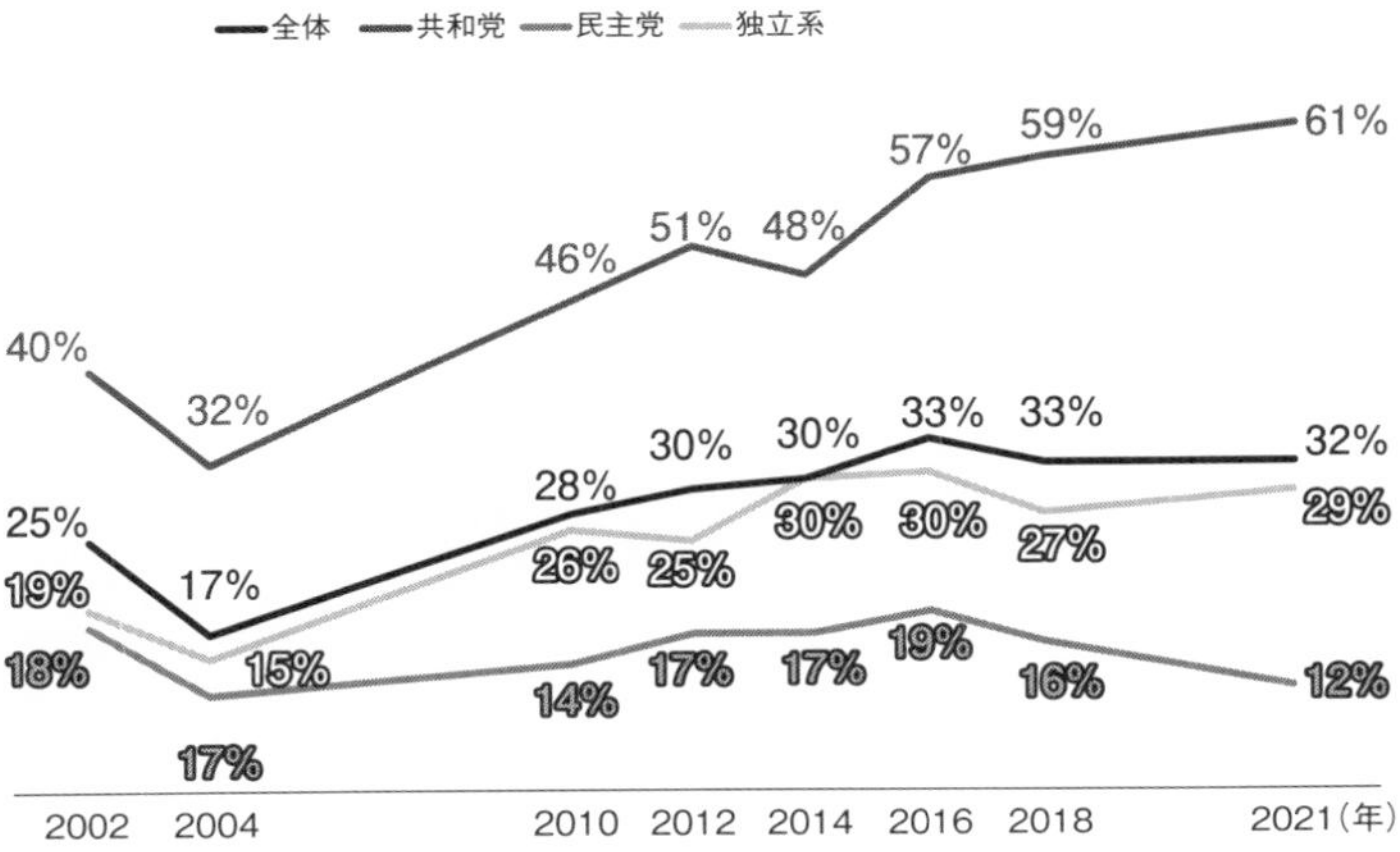

支持政党別アメリカ国民のパレスチナ国承認賛成率

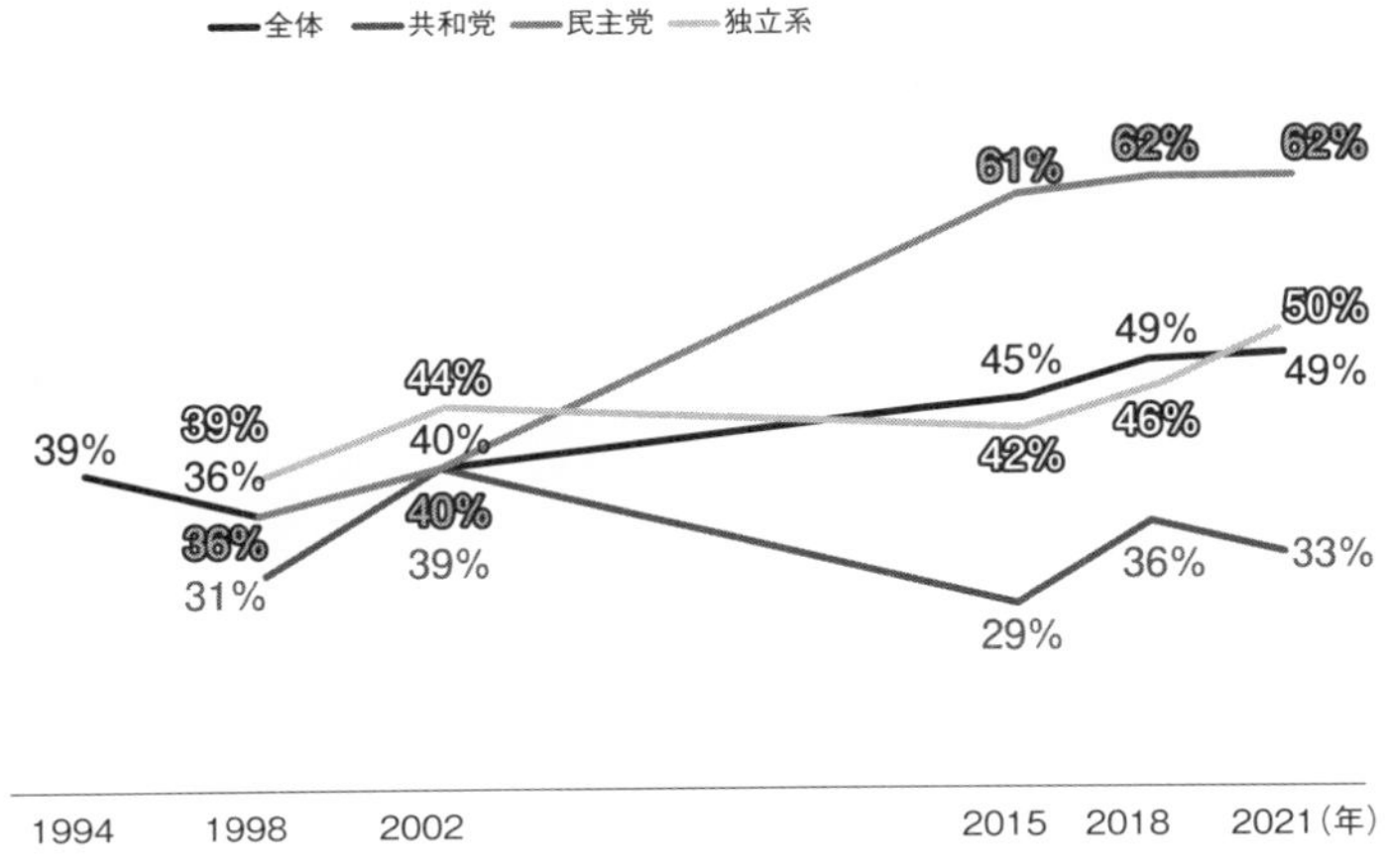

原資料：シカゴ・カウンシル・サーベイズ社が2021年7月7〜26日に1039人を対象におこなった世論調査
出所：ウェブサイト『Israel Democracy Institute』、2021年9月6日のエントリーより引用

民主党支持者のあいだでパレスチナ承認派が増えているのも、ふたつの理由で手放しでは喜べない。

「弱者の味方」と思って民主党に投じた票は全部死票

ひとつは、こうした民主党支持者たちの意向は、まったくと言っていいほど民主党の職業的政治家たちに無視されていることだ。連邦議会・州議会の議員レベルでは、民主党の議員たちの大多数が共和党の議員たち同様、あるいはそれ以上に強硬にイスラエル支持を主張している。

ここに贈収賄が合法化されたアメリカの政治では有権者の意向は無視され、政治家は巨額の献金ができるイスラエル＝軍需産業ロビーのような利権集団の言いなりになっていることの問題点が集約されている。

とくに現大統領のジョー・バイデンは、次ページの上段表で見るとおり、現在存命の上院議員経験者の中でイスラエルロビーからもらっていた**献金額がいちばん多い人間**だ。

この男が大統領であるかぎり、アメリカ政府がイスラエルべったりの政策を転換する可能性はゼロに近い。

もうひとつの問題は、これはあくまでイスラエル・パレスチナ紛争に関する民主党・共和党支持層間のスタンスの違いだということだ。

米有力上院議員のAIPACからの献金受領額
上院議員時代に受領した金額のみ集計

氏名	所属党派	選挙区	AIPACからの献金額
ジョー・バイデン	民主党	デラウェア州	522万ドル
ロバート・メネンデス	民主党	ニュージャージー州	250万ドル
ヒラリー・クリントン	民主党	ニューヨーク州	236万ドル
カーク・マーク	共和党	イリノイ州	229万ドル
ジョー・リーバーマン	民主党	コネチカット州	200万ドル
ミッチ・マッコネル	共和党	ケンタッキー州	195万ドル

出所：Robin Monottiによる2024年2月23日のX（旧Twitter）より引用

「イスラエルはパレスチナ民間人にジェノサイドをしていると思いますか？」

		性別		人種			年齢層				取得水準		
	全体	男	女	白人	黒人	ヒスパニック	18~29歳	30~44歳	45~64歳	65歳以上	5万ドル未満	5~10万ドル	10万ドル以上
はい	35%	33%	36%	30%	40%	46%	49%	43%	28%	21%	32%	37%	37%
いいえ	36%	45%	27%	41%	18%	30%	24%	22%	42%	52%	31%	40%	43%
わかりません	29%	21%	37%	29%	43%	24%	27%	35%	29%	27%	37%	23%	20%
回答率	100%	99%	100%	100%	101%	100%	100%	100%	99%	100%	100%	100%	100%
回答者数	(1,659)	(735)	(924)	(1,143)	(211)	(180)	(245)	(283)	(655)	(476)	(687)	(464)	(340)

			2020年は		支持正統は			イデオロギーは			居住地は		
	全体	有権者登録済	バイデン投票	トランプ投票	民主	独立	共和	リベラル	穏健	保守	都市	郊外	地方
はい	35%	32%	50%	12%	49%	36%	18%	60%	36%	15%	43%	34%	27%
いいえ	36%	42%	20%	67%	21%	32%	57%	16%	32%	62%	29%	39%	39%
わかりません	29%	26%	30%	21%	30%	32%	25%	24%	33%	23%	27%	27%	34%
回答率	100%	100%	100%	100%	100%	100%	100%	100%	101%	100%	99%	100%	100%
回答者数	(1,659)	(1,493)	(631)	(596)	(578)	(603)	(478)	(441)	(551)	(555)	(480)	(642)	(537)

出所：『The Economist/YouGov Poll』2024年1月21～23日実施の世論調査結果より引用

地球温暖化＝気候変動危機はほんとうに迫っているのか、回避するには化石燃料を全廃して「再生可能エネルギー」に頼るしかないのか、ほとんどコヴィッド‐19にかからないし、かかっても大多数が軽症で済んでいる子どもたちにまでワクチン接種を強制する必要があるのかといった論点では、民主党支持者と共和党支持者のスタンスが逆転する。

こうした問題では、政府や大手メディアの宣伝を鵜呑みにしているのが民主党支持層であって、比較的まっ当な判断をしているのは共和党支持層なのだ。

ここまで国論が2分され、しかも政治家たちは民主党員であれ、共和党員であれ、自党支持層の要望ではなく、巨額献金をしてくれる大企業の言うことしか聞かないとなると、選挙を通じた平和な体制内変革の道があり得るのだろうか。

共和党支持層と民主党支持層のあいだで内戦が勃発し、議員たちは超党派で巨大資本が差し向けてくれた傭兵隊に守られながら、全米各地を転々と逃げ回るという、事態の深刻ささえ無視すれば**マンガのような世界が現実**となってしまうのではないだろうか。

ただひとつ、明るい展望が描けるのは、今後アメリカの人口構成はヒスパニックが増加し、黒人は横ばいから微増の圏内、そして白人ははっきり低下に転ずることだ。というのも、良心的に回答者サンプルの人種構成を公表している世論調査を見ると、ヒスパニックや黒人のあいだでは「イスラエルはパレスチナ人にジェノサイドをしかけている」という答えが多数派になっているからだ。

まず回答者全体の比率では、ジェノサイドについて「している」が35％、「していない」が36％、「わかりません」が29％と非常に接近しているが、わずかの差で「していない」が多数派だとわかる。

しかし人種別に見ると、白人は「している」が30％対「していない」が41％とかなり否定論が優勢だが、黒人は「している」が40％対「していない」が18％、そしてヒスパニックは「している」が46％対「していない」が30％と、マイノリティはどちらもジェノサイド肯定論が多数派なのだ。

それだけではない。この回答者サンプルは白人74・5％、黒人13・8％、ヒスパニック11・7％と白人が圧倒的に優勢になっている。だが、直近の国政調査どおりにサンプルを構成すれば、白人66・2％、黒人13・4％、ヒスパニック20・4％と、白人の比重を大きく下げ、ヒスパニックの比重を大きく上げる必要があるのだ。

全体でも肯定論が多数派になるかと思って人種構成を現実に合わせて計算し直すと、元の数値もウエイトはサンプルの人口構成ではなく国勢調査の人口構成でやっていたことがわかった。

ただ黒人やヒスパニック、そして年齢層で言えば44歳以下の層は、明確にジェノサイド肯定論が多数派だとわかったのは収穫だった。時が経つにつれて、ますます現在イスラエル軍がガザでおこなっていることは**ジェノサイドだとはっきり言う人が増えていく**のは間違いない。現在ガザで起きていることを１日も早くやめさせなければならないのは、もちろんだが。

第4章

法治国家から放置国家、そして無法国家へ

アメリカの世界ＧＤＰシェアと株式市場時価総額シェアは逆相関

第二次世界大戦の前と後で、アメリカの経済と金融市場の関係が一変したことを示すデータがある。次ページのグラフをご覧いただきたい。

世界総生産は新興国、発展途上国の成長率加速をすなおに反映して右肩上がりのトレンドを形成しているのに、アメリカのＧＤＰ成長率は明らかに第二次世界大戦の終結とその翌年の贈収賄奨励法制定を頂点に右肩下がりに転換してしまった。

それだけではない。アメリカのＧＤＰが世界ＧＤＰに占める比率は、第二次世界大戦終結以降一貫して下がりつづけているのに、アメリカ株全体の時価総額が世界株式市場の時価総額に占めるシェアは上昇基調となった時期が２度あった。第二次世界大戦末期から１９６０年代末までと、１９８０年代末から現在までだ。

このふたつの時期にわたって、アメリカ企業は世界の総生産に占めるシェアをすり減らしながら、その少ないシェアの中の企業利益という取り分は増やして、株価を上げつづけてきたのだ。

つまり、アメリカ経済が世界経済に果たす役割は低下しているのに、株式市場参加者のあいだでは他のどこの国の株を買うよりアメリカ株を買ったほうが儲かるという事態が１９７０～80年代を例外に、そろそろ1世紀近くに及ぶ長期にわたって続いている。

アメリカが世界株式市場と世界GDPに占めるシェア推移 1910〜2022年

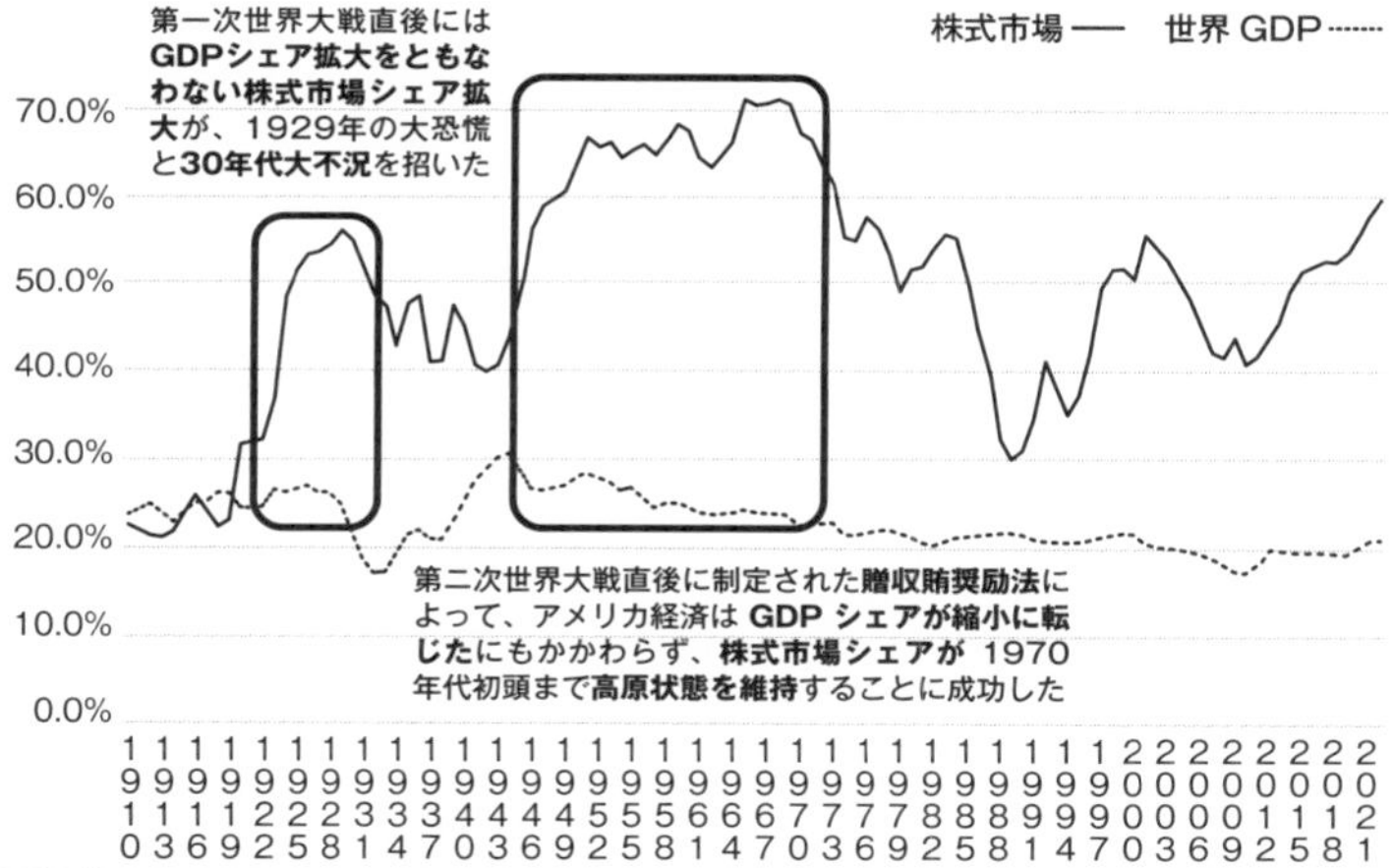

原資料：アワー・ワールド・イン・データ、OECD「グローバル金融データ」、トレーディング・エコノミクス、ブルームバーグ、セントルイス連邦準備銀行
出所：2022年12月5日にJames Eagleがウェブサイト『Vimeo』にアップロードした映像より作成

企業利益の取り分が増えれば、勤労所得の取り分は減る。世界経済に占めるシェアが減りつづける中で、アメリカのＧＤＰに占める勤労所得が減っていたこのふたつの時期は、とりわけ運用できるほどの資産を持ち合わせていない**大多数の勤労者にはつらい時期**だった。

こうなってしまった理由は単純明快だ。有力産業の大企業にとって、自社の収益を上げようと思ったら地道な経営努力をおこなうより、ロビイングで政治家を動かして自社に有利な法律や制度をつくらせたほうがはるかに**「効率的」**だからだ。

だれがしわ寄せを受けるかと言えば、独立自営業を営む中小零細企業と勤労者たちだ。中小企業収益のＧＤＰに占めるシェアも、勤労所得のＧＤＰに占めるシェアも減りつづけ、大企業の利益率ばかりが上昇しつづける。

巨大企業の経営者や株主は所得と資産を拡大しつづけ、その他ほとんどの国民は**「まじめに働くのはバカらしい」**と思う世の中になる。

まるで巨大企業の経営者・株主の特権を守る政治への反発を抑えるための埋め合わせのように、マイノリティに属する人たちのたいていは軽微な、しかしときには重大な犯罪が見逃される風潮が蔓延する。

眼を覆いたくなるフィラデルフィアの惨状

のちにアメリカ合衆国となるイギリス領十三植民地が独立を宣言し、イギリス軍との戦争に突入した頃、アメリカ全土の人口は250万人で、そのうち4万人が住んでいたフィラデルフィアは最大都市だった。独立当初は首都だったから、日本にたとえれば京都か奈良のような古都と言えるだろう。

ところが、この古都から聞こえてくるニュースが**ろくでもない話ばかり**になっている。まず、おととしの秋、フィラデルフィアを発祥の地とするコンビニエンスストアチェーン、Ｗａｗａがあまりにも万引き被害が大きいので市街中心部の店を閉めると発表した。

創業の地から撤退するといっても、Ｗａｗａは決してコンビニチェーンの中の落ちこぼれ組で

はない。それどころか、チェーン全体の客単価で言うと、全米コンビニチェーンの中で有数の好
業績グループなのだ。経営を上手にやっても、この立地ではどうしようもないと諦めたのだろう。
アメリカの小売業界で「万引き」と表現している犯罪の実態は、とうてい日本で想像するよう
なかわいらしいものではない。集団押しこみ強盗と呼んだほうが適切だろう。
なぜ集団「万引き」事件が頻発するかと言えば、消費者金融の発達でふつうの商売が成り立た
なくなった質屋が買い取って転売してくれるので、そこそこの稼ぎになるという要因も大きい。
今年正月早々、同じフィラデルフィア市内で1929年創業といちばん古く、一貫して家族経
営を維持してきたことを自慢するある質屋に警察のガサ入れがあった。店内の「質流れ品」数百
点が盗品故買の証拠品として押収された。
この店はビンテージもののロックギターに力を入れていて、マニアが見ればよだれをたらしそ
うな品が破格の安値で売られていたようだ。通販部門のホームページへの反応は「いいね」率が
99・6％と驚異的な高さだった。
盗品とわかっていて徹底的に仕入れ値を叩いたものを売りに出すので、値段も超格安にしてい
るだろうから、当然かもしれない。
もちろん、Ｗａｗａのようなコンビニやスーパーにはこんな貴重品がおいてあるはずはなく、
プロの強盗団が警備も厳重な倉庫に押し入って「仕入れた」ものを買い取っていたのだろう。
だが、ありふれた商品でも盗品と承知のうえでそれなりの値段で買い取ってくれる場所がある

からこそ、万引き被害がひどくて店じまいせざるを得ない小売店が増えているわけだ。同じく今年の正月早々、フィラデルフィア市内でもう1ヵ所ケンジントン・アベニューの質屋にも強制捜査が入った。このケンジントン・アベニューこそ、現代アメリカを象徴する荒廃ぶりを示している。

昔は市内有数の繁華街だったこの大通りは、今ではまったくありがたくない理由で全米に名をとどろかせている。

もともと馬など大型動物用の鎮静剤として開発されたキシラジンという薬をフェンタニルなどの麻薬と混ぜて静脈に注射し、もうろうとした状態でうろつく人たちがアメリカ中でいちばん多い通りだと言わるようになったのだ。

このミックスはトランキライザーの略称でトランクと呼ばれているが、依存症になってしまうとふつうの麻薬よりずっと陰惨な中毒症状が現れる。主成分が鎮静剤なので、麻薬特有の高揚感とか有頂天気分とかはなく、ほとんどなんの感情もなく静かになるだけだという。

そして運動中枢が正常に機能しなくなってまっすぐ立つことができなくなり、うつむきで腰を落とし、ひざを曲げた姿勢でしか歩けない。その姿が、墓場からよみがえったゾンビそっくりということで、今やフィラデルフィアは**「アメリカのゾンビ首都」**というあだ名を頂戴してしまったわけだ。

さらに体中の筋肉繊維をずたずたにする副作用があり、まず腕や足から肉がごそっと抜け落ちて穴開き状態になる。その患部を切断しないと命取りになることもある。これだけ深刻な被害があると承知のうえで、ハイになれるわけでもないクスリに不自然なほどの静寂を求めてはまっていく人たちの心境は、謎としか表現しようがない。

ケンジントン・アベニューがここまで殺風景になったきっかけは、この通りに面して建てられていて、市内で3番目に大きな教区を持つカトリック教会だった「我が主昇天」教会が、深刻な人種抗争の舞台になってしまったことだった。

１９６０年代頃から裕福な信者がもっと静かで安全な郊外に引っ越してしまい、貧しく社会的地位も低い移民世帯ばかりが取り残された結果、教区全体の貧困世帯比率が上がっていった。その過程で、同じカトリック信者の移民たちの中でも東欧系の少年たちとプエルトリコや中南米から来たスペイン語を母語とするヒスパニックの少年たちのあいだで縄張り争いによる殺傷事件がひんぱんに起きるようになった。

ミュージカルファンなら、どこかで聞いたような話だとお思いかもしれない。ミュージカルに社会派リアリズムを取り入れたと話題になったウエストサイド・ストーリーは、この話を元ネタにして書かれたものだ。

最盛期に１８００人だった教会付属小学校の生徒数は１９９６年には２６０人に減少し、毎週日曜日のミサに参集する信者も教会としての経営が維持できないほど激減してしまった。

２０１１年に閉鎖される直前には、教区内の貧困世帯比率は40％に上がっていた。この教区の信者たちはほかの教会に通うようになったはずなのだが、じつは閉鎖をきっかけに日曜日のミサにも行かなくなった人も多いのではないだろうか。

そしてケンジントン・アベニューを先頭に、フィラデルフィアの街全体が荒れすさんでいった。

エマニュエル・トッドが最新の自著『西洋の敗北』を英語で解説した文章で「アメリカ衰退の最大の理由は信仰心の希薄化だ」と主張しているのを読んだときには、なんと古くさい議論かとあきれた。だが、アメリカの初中等教育では倫理に関わる問題をほとんど宗教団体に丸投げしていることを考えると、**案外それが真相**なのかもしれない。

検事総長の党派性次第で法治国家が放置国家に

にわかには信じがたいデータがある。アメリカでは凶悪犯罪の発生件数が1990年代初めに人口10万人当たり約750件だったが、2020年には約400件と半減に近い減り方をしているというのだ。

ほんとうにアメリカは1990年代に比べて、ずっと犯罪の少ない平和な社会になっているのだろうか。アメリカで凶悪犯罪と呼ばれているのは、殺人・過失致死、レイプ、加重暴行、強盗の4種類だ。

加重暴行とは、出会いがしらの殴り合いで相手を傷つけてしまったといった偶発的な傷害ではなく、相手にできるだけ大きなダメージを与える意図を持って執拗に殴る、蹴るの暴行を続けることだ。殺人やレイプに比べれば、加重暴行や強盗は発生件数が10倍くらい多いのがふつうだ。

人口10万人当たりの数字ではなく、実際に毎年起きた件数をそのまま数えると、加重暴行は年間20万件弱から１１０万件以上、そして強盗は年間約10万件から70万件という範囲で動いてきた。

一方、殺人・過失致死は年間１万件弱から約２万５０００件、そしてレイプは２万件弱から11万件の範囲内の動きだった。全体としてどのくらいの増減があったかとなれば、一貫して件数の多い加重暴行や強盗の増減のほうが件数の少ない殺人やレイプの増減より大きな影響を及ぼすわけだ。

そして殺人やレイプは、１９９０年代以降もあまり大幅に下がっていないが、加重暴行と強盗はかなり大幅に下がっていたので、全体として見るとアメリカの凶悪犯罪は激減していたという図式になる。

「殺人やレイプがあまり減っていないのは残念だが、加重暴行や強盗だって深刻な凶悪犯罪だから、このふたつが激減しているだけでも、やはりいいことなのではないか」とおっしゃるかもしれない。

しかし、１９９０年代以降の強盗や加重暴行の激減は、必ずしもほんとうに減少しているわけではないのが厄介なところだ。警察・検察当局がこうした犯罪をあまり摘発しなくなったり、軽罪で済ませるようになったりしたために、**見かけ上減少している**という要因が大きいのが大問題なのだ。

民主党リベラル派の資金源となっている10億ドル長者たちの中でも、ジョージ・ソロスは州の検事総長にマイノリティの犯罪に対して「甘い」、いわゆる進歩派の人物を当選させるために巨額の選挙資金を使っていることで有名だ。

なおアメリカでは、ほとんどの州の検事総長は公職として選挙で選ばれている。当然のことながら、当選した検事総長の所属政党次第で、検察行政のスタンスが大幅に変わってくる。そして、ソロスの資金で選ばれた検事総長のいる州では、たとえばふつうに考えれば当然強盗と呼ばれるであろう犯罪行為も、軽犯罪扱いにすることが多い。

もちろん強盗という重大な刑事犯罪が、いきなり軽罪や微罪と見なされるわけではない。きっかけは万引きについて被害が少額であれば、現行犯で捕まえても調書さえ取らずに説諭だけで釈放するような微罪扱いにするところから始まった。

万引きが軽犯罪から微罪に格下げされた結果、かなり大がかりな窃盗も軽犯罪扱いになった。当然強盗と見なされるべき暴力をともなう窃盗行為も、いつの間にかたんなる窃盗と見なされるようになったという、犯罪行為一般の軽罪化、微罪化が進行していったのだ。

白昼堂々と店に入ってなるべく高そうな商品を袋に詰めて、代金を払わずに出て行く。店員が商品を取り戻そうとすると銃やナイフなどで脅すので、怖くてそれ以上追いかけられないという場面をひんぱんに見かけるようになった。

商店主や現場のマネジャークラスも、商品が盗まれたのは保険でカバーできるが、店員や客が殺傷されたりするといろいろ面倒なことが起きる。だから強盗に近い窃盗でも抵抗せずに、あとから被害だけを届け出るように指導する。

こういうふうに強盗ではなく窃盗扱い、あるいはちょっと巨額の万引きをした程度の扱いで、逮捕・起訴などということにはめったにならない。だから、いつのまにか警察が強盗事件として取り上げる件数全体が減っていった。

この表面的な無風状態に激震をもたらしたのが、2020年春からの第一次コロナ騒動だった。殺人事件の犠牲者数がアメリカ全土で29・4%も増えて、2万2000人弱とひさしぶりに2万人を突破したのだ。

大都市圏のロックダウン、ワクチン接種証明なしでは公共の場所に出かけられないといった「疫病対策」が、アメリカの勤労世帯の中でも低所得で毎日現場に出て日銭を稼がなければ家計が深刻に悪化する世帯に及ぼした影響がモロに出ていると言えるだろう。

過剰なコロナ対策の弊害が噴出したのは、殺人犠牲者数だけではない。一律に犯罪と一緒にすべきではない自殺率も、フェンタニルなどの合成オピオイド（麻薬もどき）を中心とする薬物過剰摂取死も、似たような激増を見せている。

1960年代末までは年間2万件程度だった自殺は、1970年代から顕著な増加に転じたが、1980年代後半から90年代を通じて年間約3万件で横ばいにとどまっていた。

しかし2000年代からまた増加に転じ、2021年には5万件目前というところまで激増している。2021年の速報値では4万9449件のうち79%の3万9225件が男性、また76%に当たる3万7459件が白人と、白人男性の比率が非常に高くなっている。

薬物過剰摂取死に眼を転ずると、21世紀に入ってから他の薬物による中毒死は年間2~4万件のあいだで、とくに増加や減少の傾向は見られなかった。ところが、合成オピオイドの過剰摂取死は2010年頃までは2000件未満にとどまっていたのに、その後激増に転じている。2013年には3万件を超え、2020年には6万件、2021年速報値では7万件と、ものすごい勢いで増加しつづけている。

結局のところ、ソロス派の「犯罪者に甘い」検事総長が検察行政を担っている州では、**法治国家の放置国家化**が進んでいる。そして、マイノリティに属する人たちが彼らを味方と考えるのは、非常に危険だと思う。

もし、ソロス派検事総長たちが本気で犯罪に甘い検察行政を推進しているとすれば、それで法律を守って平和に暮らしている人たちが**犯罪被害に遭う確率を高める**ので、重大問題だ。だが、彼らの狙いは法治国家がさらに無法国家まで退行してしまったところで、一挙に社会全体を厳重な監視と統制のもとに置くことにある可能性が高い。これは人類全体の自由や尊厳に関わるのでもっと大きな問題だ。

同じことが桁違いのスケールで起きるアメリカの外交関係

違法行為が放置されるのは、国内で貧しいマイノリティが主犯となっている場合だけではない。むしろ、気前よく献金をしてくれるスポンサーが統治している国と、貧乏でろくにロビイングもできないような国の間で抗争が起きたら、たとえどんなに悪辣な罪を犯していてもスポンサーが統治している国を支援する。それが現代アメリカの政治家たちの実態だ。

まず次ページの２段組写真をご覧いただきたい。

上は去年の正月元旦のガザ市内中心部だ。慢性的にイスラエルとの「国境」もエジプトとの国境も封鎖され、あらゆる物資の搬入に苦労が絶えない中で、ここまで整然とした街区をつくりだしたパレスチナ人の皆さんには敬服する。

下は、まったく抵抗する手段を持ち合わせない非武装の民間人が大多数のこの街区を攻撃目標としたイスラエル軍の蛮行に約３ヵ月さらされた後の、今年正月元旦の同じ街区の見るも無惨な姿だ。

そしてその次のページの写真は、イスラエル軍の空爆で重傷を負ったパレスチナの幼児だ。

これほど多くの女性や子どもを中心とする民間人を殺傷し、その資産を破壊することを正当化する論理など、存在しない。

たった1年のガザ変貌：2023年1月1日〜2024年1月1日

実行犯：イスラエル
資金源：アメリカ

出所：Defund Israel Now、2024年1月2日のX（旧Twitter）より引用

抵抗手段のない女性や子どもたちを襲うイスラエル軍

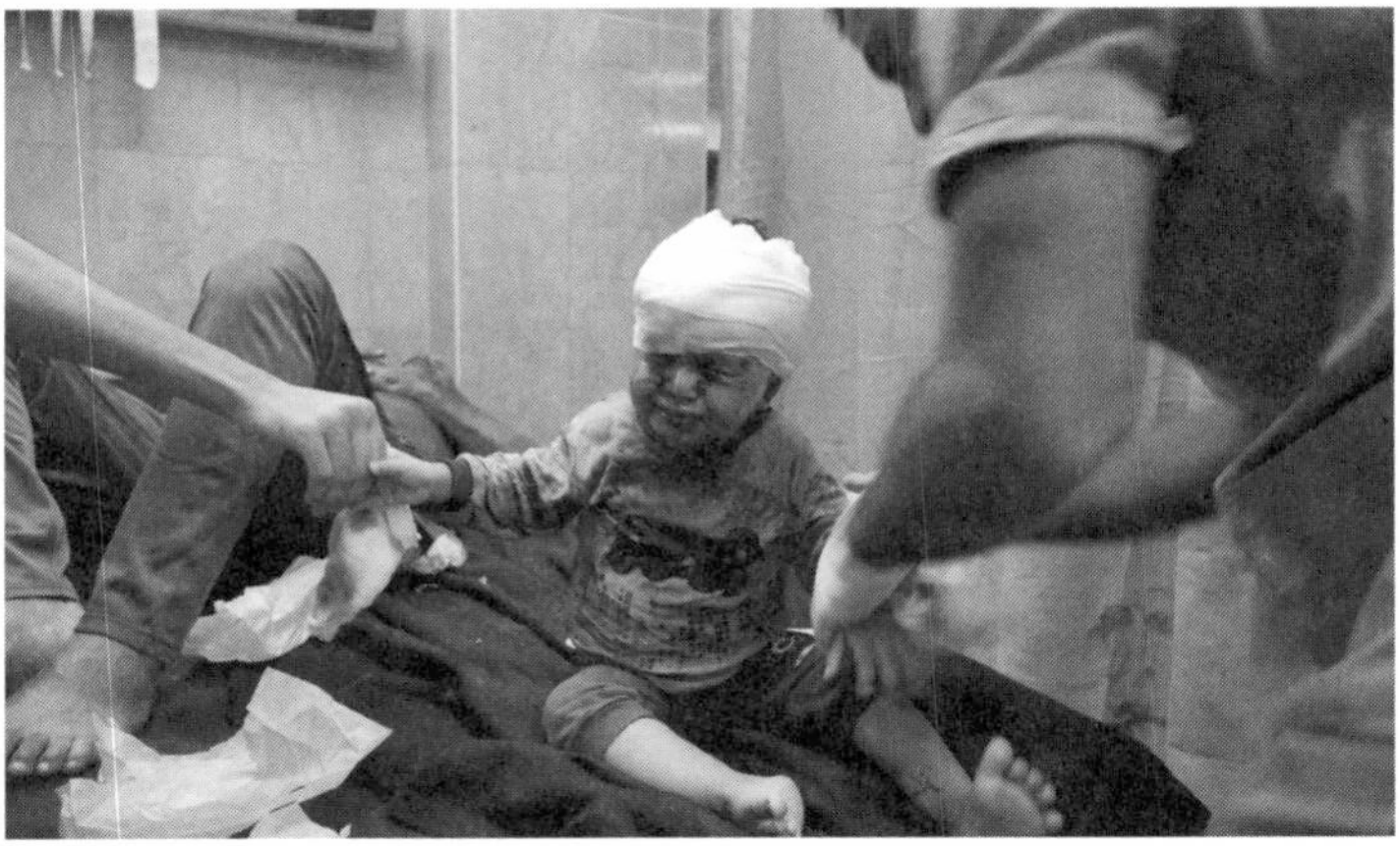

2023年11月初め、イスラエル軍の空襲で重症を負ったパレスチナの幼児
撮影：AP通信
出所：ウェブサイト『Zerohedge』、2023年11月9日のエントリーより引用

イスラエルの現政権や軍人兵士たちは「ユダヤ人ひとりの命にはパレスチナ人数百人数千人分の価値があるから、ユダヤ人ひとりが殺されたらパレスチナ人、数百人、数千人を殺しても正当な対価を払わせただけだ」と信じている**人種差別主義者**だというだけのことだ。

だから論理はでたらめでも彼らの暴虐には、彼らなりの「確信」がこめられている。しかし、現バイデン政権を擁護するアメリカ国民は、イスラエルの極右政権や軍人兵士たちと同じような人種差別主義者集団なのだろうか。

アメリカ国民のあいだでは「去年の10月７日にハマスが突然イスラエル領内で大勢の民間人に対する殺傷行為をおこなったから、パレスチナ人は当然の報復を受けているだけだ」と主張する人が多いようだ。

イスラエル軍の卑劣で残虐な戦争犯罪は第二次世界大戦前から

だが、これは完全な歴史的事実の歪曲《わいきょく》だ。次ページの図表のうち上段の年表部分でかんたんに確認できることなのだ。

上から5番目までのユダヤ人シオニスト集団によるパレスチナ人虐殺は、第二次世界大戦前から勃発直後に起きていた事件だ。

大衆暴動としてのユダヤ人虐殺がドイツ語圏各地で起きた「水晶の夜」事件が1938年、ヒトラーによる「ユダヤ人問題の最終解決」提唱が1942年だから、シオニスト集団によるパレスチナ人虐殺がユダヤ人に対する迫害への報復だったという説は、**まったく筋が通らない**。

もし報復説が正しかったとしても、なぜドイツ人に報復せずに平和にユダヤ人と共存していたパレスチナ人を狙うのかと言えば、強い相手ではなく弱い相手ばかりに襲いかかるシオニストたちの卑劣さがよく出ているとしか考えようがない。

1947年にじつに6ヵ所にわたってシオニスト集団によるパレスチナ人虐殺が起きていたのも、非常に重要な事実だ。このとき、まだイスラエルという国は地球上に存在していなかった。

イギリスが現国連（UN）の前身である国際連盟からの委託統治責任を放棄して逃げてしまった後、パレスチナ人側は軍隊どころか警察機構さえ確立できていなかった時期に、突如シオニス

「2023年10月7日ハマスによる襲撃ですべてが始まった」は大ウソ

1	1937年	ハイファの虐殺	13	1956年	カーンユニスの虐殺
2	1937年	エルサレムの虐殺	14	1967年	エルサレムの虐殺
3	1938年	ハイファの虐殺	15	1982年	サブラとシャティラの虐殺
4	1939年	バラドアルシェイクの虐殺	16	1990年	アルアクサの虐殺
5	1939年	ハイファの虐殺	17	1994年	イブラヒムモスクの虐殺
6	1947年	ハイファの虐殺	18	2002年	ジェニン避難民キャンプ襲撃
7	1947年	アバシーヤの虐殺	19	2008～09年	ガザの虐殺
8	1947年	アルキサスの虐殺	20	2012年	ガザの虐殺
9	1947年	バブアルアムドの虐殺	21	2014年	ガザの虐殺
10	1947年	エルサレムの虐殺	22	2018～19年	ガザの虐殺
11	1947年	シェイクブレイクの虐殺	23	2021年	ガザの虐殺
12	1948年	ジャッファの虐殺	24	2023年～	ガザのジェノサイド続く

ガザのホロコースト100日間
2023年10月7日～2024年1月14日

犠牲者数* 3万1497人
負傷者数 6万1079人
殺害されたジャーナリスト数 113人

＊子ども　1万2345人、女性　6471人、民間人　2万8951人　残りはハマス戦闘員

家を失った人 195万5000人
全壊家屋 6万9700戸
半壊家屋 18万7300戸

全半壊した新聞本社・支局数 169
被災した学校数 320校
被災した産業施設数 1671

被災したモスク 239　教会 3
死傷した医療関係者# 637人
被災した医療施設数+ 183

#死亡　295人、負傷　342人
+病院　23、診療所　57、　救急施設　103

被災した歴史遺産 198ヵ所
死傷した消防隊員** 167人
拘留/強制連行された人数 2470人

＊＊死亡　41人、負傷　126人

出所：（上）Sulaiman Ahmed、2024年1月16日、（下）Zoraiz、同年1月15日のX（旧Twitter）より引用

ト集団の襲撃を受けたのだ。

シオニストたちがどこから武器や資金を得ていたかと言えば、アメリカ連邦政府だった。アメリカ政府は、まったく無防備なパレスチナ人を**シオニストという辻斬り強盗同然の連中**が襲撃するために、正規軍装備と軍資金を供給していたのだ。

また、約二千年ぶりにユダヤ民族の国として創設されたイスラエルが、パレスチナ側の抵抗がなかったら、おとなしくパレスチナの57%にとどまっていたなどとはとうてい考えられない。

ほんの少しでも口実さえあれば、アメリカから供与された最新兵器を使ってパレスチナ人の土地を略奪しつづけてきたであろうことは、その後の歴史的事実が物語っている。

こうしてパレスチナ人から強奪した土地を国土として、自分たちこそ「この国の主人公」と宣言し、パレスチナ人を2級、3級の市民あるいは人間以下の動物と見下しておこなった殺傷と破壊の「成果」が下段の表だ。

アメリカは今、国内の社会情勢も亡国の様相を呈している。猛毒性のオピオイドであるフェンタニルと家畜用の強力鎮静剤を混ぜて常用し、生きながら亡霊がさまよっているような身動きしかできない「ゾンビ」たちが大都市を徘徊《はいかい》している。

国内がそこまで乱れたアメリカは、外交・軍事面でも、軍事占領した土地を領土にしてはいけないとか、非武装民間人を殺傷してはいけないとかの最低限の国際法の遵守規定でさえ「味方」の国が犯せば平然と見過ごしてやる**放置国家になり果てた**のだろうか。

そして法治国家は無法国家に

巨大企業や野心的な起業家が、政権の中枢を担う政治家や官僚機構、ときにはイスラエルのように建国以来違法行為、脱法行為の連続で75年以上存続してきた国を巻きこんで、どう考えてもこれは「インサイドジョブ」だろうと思える犯行に及ぶ。

インサイドジョブというのは、**内部関係者の犯行**という意味だ。

９・11事件というと、公式にはオサマ・ビン＝ラディン率いるアル・カーイダのメンバーが民間航空機を乗っ取って、世界貿易センター（ＷＴＣ）の高層ビル２棟と、国防総省本庁舎（ペンタゴン）に突っこんだことになっている。

しかし、この事件については、大型旅客機のパイロットでもない人間がたかだか数回の飛行シミュレーションだけで、あの低空で超高層ビルにほぼ水平に突っこむことができるだろうかという大きな疑問を含めて、多くの謎が残されたままだ。

この事件の2年前に第一次ネタニヤフ内閣の首相の座を降りたネタニヤフが、アメリカ政府の高官に「イスラム過激派がＷＴＣにテロ攻撃を仕掛けるという情報がある」と何度か伝えていたそうだ。

徹底的にパレスチナ人を殺戮することを生涯の目標としているネタニヤフが「もう一度首相に

返り咲くには、凄まじい大規模テロ事件を起こして、その罪をアラブ・イスラム勢力になすり付けるしかない」と考えていたとしても不思議はない時期だ。

また、毎週国際通話で近況を連絡し合う親友だったニューヨークの大物と呼ばれる不動産会社経営者、ラリー・シルバースティンに対しても、ニューヨーク港湾局が所有するWTCに関する相談に乗っていたと言われている。

事件勃発直前のWTCというと、ニューヨーク州とニュージャージー州が共同で設立したニューヨーク港湾局が所有する不動産物件の中で最大級である。同時に運用を続けるか、解体処分かについて困り果てていた物件だった。

アメリカの不動産会社が超高層ビルに再挑戦するようになってすぐ建てられた頑丈一点張りの無骨な建物である。太い鉄骨を多用していたため当時発展途上だったWiFiがうまくつながらず、携帯電話での通話がスムーズにできなかったのだ。

そして市街地中心部からは、ちょっと離れたニューヨーク港岸壁そばの立地も影響して、入居率は50％前後にとどまっていた。

「それでは解体して建て直そうか」というと、内装にアスベストを大量に使っていたため解体費が莫大になるので、にっちもさっちも行かない状態だった。

2001年1月、シルバースティンが登場して99年の定期借地を提案してきた。物件価値を32億ドルと見て、99年の分割払いで毎年1400万ドルずつ借地権料を支払うという条件だ。

支払条件や損害保険の細目、万一物件が破壊されたときだれがいくら保険料を受け取るかといった特記事項まで細かい交渉を重ねて契約書にサインを終え、最初の借地権料支払いが済んで契約が発効したのが２００１年7月24日だった。

それからわずか１ヵ月半後の9月11日に、乗っ取られた旅客機による超高層ビル突入で２棟が崩壊したわけだ。

損害保険の細目には、テロ攻撃による破損については、１棟が被害を受けるたびに借地権料の総額32億ドルを約１割上回る35億５０００万ドルを保険会社がシルバースタインに支払うことが明記されていた。

２棟にそれぞれ別の旅客機が突っこんだことは明白だったため、シルバースタインは事件勃発直後にテロ攻撃２回分の71億ドルを請求したが、さすがにそこまで巨額の支払いは保険会社もすんなり受け入れず、値切られて45億７０００万ドルで決着した。

それにしても、たった１ヵ月半で１４００万ドルの出資を45億７０００万ドルに膨らませたのだから、シルバースタインが**「世界一ラッキーな男」**と呼ばれたのも当然だろう。でも、ほんとうに運が良かっただけだろうか。

私は、ＣＩＡとモサドだけではなく、国防総省も一枚かんだ内部関係者の犯行ではなかったかとにらんでいる。

と言うのも、次ページの図表の下段まん中にあるようにニューヨーク港湾局と国防総省で会計

ほんとうにジャンボ機突入でビル全体が崩壊したのか

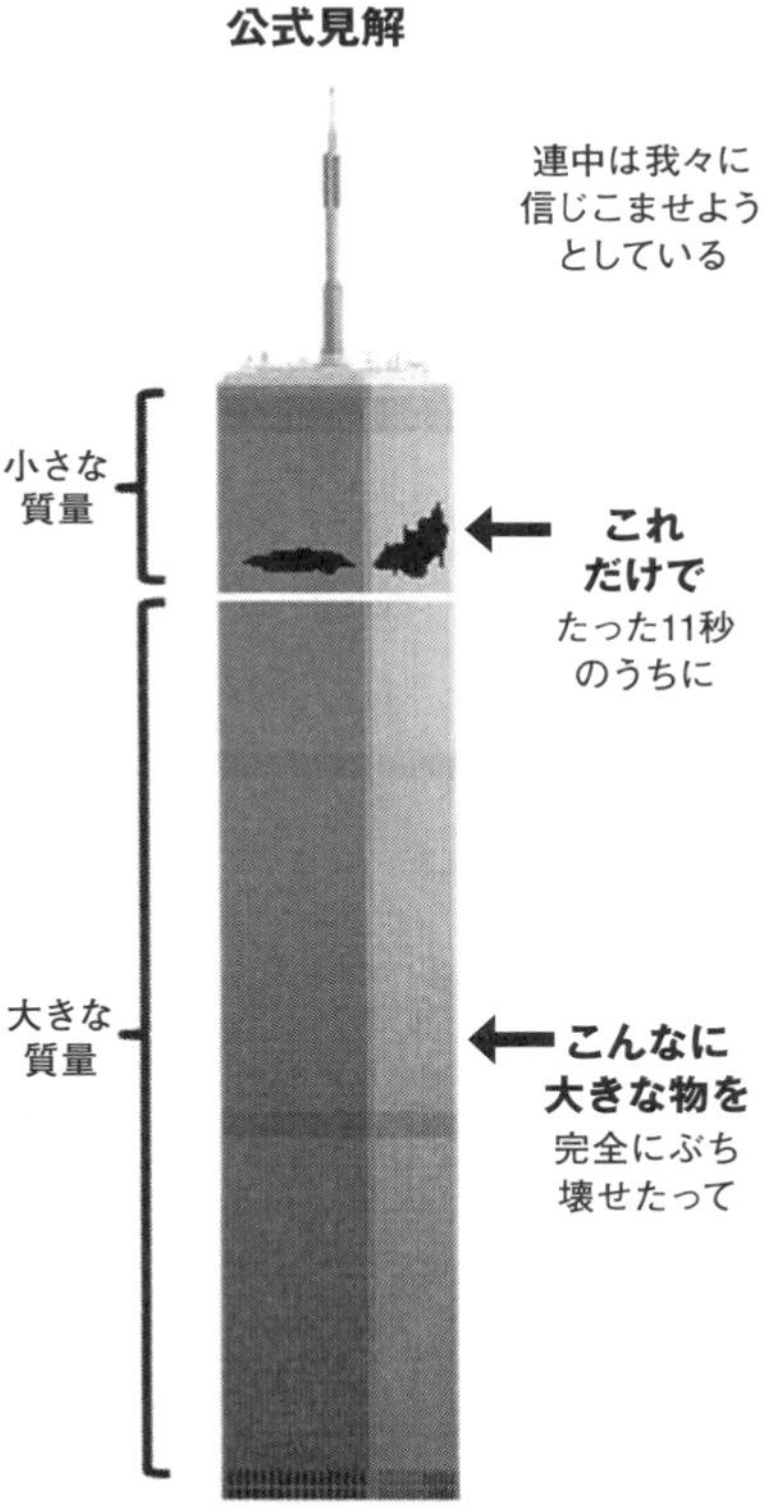

公式見解
連中は我々に信じこませようとしている
小さな質量
これだけで
たった11秒のうちに
大きな質量
こんなに大きな物を
完全にぶち壊せたって

世界貿易センター（WTC）の所有者、ニューヨーク港湾局は老朽化して堅牢一点張りの牢獄を垂直にしたような設計で、Wi-Fi不通もあって入居率約50%、しかもアスベスト使用で解体費莫大と、WTCに建っていた一群の高層ビルの処分に困っていた。

ニューヨークの中堅不動産業者、ラリー・シルバースタインが借地料32億ドル、99年分割払い定期借地を持ちかけ、**初回支払い分1400万ドル**を終えて、契約を締結したのが7月24日。

保険はビル群のうち1棟でも大災害に遭って全壊/大破すれば満額補償を受け取れる契約だったので、当初64億ドルの保険金を請求したが、交渉の結果**45億7000万ドル**で落着。

シルバースタインは「世界一ラッキーな男」と呼ばれた。**幸運？**

2001年9月10日、ラムズフェルド国防長官（当時）はペンタゴンの総資産中、約2兆3000億ドルの所在が確認できないと語った。

CBSニュース.com ビンス・ゴンザレス記者のペンタゴン調査報道

行方不明の資産総額なんと

2兆3000億ドル

まさにその翌日、9月11日早朝、ニューヨーク州・ニュージャージー州共同出資のニューヨーク港湾局オフィスとペンタゴンの経理部オフィスが旅客機突入テロで破壊された。

出所：（上左）Robin Monottiによる2024年2月16日、（下）Ayman AlKhaled、同年1月15日のX（旧Twitter）より引用

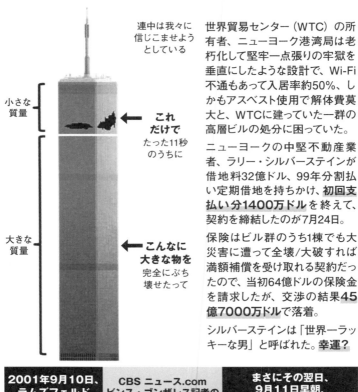

書類が消失したため、国防総省が保有しているはずの2兆３０００億ドルという巨額の資産の所在がまったくつかめなくなったと言われているからだ。

２０２３年におこなわれた国防総省の監査が、またもや監査法人の意見書さえもらえないほど不適格であった。帳簿上の総資産３兆３０００億ドル中で所在の確認できる資産は39％しかなく、残る61％については、どこにどういうかたちで存在しているのかさえわからない状態だった。

おそらく現在にいたるまで所在不明の国防総省資産約2兆ドルの大半は、とっくの昔に軍需産業ロビー、イスラエルロビー、国防総省の高位文官、高級将校、国防族議員、イスラエル族議員の懐に入っていて、その証拠が隠滅されただけだろう。

そのために３０００人以上の犠牲者を出すほど荒っぽい解体作業をするだろうかということになると、つい最近までは半信半疑だった。

だが、アメリカ側で国防総省とニューヨーク港湾局という不正・腐敗の温床、イスラエル側でネタニヤフとモサドという人命など歯牙にもかけない連中の共同作業となると、大いにあり得る。贈収賄を合法化した国の政治が、どこまで腐り果てるかを象徴するエピソードと言っていいだろう。兵器は価格査定が非常にむずかしい分野だ。

とくに平時が長く続くと、一度も実際の戦闘行動に供用されたことのない兵器がそのまま「仮想敵国の対抗機が性能を一新したから」という真偽の怪しい理由で廃棄されたり、財政の貧しい同盟国に安く払い下げられたりする。

しかも、性能を画期的に向上させたからという理由で後継機種の価格は、べら棒に高くなっているのが通例だ。アメリカ軍の兵器調達については、主力戦闘機が世代交代ごとに約10倍価格が上がっているという**「オーガスティンの法則」**が存在する。

現在、最新鋭機としてアメリカと同盟国で配備が進んでいるF35戦闘機は、軍事アナリストの分析によると「どこもかしこも改善しようとして総花的に性能アップを目指した結果、どの分野もパッとしない愚作の典型」になっているという。

さらに模擬1機打ち（dog fight）をすると、何度やっても先輩機であるF16に勝てないとの噂もある。それでいて、1機約1000万ドルで買えていたF16に比べて、価格は1機1億5000万～1億8000万ドルになっているのだ。

アメリカは先進諸国においてインフレ率が高めだが、さすがに20年で物価が10倍になっているわけではない。精々2～3倍程度だ。当然、軍需産業各社が暴利をむさぼっているに違いない。

だが、国防族議員や国防総省の文官、そして三軍と海兵隊の高級将校にはたっぷり公然、非公然の袖の下が回ってくるので、関係者からは不満や批判は出てこない。ただ、この**つかみガネ体制**のもとでアメリカの軍事力が劣化しているのは歴然たる事実だ。

アメリカの軍事力、世界最強の座から転落

表面的には、今もなおアメリカは国防費支出額において圧倒的に他国をリードしている。アメリカの国防費総額が次ページのグラフのとおり、２位から11位までの10ヵ国の国防費の合計額より大きいのは、ソ連が自国の崩壊寸前に軍拡競争から降りて以来、もう30年以上も続いている現象だ。

それならアメリカの軍事力は、２〜11位の10ヵ国連合にも勝てるほど強いのかというと、軍事評論家の大多数は以下のように考えていた。

「アメリカがそこまで強いとは思えない。ただ、２〜11位の中にはどう考えてもアメリカを敵に回すことはありえない国もあるから、実際にアメリカが戦争で負けるような数ヵ国連合が成立する可能性はゼロに近い」

ところが、アメリカ第3位のニュース誌『ＵＳニュース・アンド・ワールド・レポート』の「世界強い国ランキング」２０２３年版で、衝撃的な結果が公表された。

アメリカは、長年独占していた首位の座をロシアに奪われたのだ。次ページの表でこのランキングと軍事費支出額とを見比べると、**アメリカの国防予算のコスト・パフォーマンスの悪さは歴然としている。**

国防費支出額世界のトップ15ヵ国

トップ15ヵ国の国防費支出額は2022年に1兆8420億ドルに達し、
世界全体の国防費支出額の82%を占めた。

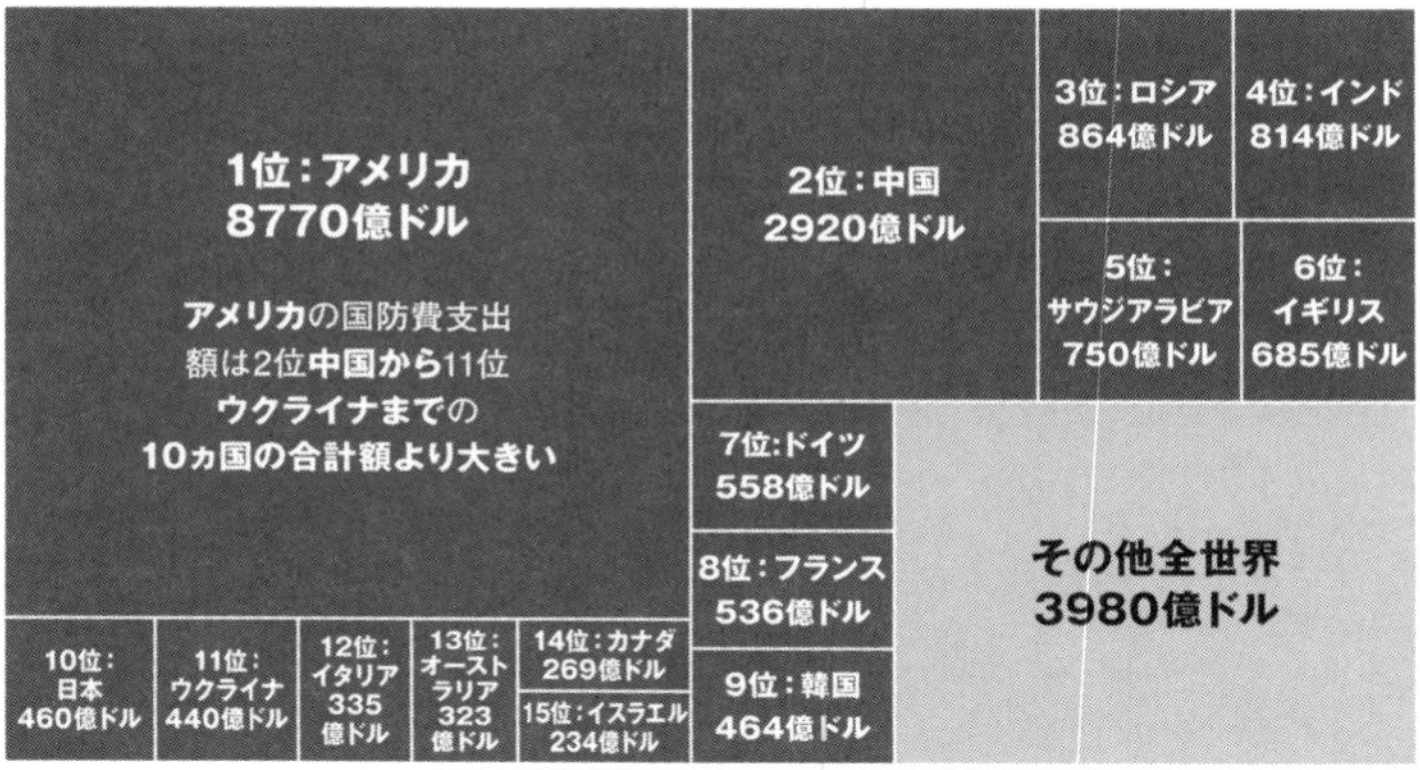

出所：Stockholm International Peace Research Institute（SIPRI）ホームページ『Military Expenditure』、2023年4月のエントリーより引用

世界の軍事力トップ10ヵ国

アメリカ軍事力のお粗末な費用効率：2022年

順位	国名	GDP（PPP兆米ドル）	1人当たりGDP（同万米ドル）	国防費（同億米ドル）	国防費／GDP（%）	人口（人）
1	ロシア	2.24	3.65	864	3.9	1億4356万
2	**アメリカ**	**25.50**	**7.64**	**8770**	**3.4**	**3億3329万**
3	中国	18.00	2.15	2920	1.6	14億1218万
4	イスラエル	0.52	4.95	234	4.5	955万
5	韓国	1.67	5.01	464	2.8	5163万
6	ウクライナ	0.16	1.27	440	27.5	3800万
7	イラン	0.39	1.81	69	1.8	8855万
8	イギリス	3.07	5.46	685	2.2	6697万
9	ドイツ	4.07	6.32	558	1.4	8408万
10	トルコ	0.91	3.73	106	1.2	8534万

出所：SIPRI、US News &World Report、Strategic Culture Foundationのデータより作成

アメリカはロシアの10倍を超える国防予算を費やしながら、現状ではロシアより軍事力が弱いと判断されているのだ。しかも、この首位交代はロシアが画期的な新兵器を開発したといった偶発性の高い「事件」によるものではない。

21世紀の幕開けとともに始まった米軍のアフガニスタン侵攻は、度重なる失態の果て２０２１年に米軍が最新兵器を手付かず状態で放棄して命からがら遁走《とんそう》するという惨状を呈した。

一方、ウクライナに侵攻したロシア軍は、戦力的にはかなり劣るウクライナ軍に手こずりながらも、黒海沿岸のロシア系・ロシア語話者の多い州を平定し、ウクライナを内陸国家に封じこめるという戦争設計を基本的に達成しつつある。

つまり直接対峙することはなくても、アメリカのアフガニスタン撤退と、ウクライナ侵攻を優勢に推進しているロシアでは、明らかに**ロシアの軍事力が上**だとの判定が軍事専門家たちのあいだで出たと見るべきだろう。

アメリカの首位陥落と同じくらい衝撃的だったのは、軍事力トップ10ヵ国のうち国防予算が69億ドルと最低でアメリカの１００分の1にも満たないイランが7位であることだ。そして軍事力でイランに勝る国は西欧・北欧にはまったく存在しないという事実だ。

国防費支出では6位６８５億ドルのイギリスが軍事力で8位、7位５５８億ドルのドイツが軍事力では9位というのは、ともにアメリカの軍需産業への依存度が高いので、そもそも国防支出に大幅な水増しがあったということで片付けられる。

しかし、比較的国産兵器への依存度の高いフランスも国防費支出では8位536億ドルなのに、軍事力ランキングではトップ10ヵ国に入っていない。

西側諸国の軍需産業全体がアメリカのインフレ価格に引きずられて、支出額に見合った軍事力を維持できなくなっている可能性が高いのだろう。

かけた金額で見ればアメリカの軍事力は今でも2位以下を大きく引き離したトップだが、実際の戦力となると贈収賄と上げ底価格で**闇に消えた部分が異常に大きい**のではるかに小さいだろう。

米軍のアフガニスタン撤退事件は、実際の戦闘場面でアメリカはロシア1国の軍事力にも太刀打ちできないだろうという私の推測の根拠にもなっている。

そして株式市場も、アメリカの軍需産業各社はウクライナ戦争からもイスラエル軍によるガザ侵略からも大した収益を得られないだろうというのが、世界中の株式市場の共通認識になりつつある。

次ページの2枚組グラフをご覧いただきたい。

イスラエル軍によるガザ侵略が激化すると、MSCIの世界航空防衛産業指数は一応定石どおりに上昇した。ただ丸2年で25%の上昇率は、目の覚めるようなパフォーマンスとは言えない。

しかも投入する兵器の質と量では、圧倒的にイスラエル軍が優勢だ。そのイスラエル軍の兵器はほぼ全面的にアメリカの軍需産業に頼っているというのに、アメリカの軍需産業株のパフォーマンスがすさまじく悪いのだ。

世界航空防衛産業指数：2000〜23年

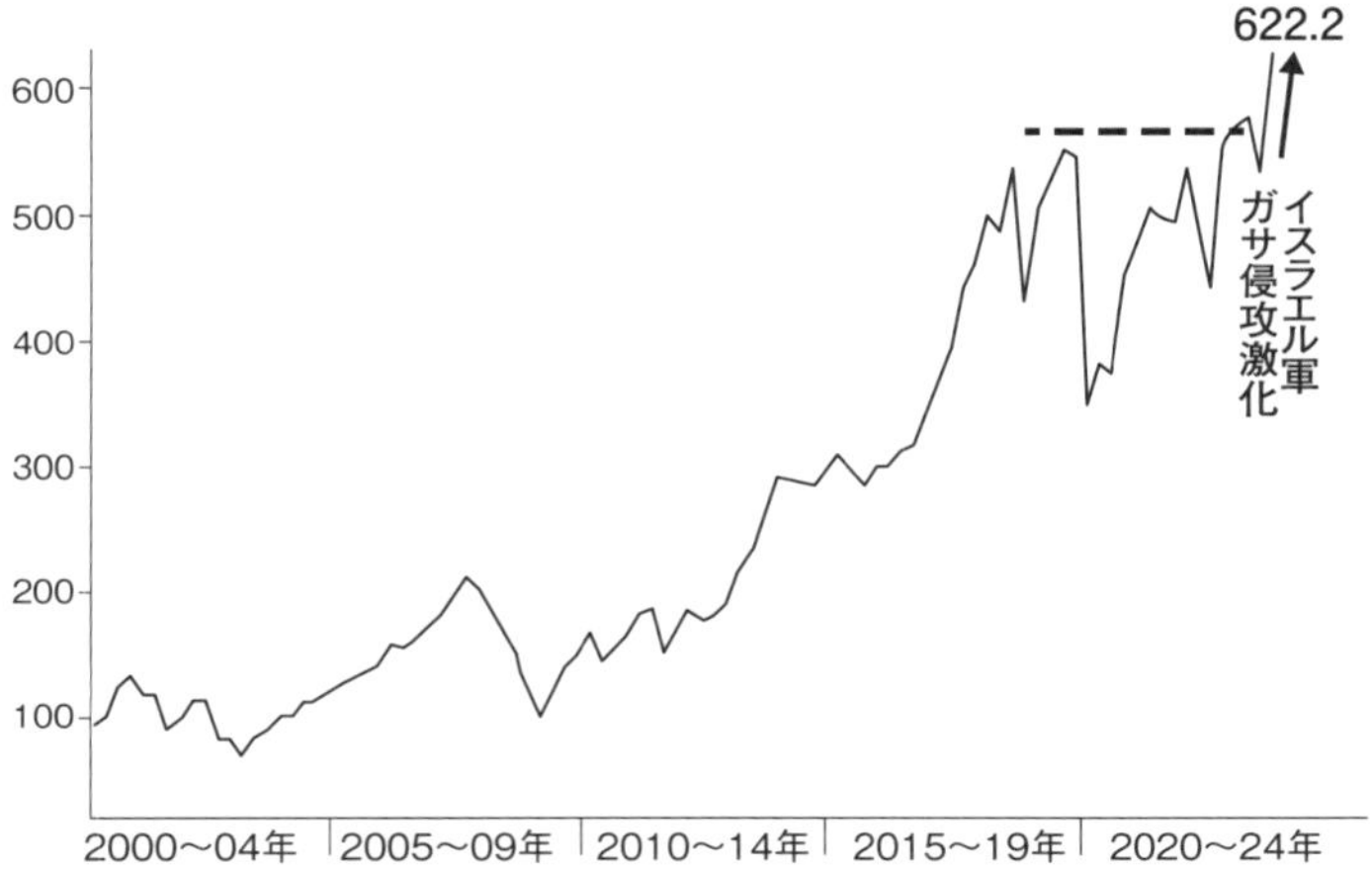

ウクライナ戦争勃発以降の軍需産業株変動率 2022年1月〜2023年12月

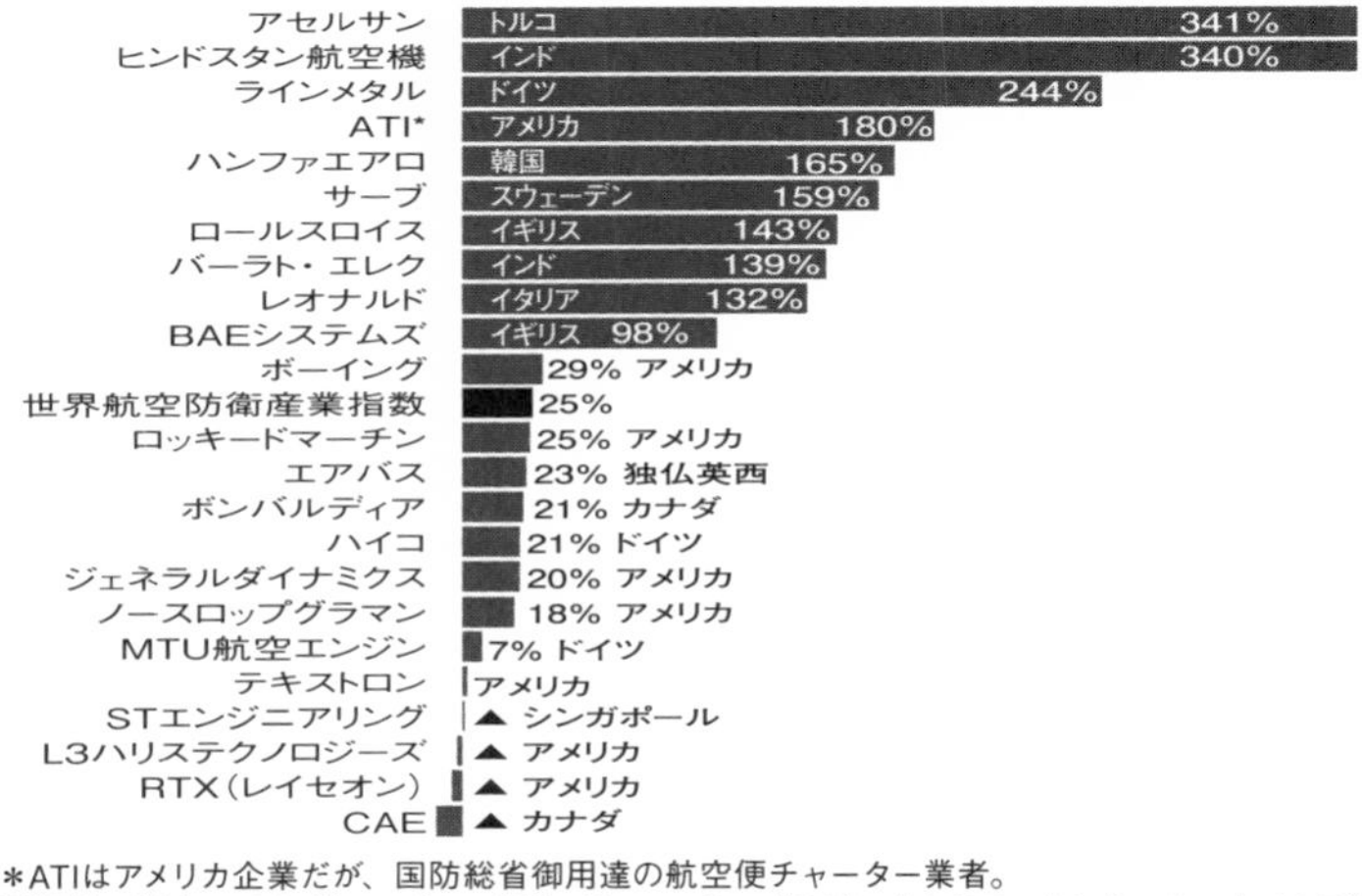

＊ATIはアメリカ企業だが、国防総省御用達の航空便チャーター業者。
原資料：（上）MSCIグローバル、（下）リフィニティブのデータからフィナンシャル・タイムズが作図
出所：ウェブサイト『Zerohedge』、2023年12月29日のエントリーより引用

株価上昇率で航空防衛産業指数を上回ったのは、民間旅客機が本業で軍需は副業であるとともに、最近工場労働者の服務規律に深刻な疑問が生じているボーイングの2年間で29％の上昇だけだ。

後はロッキード・マーチンがやっと指数と同じ上昇率を確保しただけで、この指数に組み入れられたほかの軍需産業株は全部平均を下回り、うち4社は最下位争いをしている。

なお、2年間で180％上昇という素晴らしいパフォーマンスをしたATIもアメリカ株だが、軍需産業の会社ではなく国防総省ご用達の航空便チャーター業者だ。

なかでも悲惨だったのが、現役の重役を国務長官に天上りさせたRTX（旧レイセオン）だ。株価はこの指数に組み入れられた34銘柄中下から2番目（ブービー）のマイナス2％である。国防長官在任中のロイド・オースチンはそのショックというわけでもないだろうが、年末年始にだれにも行き先を告げず勝手に前立腺がん治療のために入院するという、とんでもない軍律違反を犯していた。

大国の正規軍の最高司令官がここまで無責任な軍律違反を犯して、軍法会議にもかけられずその後も平然と執務をこなしているというのは、民事、刑事だけではなく軍法も存在しない**正真正銘の無法国家になり果てた**ことを示している。

第5章

アメリカは国際人道法違反、生物兵器開発の常習犯

エプスタインは猟奇的エピソードではなく、アメリカ政治の本質

アメリカ政財界の大物からハリウッドスターまで膨大な人数の著名人がジェフリー・エプスタインの顧客リストに載っているのは、金では動かない偏屈な政治家や、カネなら捨てるほど持っている大富豪を動かしたいときに、**恐喝によって言うことを聞かせる道具**だからだ。

ニューヨーク、マンハッタンの豪邸を中心に未成年少女に売春をさせる大規模な組織を構築していたジェフリー・エプスタインがイスラエルの秘密警察モサドだけではなく、ＣＩＡやイギリスの諜報機関ＭＩ６のスパイでもあったことはよく知られている。

なお、この状態を「二重スパイ、三重スパイをしていた」と表現する人もいるようだが、しょせん同じ穴のムジナであるイスラエル・米英のスパイを兼任していたのは、報告する上司が３人いるというだけで二重、三重スパイとは言えないだろう。

連合国側には枢軸国側の情報を売り、枢軸国側には連合国側の情報を売るといった、敵味方を超越した野心的な多角化経営をしている一匹狼だけを二重スパイとか、三重スパイと呼ぶべきだと思う。

エプスタインは政財官界の大物やハリウッドスターなどを常連客にして、たとえ相手の同意があったとしても罪に問われる未成年の少女と性行為をしているところをカメラに収め、脅迫して

いたわけだ。

その脅迫で大金を巻き上げることもあっただろうが、主な目的は金銭ではなく、各界の有力者に自分たちにとって有利な方針を支持させて、国全体をスパイ組織の親玉の思いどおりの方向に進ませることだった。

またスパイの仕事には「きつく、汚く、危険」という典型的な３Ｋ仕事もいろいろ含まれているが、そういう汚れ仕事をしてやろうとする人間が自主的に出てきてくれることはあまりない。で、どうするかというとバレたら社会的地位も名声も、ときには収入の道さえ失ってしまうほどタブー視されている、いわゆる異常性欲の持ち主を探り出して、彼らに「秘密を守ってやるから、こういう任務を遂行しろ」と迫るわけだ。

ちなみに、エイズが猖獗《しょうけつ》をきわめた１９８０年代後半ぐらいまで欧米社会の同性愛者に対する偏見は、日本とは比較にならないほどきびしいものがあった。

１９５０～60年代にロマンチック・コメディの主演男優として非常に人気があったロック・ハドソンは自分が同性愛者だとバレるのを恐れて、かなり長期にわたって医師の診断も受けなかったため、助かったかもしれない命を落としたと言われている。

その頃までは同性愛者をつきとめて、彼らに危険な仕事をさせることが多かった。しかし、ＬＧＢＴＱＩＡ＋がほぼ全面的に市民権を獲得した現在の欧米では、この供給源がほぼ壊滅してしまったため、とくに関心を呼んでいる分野がある。

それが**レイプや幼児性愛の常習者**だ。性的な倫理観が乱れに乱れた現代の欧米社会でも、さすがにこのグループはまだ市民権を得ていない。そういう危険な動きはあるが。

エプステイン組織の大きな目的のひとつが、いまだに市民権を得ていない幼児性愛常習者を捕まえて、とくに危険で醜悪な工作をさせることだったようだ。

そして、イスラエルは危険で汚い仕事をさせる秘密工作員の供給源として、諸外国で性犯罪について有罪判決を受けたり、逮捕状が出たりしている人たちを積極的に呼び寄せ、彼らに避難所を提供している。

オーストラリアで超正統派ユダヤ教女学校の校長を務めていたマルカ・レイファー容疑者については、注目すべき点がふたつある。ひとつ目は、女性が少女に対する性的虐待で訴えられる事件がけっこう多いことだ。エプステインの「常連客」リストの中にも、かなり大勢の女性が含まれていた。

もうひとつの注目点は「超正統派（Ultra Orthodox）ユダヤ教の女学校校長」と明記されていることだ。

超正統派は服装やしきたりについて厳格で、男性の場合は現代でも少なくとも外出時には黒の山高帽に黒の上下服、もみあげを長く伸ばして三つ編みにするといういで立ちをしている人たちのことを指す。

この元女学校校長の場合、２００８年にイスラエルに逃亡していたことがわかった時点からオ

イスラエル：猟奇的と片付けるには異常に多い性犯罪

タイムズ・オブ・イスラエル

コロンビア警察、イスラエル国籍の14人を性的な目的で幼児の人身売買にかかわった容疑で取り調べ　2018年12月10日掲載

ハーレツ

NGOレポート、イスラエル政府による人身売買への取り組みは落第と指摘
2016年4月26日掲載

エルサレム・ポスト

イスラエル国防軍兵士を容疑者とする1542件の性的暴行に関する告発の内、立件されたのはわずか31件
2022年1月5日掲載

＊イスラエル軍はハマスのテロという口実がなくても、ほぼ毎年「戦時態勢」でパレスチナ人を迫害

出所：Sam Parker@SamParkerSenate、2024年2月23日のX（旧Twitter）より引用

タイムズ・オブ・イスラエル
戦時態勢＊——第140日

調査によれば、イスラエルではレイプ事件の10件に9件が起訴もされずに終わっている
2018年12月10日掲載

ハーレツ

幼児の性的虐待防止団体が、イスラエルは「幼児姦常習者の隠れ家」になりつつあると警告
イスラエル国会公聴会予備会で、幼児虐待防止団体が、超正統派ユダヤ教徒コミュニティで幼児姦の事例が多いと指摘。
2016年4月26日掲載

エルサレム・ポスト

アヴィ・マォツ氏によれば、イスラエルは幼児姦を合法化しようとしている
エルサレム・ポスト　スタッフ執筆
2023年5月2日掲載

ーストラリア政府は即時身柄の引き渡しを要請していた。だがイスラエル政府はかばいつづけ、一応裁判をおこなって禁固刑としたものの、日常生活はほとんど自由にさせていた。

この事実を突き止めたオーストラリア側の強い要請でやっと送還されたのが2021年、そして懲役15年の判決が出たのは2023年になってからのことだった。

上にご覧いただく新聞記事の見出しを集めた中でも右側中段のように、超正統派ユダヤ教徒に性犯罪者が多いような書き方をしているものがけっこう目立つ。

これはかなり慎重に受け止めるべき論点だ。というのも、超正統派のユダヤ教徒には「イスラエルの国土は全部パレスチナ人にお返しして、パレスチナ人の国に平和に同居させてもらうべきだ」という現政権にとっては絶対に容認でき

性犯罪者と確認済みの人間の居住地分布

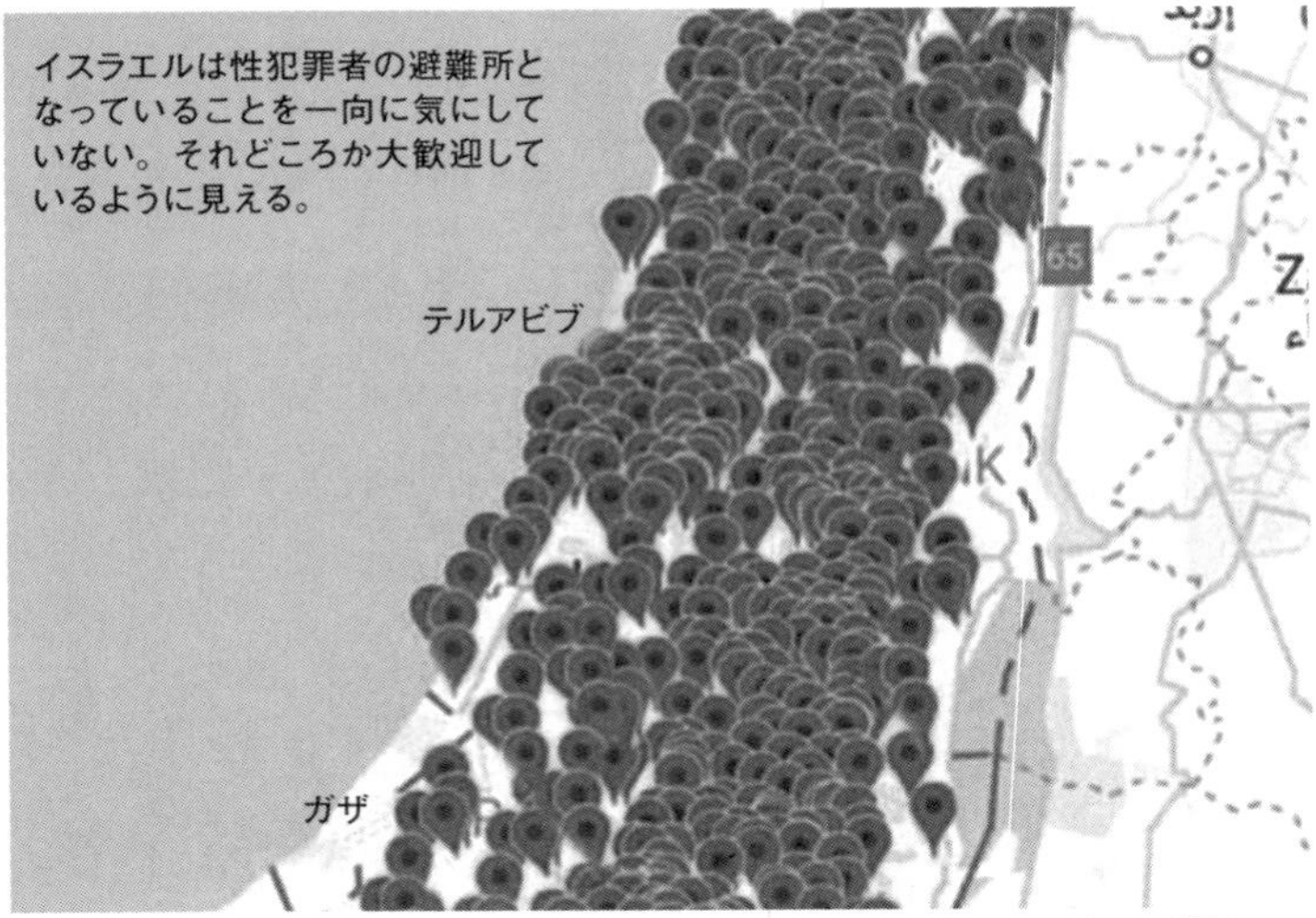
イスラエルは性犯罪者の避難所となっていることを一向に気にしていない。それどころか大歓迎しているように見える。
テルアビブ
ガザ
65

出所：Anna Werner@AnnaWer12662335、2024年2月22日のX（旧Twitter）より引用

ない主張をして、日常的な弾圧・迫害の中で頑張っているコミュニティも多いからだ。

イスラエル政府と大手メディアが結託して、自国内の頑強な反対派である超正統派ユダヤ教徒のコミュニティの評判を落とすために、こうした情報を拡散している可能性もある。

ただ、イスラエルという国全体が性犯罪者を寛容に受け入れる国であることを意図的に宣伝。その成果もあって、イスラエルが異常に性犯罪の前歴を持っていることが確認された人の多い国になっているのは事実だ。

上の地図でご覧いただけるようにほぼ全土が性犯罪者の天国になっている中で、まだあまりイスラエルによる侵略を受けていなかったガザ地区だけが白抜きになっているのが印象的だ。

また、一応はパレスチナ人の自治領となっ

ているはずのヨルダン川西岸地区は、すさまじいイスラエル人入植者の土地や資産の略奪にさらされた。今ではもとからのイスラエル領と同じくらい性犯罪者の多い場所になってしまった。

性犯罪者の定住を国策として支援するイスラエルに対する「無条件全面支援」を掲げてきた国だから、アメリカ政府もまたイスラエル同様に汚い手段を使って、他国の領土で危険な行動をとっていることは言うまでもない。

アメリカのＣＩＡ、イギリスのＭＩ６とともにモサド（イスラエル秘密警察）のスパイでもあったエプステインは、重要人物を誘いこんで少女との性交渉シーンを映像に収めて、恐喝のネタにしていた。

次ページの相関図をご覧いただきたい。

まず、ジェフリー・エプステイン自身はもちろん、元は彼のガールフレンドで、後には若い少女たちの調達を受け持っていたギレーヌ・マクスウェルも、その父親のロバート・マクスウェルも、モサドのスパイだったことがわかっている。

さらに、相当数の政治家や俳優、プロスポーツの選手や監督、弁護士、そして経済学者などの著名人が、未成年少女との性交渉を映像に収められてエプステインに脅迫されていたのも事実だと判明した。

たかがそれだけのことだが、これはアメリカ社会にとって想像以上に大きな影響を及ぼす事件かもしれない。

つながったエプスタイン・コネクションとバイデン汚職一族、そしてだれもイスラエルに逆らえないわけ

ギレーヌ・マクスウェルと生物兵器研究企業メタバイオータ創設者、ネイサン・ウルフ

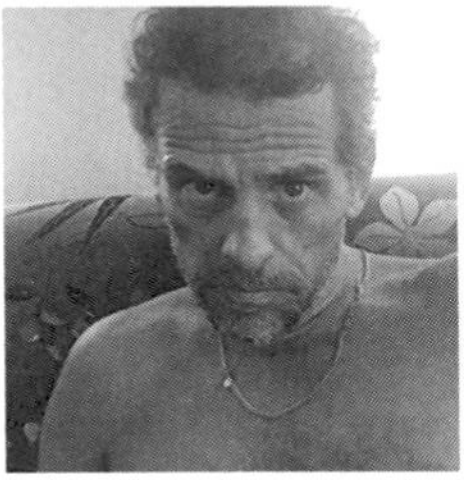

ハンター・バイデンはメタバイオータに出資

ギレーヌ・マクスウェルとだらしなく鼻の下を延ばしているイーロン・マスク

出所：（左上） ウェブサイト『Yahoo! Finance』、2015年5月22日、（左中）『Armstrong Economics』、2022年7月14日のエントリー、（右上）Robin Monotti、2024年1月6日、（右中）Defund Israel Now、2023年12月4日、（下）Dr. Anastasia Maria Loupisによる2023年12月16日のX（旧Twitter）より引用

まず、膨大なエプステインの顧客リストのうち、約１７０人分が公開される直前に、何人かの著名人がアメリカ政府でも裁判所でもなく、イスラエルのネタニヤフのところに「公開を阻止してくれ」と泣き付いたと言われている。

そこにはもちろん、現アメリカ大統領ジョー・バイデンに、とうていこうしたデリケートな交渉ができる人間ではないという判断も働いていたはずだ。

アメリカの知的エリートたちの世界には、自分の社会的地位が失われるほどの秘密をモサドに握られている人が相当数いることも大いに関連しているのではないだろうか。

そして、右中でギレーヌ・マクスウェルとなごやかに談笑しているイーロン・マスクの顔は、彼もまたそうした秘密をネタニヤフに握られているひとりではないかと思わせるところがある。

10・7事件直後のマスクの反応は、アメリカの10億ドル長者たちのあいだでは珍しく公平さを保ったものだった。イスラエル側の言い分も、ハマス側の言い分も平等に聞こうとXで発信していたほどだ。

ところがネタニヤフにイスラエルまで呼び出されて、あるフィルムを見せられてからの彼は、頑迷なイスラエル支持・ハマス非難派に様変わりしてしまったのだ。

マスクが見せられたのは、ハマスによる蛮行ではなく、自分が幼い少女（あるいは少年）にかなり残虐な性行為を無理強いしている姿だったのではないだろうか。

彼は家族観や性生活に関する見方も10億ドル長者にしては珍しいほど伝統派で、奥さんとのあいだに大勢の子どもをつくっている。それだけに、異常性欲の持ち主だったことが知れ渡ってしまった場合の衝撃も大きいだろう。

先ほどカネでは動かない偏屈な政治家は異常性欲で縛ると書いたが、マスクにいくらカネを出してもムダだろう。意に反することを無理にやらせようとしたら、異常性欲を発散させているところの証拠を突きつける以外の方法はないだろう。

マスクのすぐ上でギレーヌとにこやかに笑っているのは、一時「ウイルスハンター」としてもてはやされたネイサン・ウルフという微生物学者だ。

私の知っているかぎり、彼はエプスティンの少女売春（と言うより少女を餌に使った恐喝だが）組織と、ジョー・バイデン大統領のドラ息子ハンター・バイデンをつなぐ**唯一の鎖**となっている。

ウルフは自著の中で「エプスタインにこの本を捧ぐ」と献辞まで書いているが、同時に彼が創設したバイオベンチャー企業メタバイオータには、ハンター・バイデンが友人と共同で設立したローズモント・セネカという投資会社が出資をしている。

そして、このメタバイオータという会社は、ほとんど何の実績もないうちから国防総省が世界中の仮想敵国を生物兵器研究所で包囲するという計画の核心となるような研究開発事業を受託していたのだ。

イスラエル・軍需産業ロビーからの潤沢な献金で贅沢暮らしに慣れたアメリカ議員たちが欲に釣られてイスラエルへの軍事支援を続け、珍しくカネでは動かない政治家の中にも異常性欲の持ち主だという弱みを握られてイスラエルロビーに逆らえない連中が増えているうちに、アメリカ政府は**無数の戦争犯罪の共同正犯**になってしまった。

こんな汚い関係も、アメリカ政府がイスラエルを偏愛する理由になっている。そのごく一部が、ロシア軍によるウクライナ侵攻以降、徐々に明るみに出つつある。なかでも悪辣《あくらつ》なのが、上品でいかにも知的能力の高そうな物腰で日本でもいまだに人気がある**バラク・オバマ元大統領**だ。

ウクライナ全土に11ヵ所の生物兵器研究所を配置

まさか、最初に挑戦した2008年の大統領選ですんなり当選するとは思わなかっただろうが、バラク・オバマは、イリノイ州選出の上院議員だった2005年頃にはもう、いずれは大統領になろうという野心を固めていたようだ。

その頃のオバマがいちばん熱心に取り組んでいたのが、ロシア・イラン・中国を対象に生物兵器網で仮想敵国を包囲するという方針だった。

のちに国号さえロシア語読みに近いグルジアから英語読みのジョージアに変えるほど親米的な国の首都トビリシの近郊に、最新の生物兵器研究施設を建てたほか、ウクライナでは合計11ヵ所もある生物研究所に置いた生物兵器の安全確保に関する条約をウクライナ政府と結んでいた。

2005年8月30日付ワシントン・ポスト紙に以下の内容の記事が掲載された。

（大見出し）米国政府、ウクライナによる「対抗手段」としての生物兵器開発を支援する意向を固める

（本文）アメリカ政府とウクライナは昨日、生物兵器の拡散を防止するために、危険な病原体が保管されている施設の安全性を高めるためのアメリカによる支援をウクライナ政府が受けることについて、協定に調印した

過去1年以上にわたる協議の末締結されたこの協定は、ウクライナの首都キエフを訪問中のリチャード・ルーガー上院議員（インディアナ州選出、共和党）とバラク・オバマ上院議員（イリノイ州選出、民主党）によって発表された。両上院議員は、昨年秋のオレンジ革命によって政権に就いた革新派リーダーたちが官僚たちの抵抗を打ち破って協定調印にこぎつけたことに敬意を表した。

本文にはそんなことはまったく書いていないのに、パッと見だけの印象では「ロシアが危険な生物兵器をウクライナとの国境沿いに配備したから、対抗上アメリカもウクライナに生物兵器を配備した」と思わせるような見出しになっている。

実際には、ウクライナ側が「危険な生物兵器の保管だけさせられて、万一事故で漏洩したらどう対処したらいいのかさえわからない。せめて兵器の威力と漏洩したときの対処法くらい教えて

ほしい」と言い出したので、必要最小限の知識を与えると約束しただけのことだ。

生物兵器は民間非戦闘員を大量に殺傷する危険が大きいので、第一次世界大戦後の１９２５年に発効したジュネーブ議定書でまず使用が禁止され、１９７２年のジュネーブ条約では開発、保有、売買、輸出入も禁止された、絶対に持つことも使うこともできないはずの兵器だ。

ところが国際人道法違反の常習犯であるアメリカは、まず第二次世界大戦直後にドイツと日本（日本にも７３１部隊という悪名高い生物兵器研究部隊があった）から優秀な生物兵器研究者を引き抜き、その後も延々と生物兵器開発を続けてきたのだ。

研究課題のタイトルは「カユイカユイ大作戦」とか「ブンブン大作戦」とか子供の戦争ごっこのようだが、研究目的は非常に悪辣だ。核兵器では絶対に達成できないような水準まで殺すときの１人当たりコストを下げることだった。

１グラムの病原体をできるかぎり均等に希釈して、空中散布やジェット噴射などでばら撒けば１００万人を１人当たりコスト０・３セントで殺すことができるといった内容の研究を真剣にやっていたのだ。

生物兵器は、エリートグローバリストたちのあいだで大変人気がある。彼らの圧倒的多数は「人口過剰」論者で、どうすればあまり自分たちの評判を下げずに、現在80億人を突破した地球の総人口を大幅に削減できるかを考えているからだ。

どこでつくられたものかがバレずに感染率も高く致死率も高い病原体を開発できれば、それが

大規模な人口削減へのいちばんの近道だろう。

さらにそういう好都合な病原体が、まだ無防備な憎い仮想敵国で最初に巨大クラスター感染を起こしてくれて、あまり自国に近くないところで犠牲者の大部分が出てくれれば、願ったりかなったりだ。

冷戦期間中はソ連の軍事力を恐れて、だいたい国内で研究開発を進めていたようだ。しかしソ連東欧圏崩壊後は、力が大幅に落ちていると見くびって仮想敵国であるロシアになるべく近いところに研究開発の拠点を移していた（次ページ地図参照）。

「漏洩したらしたでいいじゃないか、どうせ最終目的は同じなんだから」ということなのだろう。

さらにロシアだけではなく、イラン周辺と中国周辺にもこれらの国々を取り囲むように生物兵器研究所を設立していた。現バイデン政権はよく「ロシア＝イラン＝中国は悪の枢軸」という表現を使うが、どうやらそれは、自分たちが生物兵器研究所で取り囲んだからには、何かしら共通点がなければならないという理由でひねり出されたキャッチコピーらしい。

もっと気になるのは、サハラ以南のアフリカ諸国にも非常に多くの生物兵器研究所を設立していることだ。民主党リベラル派の特徴のひとつに人口過剰論者が多いことと考え合わせると、これは非常に危険な兆候と言うべきだろう。

うっかりか、意図的かどちらにせよ、高い致死率と伝染性を兼ね備えた微生物兵器を近隣に散布して、大量死を招いてしまったとしよう。

ペンタゴンは判明しているだけで世界25ヵ国に生物兵器研究所を分散配置している

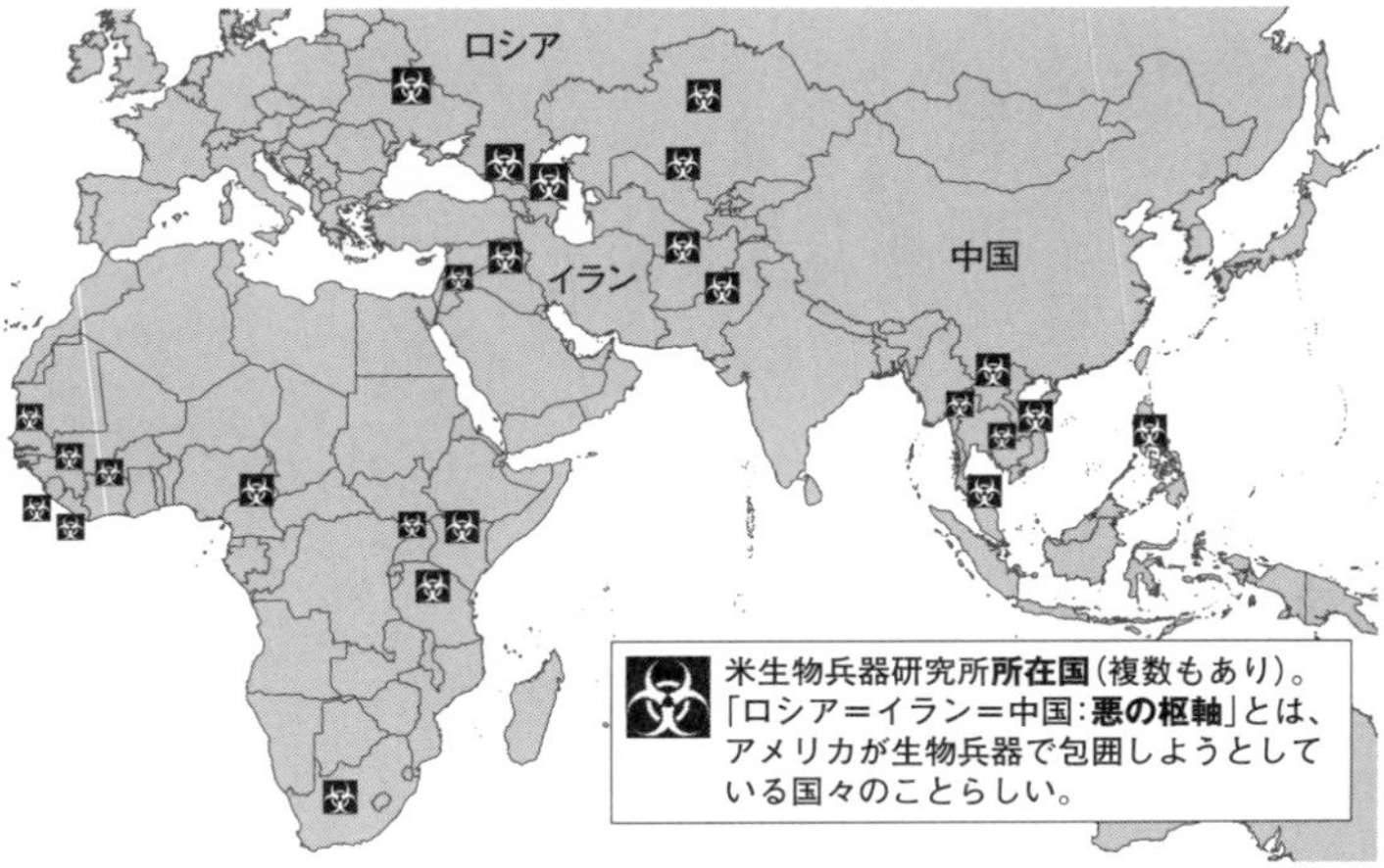
ロシア
イラン
中国
米生物兵器研究所**所在国**(複数もあり)。
「ロシア＝イラン＝中国：**悪の枢軸**」とは、
アメリカが生物兵器で包囲しようとしている国々のことらしい。

出所：ウェブサイト『DILYANA.BG』、2017年4月29日のエントリーより引用

どうにも言い逃れられない証拠を突きつけられて損害賠償を請求されたとしても、最貧国の民衆を大量死させてしまったのであれば、賠償金額も少なくて済むという考えなのかもしれない。

あるいは民主党リベラル派支持の10億ドル長者の中でも、もっとも狂信的な人口削減論者であるビル・ゲイツが、少女たちに風土病や感染症用と偽って不妊成分の混じったワクチンを大量に接種させるときの立地の良さを考えていたのかもしれない。

これら海外に設立した生物兵器研究所の中でとりわけ重要な役割を担っているのが、親米感情が強いジョージアの首都トビリシ近郊のルーガー研究センターだ。ここも隣接するロシア連邦内のダゲスタン共和国に生物兵器を散布しやすい立地にしている。

散布に細心の注意を払っても、微生物だからうまく敵国領土内だけに散布することはむずかしく、自国にも持ち帰ってしまう危険はあるわけなので、厄介なお荷物を押しつけたものだ。

このリサーチセンターについては、ホームページを見ると、完全に独立した非営利事業団体と書かれている。

しかし実際には、国防総省の内局のひとつである国防脅威削減局（DTRA）からの受託業務として、コウモリや蚊を使って細菌やウイルスの機能獲得研究などもおこなっていたようだ。

CIAが画策して米軍もわずらわせたアメリカの軍事介入実績の表（51ページ）でも触れたことだが、注意深く本物のヨーロッパ白人が人口の大多数を占めている国々を避けている。

また大富豪ばかりのグローバリストから見れば、「あんな貧乏暮らしでは楽しいことなどひとつもないだろう。早く殺してやったほうが当人たちだって幸せなはずだ」と勝手に思いこんでいるサハラ以南のアフリカ諸国にも「ロシア＝イラン＝中国　悪の枢軸」包囲網と同じくらい生物兵器研究所を集中立地させていたのだ。

学界まで拝金主義が蔓延したことを象徴するネイサン・ウルフ

贈収賄奨励法以来どんどん拝金主義が高まり、学者の能力さえどれだけ巨額の外部資金を引っ張りこんできたかで決まる現代アメリカ社会には、研究資金さえ潤沢に出してくれるなら大疫病

自著をジェフリー・エプステインに捧げたネイサン・ウルフはギレーヌ・マクスウェルと「海上自治領」テラマーの共同設立者にもなっていた

テラマーは公海上に勝手に領域を線引きして、その領域内には「どこの国の法律も及ばない治外法権地帯だ」と称したが、どこまで実現していたのか、構想にとどまっていたのかは不明。ギレーヌは逮捕される際に「私はテラマー市民だからこの逮捕状は無効だ」と抗議したらしい。
出所：ウェブサイト『Silview Media』、2022年3月30日のエントリーより引用

を起こすような病原体を積極的につくろうとする学者もいる。

その典型が、自著の献辞にジェフリー・エプステインの名前も入れ、ジョー・バイデンの放蕩《ほうとう》息子ハンター・バイデンの投資会社からは出資を得ているネイサン・ウルフだろう。

彼は、ジェフリー・エプステインの片腕だったギレーヌ・マクスウェルとともに、「どこの領海でも排他的経済水域でもないから、どんなことをしても犯罪にはならない」ことがウリになっている洋上仮想国家の共同設立者にもなっていた。

我々から見ると、ハーバード大学を卒業し、カリフォルニア大ロサンゼルス校（UCLA）では在籍しているかぎり講座を開く権利（tenure）を持っている学者が、なぜそこまで危ない橋を渡るのかと思う。

話はまったく逆で、派手にアドバルーンを上げ

ながら、裏では「どんなに危険な研究もやります」と言って著名財団や基金から巨額の研究助成を引っ張ってこられるから、エプスティンやハンター・バイデンまで出資してくれて、ますます学界での地位も上がってきたのだ。

彼も世界経済フォーラム（WEF）のヤング・グローバル・リーダーだったが、WEFホームページに掲載された紹介文を見ただけでもインチキぶりがわかる。

（大見出し）世界経済フォーラム

（小見出し）グローバル・ヤング・リーダー紹介ページ

（小見出し）ネイサン・ウルフ

（本文）ネイサン・ウルフ博士はメタバイオータ社の創業者で、現在も会長を務める。同社は企業、保険会社、国家に対して、リスクに関するユニークなデータ分析プラットフォームを提供する企業だ。独自に収集したリアルタイムのデータと歴史的データを組み合わせ、マシン・ラーニングや経済的なリスクモデリングを通じて、累積的なリスクの評価、革新的なリスク軽減法を立案し、マーケットに斬新な保険商品を投入する。グーグル・ベンチャーズやデータ・コレクティブなどの著名投資ファンドからの出資も得ている。

彼はWEFのワールド・グローバル・リーダーのひとりで、『ナショナル・ジオグラフィック』誌が選ぶ100人の新進気鋭の探検家にも名を連ねている。すでに100本以上の論文を学術誌に掲載している。

当人はウイルスハンターを自称する微生物学の専門家なのだそうだが、ＷＥＦには「非常に起きる確率は低いけれども、起きたら莫大な損害補償が要求されるような保険・再保険のモデリングができる」と言って売りこんでいたようだ。

これはもう当人が開発したウイルスと当人が開発したワクチンで**完璧なマッチポンプ**ができるような特殊な事情でもなければ、まったく縁もゆかりもない畑違いの分野だ。

カネと暇を持て余して「どうすれば人類の大部分を殺し尽くせるか」の与太話ばかりしているＷＥＦの超大富豪たちは騙せても、とうてい業界人を騙すことはできないだろうと思っていた。

ところがミュンヘン・リという再保険分野の大手が、なんとこの**怪人物と共同で疫病保険の新商品を開発**したというのだ。コヴィッド-19に絡めて実際に売り出していたら、大変な損失が出るような商品になっていたかもしれない。

ちなみに、典型的な人口削減論グローバリストのひとり、テッド・ターナーが創設した「核の脅威イニシアティブ」がコロナ騒動直前に業容を多角化して「疫病対策指数」なるものを発表するようになった。

この指数を算出するためのデータはほぼそっくり、ネイサン・ウルフが設立したメタバイオータというバイオベンチャーが掻き集めたものだった。

中身は典型的な欧米アングロサクソン崇拝志向に凝り固まっていて、あれほど無様な失敗続きだったアメリカやイギリス、カナダ、オーストラリアが高位につけ、欧米的な秩序に逆らう国は防疫体制の良し悪しとは無縁に最下位争いというものだった。

なお、メタバイオータにはハンター・バイデンも多大の関心を寄せ、友人と共同出資したローズモント・セネカ・テクノロジー・パートナーズというベンチャーキャピタルから、メタバイオータに出資をしていた。

米軍生物兵器研究所がある国では不審な病気が続々発生

それにしても、アメリカが生物兵器研究所を設立した国々では、時おり生物兵器が漏洩したとしか思えない感染症が発生している。その一例として、**クリミア・コンゴ出血熱**がある。

病名の示すとおり、従来はクリミア地方とコンゴ周辺でしか発症例のなかった病気なのだが、アメリカがどっぷりはまり込んだアフガニスタンの内戦中に首都カーブルの生物兵器研究所と、もう1ヵ所、ヘラトという都市で発症例が出た。

まず、地球上の位置から見ても、気候や風土条件から見ても、ほとんど何ひとつ共通点のない、クリミア半島周辺と、コンゴ共和国・コンゴ民主共和国周辺以外ではまったく症例がなかったというのが、あまりにも不自然だ。

当然、どちらにも生物兵器研究所がある米軍が開発した病原体による発症だろうと推測できる。さらに今度は、やはりアメリカの生物兵器研究所があるアフガニスタンで発症例が出たとあっては、ほぼ間違いなさそうだ。

発症例があった年次をまとめたグラフを見ると、２０１０年３人、２０１１年２人と少数だったものが、２０１３年には26人に増えた。だがアメリカの傀儡《かいらい》政権による国土再統一と米軍によるタリバン掃討作戦が比較的順調だった印象がある２０１４〜16年には発症例が皆無となった。

そして次々にあちこちでタリバンが再攻勢に転じた２０１７年には、発症例が２３７人に激増していた。これはもう疑問の余地なしと見ていいだろう。それでもなお、意図的にばら撒いたか、偶然漏洩したかの謎は残るが。

それにつけても気になるのは、生物兵器を使う場所を絶対にヨーロッパ系白人に大量死が出そうな場所を避けているという事実だ。なお、典型的な西欧白人は、ロシア人を含むスラブ諸民族を純粋な白人とは見ていない。

ほぼ中央アジア・西アジア全域と現ロシア領の大部分がモンゴル族の支配下に入った頃、スラブ系の美女はほとんど全員モンゴル族に犯され、そうでない女性たちは皆殺しになったから、スラブ系の人たちは皆アジアの血が混じっていると考えている。

だから中東系諸民族だけではなくスラブ系諸民族の建てた国で、万一殺傷力の高い生物兵器が漏洩して皆殺し状態になったとしても、大した問題ではないと考えている人も多いのだろう。

旧ウクライナ領だけでロシア国境沿い中心に生物兵器研究所が11ヵ所もあった

出所：ウェブ版『The Rio Times』、2022年2月28日のエントリーより引用

バイデン政権でつい最近まで政治担当の国務次官をしていて、ウクライナ劣勢の責任で辞任させられたビクトリア・ヌーランドがいる。彼女がまだ国務次官補のひとりにすぎなかった２０１４年に、ネオナチ勢力を使って強引にウクライナの親ロ派政権を倒すクーデターを起こさせた理由のひとつが、生物兵器研究所問題だった。

ソ連崩壊後、まだロシア連邦が政治、経済、社会全般においてきわめて脆弱《ぜいじゃく》だった頃、アメリカはその混乱に乗じてウクライナ領内だけで何と11ヵ所も生物兵器研究所を設立していた。上の地図をご覧いただきたい。

仮想敵国の領土近くに何ヵ所も生物兵器研究所を建てるなどということは、弁解する余地のない国際法違反だ。親ロ派のヤヌコビッチ政権によってどこか1ヵ所でも査察を受けて研究内容の危険さが暴露されたら、ウクライナ全体がますます反米化してしまうことをヌーランドは恐れていたのだろう。

この件については、ブルガリア人の女性ジャーナリスト、ディリヤナ・ガイタンジエヴァという人が、２０１７年４月に調査報道のお手本ともいうべきレポートを書いているので、興味をお持ちの方は、ぜひお読みいただきたい。

のちのコロナ騒動の勃発などをかなり的確に予測しているばかりか、致死率の高さで感染症学者を震え上がらせた中東呼吸器症候群（ＭＥＲＳ）もまた、米軍生物兵器研究所の成果だろうという大胆な指摘もおこなっている。

最近流行した感染症の大半は米軍が他国に設立した生物兵器研究所製？

現在、コヴィッド-19は完全に人為的につくり出されたという見方が支配的になってきたようだ。だが流行しはじめた頃は、コウモリを宿主とする病原ウイルスを機能獲得研究によって人間も感染するように変異させたものだという説が有力だった。

ジョージアの首都トビリシ近郊のルーガー研究センターでは、こうした研究の材料としてかなり大量のコウモリを使っていた形跡がある。

アメリカ国防総省の内局である国防脅威削減局（ＤＴＲＡ）が発注した業務の受注企業内訳を

米国国防脅威削減局（DTRA）からの危険な発注業務

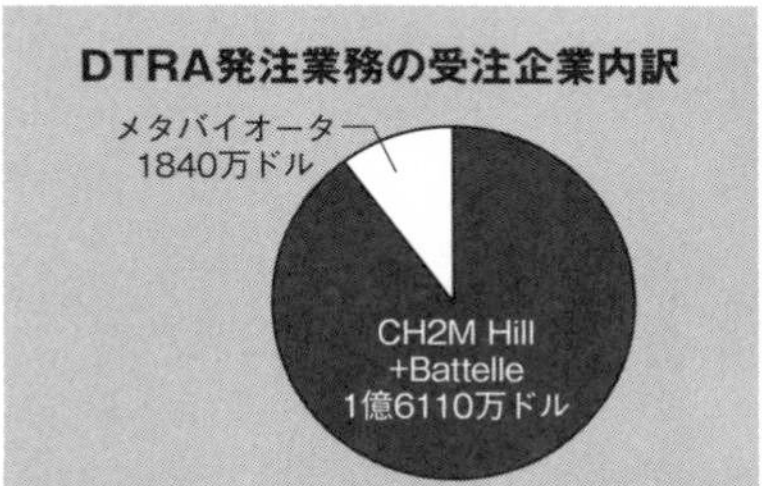

CH2M Hill + Battelleは表面的には建設コンサル・エンジニアリングと警備保障の企業連合だが、国防総省発注の生物兵器開発事業では老舗。新興のメタバイオータがそこに割りこめたのは異例。

（上）2014〜17年だけで221匹のコウモリが実験用に使われ、「安楽死」させられていた。

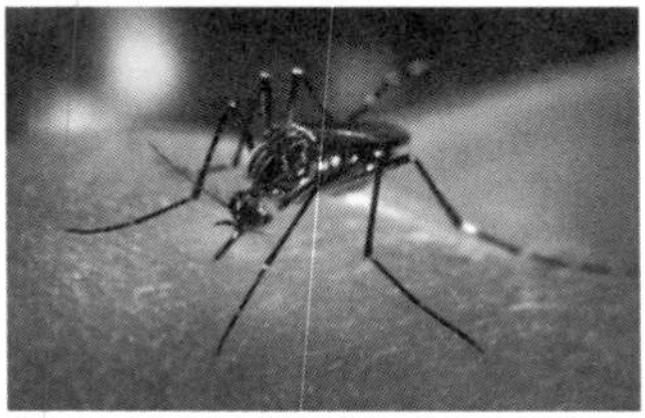

（右）黄熱病、デング熱、ジカ熱、チクングニア熱などを媒介する危険な蚊、ヒトスジシマカも飼育されていた。

出所：ウェブサイト『DILYANA.BG』、2017年4月29日のエントリーより引用

見ると、90％弱は表向き建設コンサル・エンジニアリング会社と警備保障会社の企業連合であるCH2M Hill+Battelleに行っている（上のグラフ参照）。この企業連合はペンタゴンからの生物兵器関連研究の受注では最古参の部類に入る。

残る10％強はすべてネイサン・ウルフが創設したばかりでほとんど実績のないメタバイオータに発注している。つまり生物兵器研究開発のために使った資金の1割以上を、このいかにも怪しげな連中と付き合いのある山っ気たっぷりのウイルスハンターが設立したばかりの会社に投じていたわけだ。

幸い、これまでのところルーガーリサーチセンターからは病原体を持った微生物の漏洩による被害は出ていないようだ。

しかし、ウクライナに設立された多くの生物兵

器研究所周辺からは、A型肝炎、B3型麻疹、エボラ熱、クリミア・コンゴ出血熱、出血性肺炎、H1N1（豚インフルエンザ）、炭疽《たんそ》など先進国ではめったに症例が出ないさまざまな病気の感染被害が続出していた。

ウクライナ侵攻後、アメリカは、ロシア軍に制圧される危険の大きかったミコラーイフやドニプロ、ハルキフなどの生物兵器研究所を証拠隠滅のためにかなり慌てて解体し、危険物の除去をおこなっていたようだ。

また、2003年に中国を中心にかなり広域で感染が確認された重症急性呼吸器症候群（SARS）からちょうど10年後の2013年に中東と韓国で流行した中東呼吸器症候群（MERS）は発病者の死亡率が30～40％と高かったので一時深刻なパニックを惹き起こした。どうやら、このMERSもアメリカが中東各地に設立した生物兵器研究所で開発、あるいは培養されたものだったらしい。

だとすれば、アメリカにとって仮想敵国であるイランではなく、友好国のサウジアラビアと韓国で感染者が激増したのは皮肉だが、どうも現段階で生物兵器の実用化を急ぐと、**敵味方の区別さえうまくコントロールできない**のが実情だと言われている。

現在の研究開発段階では「とにかく少しでも多くの人間を殺すこと自体が善である」という狂信的な人口削減論者でもなければ、ほとんど生物兵器の実用化は不可能だろう。

つまりビル・ゲイツ＝アンソニー・ファウチのラインにとってはオーケーだとしても、イスラエルの息のかかったエプスタイン＝ウルフのラインでは自軍の兵士の数を減らす危険のある生物兵器は当分実用化できないとなるはずだ。

これらアメリカ国防総省が海外に建てた生物兵器研究所では、ロシア人、中国人のDNAをかなり大量に集めているらしい。気がかりなのは、ゲノム解析によってロシア人・中国人に対して大きな殺傷力があるけれども、その他の人類にとっては無害というウイルスや細菌を開発している気配が濃厚なことだ。

こうなるともう「特定の人種や国民として生まれた人間は、それだけでもうほかの人間より劣っている」とか「邪悪だ」とか決めつけて、**皆殺しにしようとする発想**だとしか思えない。

私から見れば同じように人類共通の敵と思える世界経済フォーラム＝ビル・ゲイツの人類大幅削減計画と、イスラエル政府＝イスラエルロビー＝軍需産業ロビーが推進しているパレスチナ人ジェノサイドには、敵味方を区別するか、人類全体を敵と見なすかにおいて、大きな差がある。

いろいろ不愉快なことの多い世の中では、どうしてもグローバリストなりディープステートなりが単一の目標の下に整然かつ着々と悪事を進めていると思いたくなる。ところが、敵もまた一枚岩ではなく、いろいろ対立を抱えて動いているのだろう。**怖がりすぎてはいけない**。

文句ひとつなしに明るい兆候と言えるのは、今も世界最大の経済圏を維持しているとはいえ、アメリカはもうとっくの昔に軍事力の低下によって世界覇権国家の座からは滑り落ちていることだ。

第6章

腐敗は芯から始まり、破綻は周縁からやってくる

2024年はセミの当たり年

セミは長い幼生期間を土の中で過ごし、羽化して地上に出るとそそくさと交尾を終え、メスが卵を産み付けた頃には命が絶えることは、よくご存じだろう。種類によっては幼生として土の中で過ごす時間が大変長いものもある。とくに長いものに、生まれてから13年土の中で過ごすものと、17年土の中で過ごすものがいるという。

どちらも素数なのは、生息圏が重なりあったりするといろいろ不都合も生じるので、なるべく同じ年に羽化することを避けるという自然の摂理らしい。そんな配慮のおかげでこの13年生と17年生のセミたちは、221年に1度だけ同じ年に大量発生する。このとき以外はかち合うことなく生きている。

たまたま2024年は、13年生のセミと17年生のセミが同時発生するのを観察するという貴重な体験ができる年なのだそうだ。先進諸国で同時発生が見られる可能性が高いのはアメリカ、テネシー州の中央部、知名度の高い都市で言えばチャタヌガ近辺らしい。

前回の同時発生が起きたのは1803年。アメリカ合衆国はまだ27歳、若く希望に満ちた国だった。この年のアメリカにとって最大のニュースと言えば、地続き48州の約4分の1に当たる広大な土地を1500万ドルという破格の安値でナポレオンから購入して、一挙に大陸国家への展望が開けたことだろう。

第３代トーマス・ジェファーソン大統領は、対イギリス戦争とハイチ島の独立運動に両にらみで臨み、結局イギリス戦線での軍資金に事欠くようになったナポレオンに対しても、独立運動をくり広げていたハイチのトゥサン・ルベルチュールに対しても、完全に味方するでもなく、敵対するでもなく、どっちつかずの態度を続けて最大限の譲歩を勝ち取る老獪《ろうかい》な外交によって、戦わずして広大な領土を獲得した。

しかし、その後のアメリカは、諸外国に対しては老獪な外交術とはどんどんかけ離れていく武断外交で接し、国内では先住民撲滅戦争への道を進むこととなった。

２２１年後の今年、アメリカに若く希望に満ちた青年大国の面影はなく、国内にはコネとカネと異常性欲が支配する政治がはびこり、外交ではイスラエルによるパレスチナ人ジェノサイドの共同正犯として世界中から怒り、嘆き、憎しみ、そして軽蔑の眼で見られる情けない国に変わり果てた。

13年生と17年生が同時発生するセミたちの乱舞程度では、ここまで自分を追い詰めてしまったアメリカが、まっさらな状態で一からやり直すきっかけにはなりそうもない。

もちろんルイジアナ購入ほどの大ニュースではないが、１８０３年にはアメリカ17番目の州として、オハイオ州が加わっている。重厚長大型製造業の最盛期には、イリノイ州、ペンシルベニア州、ミシガン州などと並んでアメリカを代表する大規模工場がひしめいていた州だった。

まちがいなく19世紀末から1960年代までアメリカ経済を牽引していたこのオハイオ州に、イーストパレスティンという小さな町がある。日本語には地名を翻訳する習慣はなくそのままカタカナ読みにするだけだが、あえて翻訳すれば東パレスチナだ。

例年にも増して多事多端《たじたたん》だった2023年2月2日深夜から3日未明にかけて、そのイーストパレスティンでおそらく21世紀最悪の列車脱線転覆による化学物質汚染事故が起きた。

もうひとつのパレスチナの悲劇

イーストパレスティンで発生した貨物列車の脱線転覆事故は、企業利益本位の事後処理によって単なる列車事故にはとどまらない深刻な環境破壊につながった。150両編成のうち約3分の1に相当する50両前後が脱線転覆したのだから、日本の鉄道運行の常識から言えば、とんでもない大事故だった。

しかし、利益の出ない旅客運送はすべて国営企業に押しつけて貨物運送に特化したアメリカの民間鉄道会社は、すさまじい経費節減で利益を出している。運転士をふくめて乗務員2〜3人で先頭から最後尾まで目視確認はできないほど長い列車を走らせるのだ。

しかも事故列車を運行していたノーフォーク・サザン鉄道は、1両の点検に3分かけるのが常識のアメリカの鉄道業界で、1両1分30秒の点検で済ませるという手抜き経営をして大幅増益を達成した悪徳企業だ。

１５０〜２００両編成の貨物列車を、正面から見るとかげろうで揺らめいているのではないかと思うほど歪んだ線路の上に乗せて、猛スピードで走らせる。しかも、「貨物は乗り心地に文句を言わない」というへ理屈で、圧搾空気ブレーキさえ導入しないケチケチ経営をしながら。

脱線転覆事故が起きた時点ではコンテナ車両で出火した車両もあったが、石油や液化天然ガスを満載したタンク車が爆発炎上する大事故には至らず、乗務員にも近隣住民にも死傷者は出ず、ひと安心という状態だった。

問題は事後処理だ。直接脱線転覆で出火しなかった車両のうち、20両以上が塩化ビニール、エチレングリコール、モノブチルエーテル、イソブチレンといった毒性の強い化学物質を超低温で液化した状態で積みこんだ保冷タンク車だった。

炎は消し止めたもののくすぶっている車両もある中で、タンク車の保冷機能が劣化したら、液化しておいた毒物・劇物が温まってガス化する勢いで重く硬いタンクの金属壁が鋭い破片として四方八方に散乱して爆発炎上する可能性もあった。

本来であれば、至急近場にある空の保冷タンク車を借りて現場に持っていき、有毒物質を安全に移し換えてから線路の修復、平常どおりの運行へと進むべきところだ。しかし、その作業にはかなりの費用と時間を要する。鉄道会社は車両を運行できなければ収入はなく、経費ばかりがかさむ。

そこで、ノーフォーク・サザンの経営陣は「今すぐにも保冷タンク車が爆発炎上する危険が大きい」と脅して、監督官庁である国家運輸安全委員会（ＮＴＳＢ）や環境保護庁（ＥＰＡ）を説得したらしい。

2月4～5日は土・日の休日だった。このあいだに監督官庁を口説き落としたノーフォーク・サザンは、なんと6日の月曜日になってから「管理された放出」という名目で液化したままの状態でタンク車に入れてあった化学物質を意図的に焼却した。

すさまじい勢いで立ちのぼる黒煙を見ただけでも、どう考えても「人畜無害」の作業とは思えなかった。噴出した炎も、尋常な「焼却」過程とは程遠いものだった。

上空の極端に大気温が下がる高度を天井にして、薄くテーブル状に黒煙が広がり、事故現場から半径10マイル（16キロ）以内の住民は2月6日から5日間にわたって緊急避難させられた。

2月9日には黒煙も晴れ、事故現場には「管理された放出」によって火がついて焼け焦げたタンク車の残骸が線路際に並んではいるものの、一応平静を取り戻したかのような光景が広がっていた。

2月11～12日に帰宅を許されて自宅に帰った住民たちの目にとまったのは、小さな池や小川などの水面に魚の死骸が浮いている悲惨な光景だった。自宅の鶏小屋を開けてみると、鶏は1羽残らず死に絶えていた。

農家の主婦は「鶏たちはもがき苦しむようすもなく、数秒のうちに死んでしまったようだ。この汚染された大気がたった数秒で鶏を殺してしまうとすれば、今後20～30年のあいだにここに住んでいる私たちの体にいったい何が起きるのだろうか」と不安を漏らしていた。

住民たちのあいだからは**「ここはオハイオ州のチェルノブイリだ」**と、過去に起きた原子力発電所事故中最悪の事故の舞台と比較する声も出てきた。それでも環境保護庁のお役人様は、平然と「もう空気はすっかりきれいになった。いつもどおりの日常生活をしてまったく支障はない」とおっしゃるのだった。

オハイオ川流域は全米屈指の経済圏

不安を抱いたのは、近隣数千戸に住む人たちだけではなかった。事故現場のすぐそばを流れるオハイオ川の流域は、全米でも屈指の３０００万人の居住人口を抱え、この川に水源を求める人口だけでも５００万人に達する。

支流と言うとどうしても日本人の場合、小さな川を思い浮かべがちだが、ミシシッピ川の支流オハイオ川はまったく小さな川ではない。流域人口３０００万人は、本流であるミシシッピ川の上下両流域を合わせたより大きいほどだ。

アメリカ全土でもニューヨーク州南東部＝ニュージャージー州＝コネチカット州（ＮＹ＝ＮＪ＝ＣＴ）の３州境界地域と、テキサス州中央部からメキシコ湾岸部、そしてカリフォルニア州太平洋岸地域以外に、これほど大きな人口が密集している地域はない。

オハイオ川流域だけではなくNY＝NJ＝CT州境界地域も危険にさらされていた。直接テーブル状になった黒煙に覆われた地域の大都市、中堅都市を数え上げただけでも、オハイオ州のクリーブランド、ウィーリング、コロンバス、そしてペンシルベニア州のピッツバーグ、エリーと5都市に及んだ。

北半球では偏西風（西から吹く風）が優勢なために、高度が高くなればなるほど大気中の有害な微粒子が東に移動していく。このため高度が3000メートルを超えるとかなり東にずれ、6000メートルを超えるとさらにまた東寄りになっていく。つまり、高く舞い上がった微粒子ほどNY＝NJ＝CTというアメリカ最大の人口密集地域に降り注ぐ危険が大きくなる状態だった。

塩化ビニールが燃焼というかたちで大気中の酸素と化合してできるあらゆるパラジオキシンの中でいちばん毒性が強いので、すべてのダイオキシンの毒性を測る基準とされている4塩化ジベンゾパラジオキシン（略号TCDD、または2，3，7，8）が発生する。

ダイオキシンもオゾンホールや硫酸ミストなどと同様、大騒ぎした割には実害が少なかったので、いつの間にか忘れられたと思いこんでいる人が多い。

実際には、非常に大きくて長続きする被害が出る事例が何件かあった。その結果、厳重な罰則規定をつくって取り締まるようになったので、被害も出ていないのだ。

1976年、イタリア、ミラノ市近郊のセベソにあった農薬工場から約120キロの飛散、1

978年、アメリカニューヨーク州北西部ラブキャナルの埋め立て地で産業廃棄物の中から検出されたダイオキシン被害により239家族の立ち退きなど大規模な被害は続出していた。

おそらく過去最大の被害が出たのは1983年、ミズーリ州タイムズビーチの町でタンク車1両分のダイオキシンが飛散した事件だろう。このときは、連邦政府が町全体の土地を買い上げ、ZIP（郵便番号）も抹消して、州立公園にした。

ZIPを抹消するというのは、何十年かは人間の住める環境には戻らないという判断があったからだろう。人間1人が一生のあいだに吸収できる許容範囲は、アスピリンの錠剤1粒の3200万分の1だという猛毒性からも、うなずける判断だ。

今回は塩化ビニールが大気中の酸素と反応することによって、タイムズビーチ事件の少なくとも数倍、多ければ十数倍のダイオキシンが発生し、アメリカ北東部の人口密集地帯に高空から飛散してくると予想されていた。始末の悪いことに、4塩化ジベンゾパラジオキシンはどんなに高く舞い上がってから降り注ごうと、ほとんど他の元素と化合して毒性が弱まらないとされている。

しかし、これだけの大問題がアメリカ最大の都市ニューヨークのすぐそばで起き、風向き次第ではニューヨーク市内からもかなりの被害が出るかもしれないというのに、アメリカの大手メディアは不気味なほど静かだった。

ABC放送網の勇敢な記者が取材したニュースも、どうやら全国放送網には乗らず、ローカル局で放映された後は、当人のツィート（現X）で細々と拡散しただけだった。その最大の理由は、ノーフォーク鉄道には大手金融機関がずらりと大株主として並んでいるからだ。こうした金融機関の広告出稿がなければ、大手テレビ放送網はやっていけないし、新聞にいたってはもっと懐が寒いという情けない事情にあった。

いちばんうさん臭いのは事件直前の2022年秋に、それまで1株も持っていなかったノーフォーク・サザン株を1573万株も買って、一挙に第2位の大株主に躍り出ていたブラックロック社だ。ラリー・フィンクCEOは常日頃から「弊社はESG（Environment、Social、Governance）への注力度を基準にして株を買っている」と自慢している。

それなのに、実際には環境にも自社の従業員にもとんでもない犯罪行為をおこないながら業績を上げているノーフォーク・サザン株を、これだけ大胆に買い進んでいるのだ。

しかも、おそらく2022年の秋、あまりにも劣悪な労働環境に怒った鉄道員組合が全国ゼネストを打とうとして鉄道株が業績不安で弱ぶくんだ頃に、のちに民主党バイデン政権を使ってこのストを止めさせることまで計算に入れたうえで、安値で買っている。

奇妙に強い鉄道会社と偽善的投資家の腐れ縁

それくらいで驚いていてはいけない。どうも不採算部門の旅客鉄道は政府に押しつけたうえで、好採算部門だけを社内に残してのうのうと経営しているアメリカの鉄道会社と、偽善的な投資家のあいだには、**強固な腐れ縁が成立している**ようだ。

投資コングロマリット、バークシャー・ハサウェイの社主ウォーレン・バフェットは「割安優良銘柄の長期保有」を表看板に、「オマハの賢人」とまで呼ばれているが、投資の世界はそんなきれいごとだけで勝ち抜ける世界ではない。

バフェットがほんとうに儲かると思った企業を買収するときには、絶対に持ち分法会社にして他の株主と利益を分かち合うようなことはしない。株を１００％買い占めて、完全子会社として吸収してしまうのだ。そんな完全子会社化の典型が、バーリントン・ノーザン・サンタフェ（ＢＮＳＦ）鉄道だ。

ＢＮＳＦの鉄道網自体が、北東のシカゴ、南東のニューオリンズ、南西のサンディエゴ、北西のシアトルを四隅に据えて、地続き48州中ほぼ7割の土地を押さえた超大規模地域独占となっている。

さらに、カナダから石油をアメリカに輸送する際には、どこの鉄道会社の線路をどの会社の列車を使って運んでも、必ず1バレル当りの上納金をＢＮＳＦに納めなければならない仕組みになっている。これは独占禁止法の精神からは絶対に容認できるはずのない取り決めだ。

バフェットは、アメリカ大陸中でパイプライン建設反対運動をくり広げる「緑の革命」派と共闘して、莫大な資金援助もしている。おかげで、オバマ大統領からは「環境保護に貢献した」との理由で勲章ももらった。

だが、バフェットがパイプライン建設に反対する本当の理由は、パイプラインのように、安くて、安全で、便利な輸送網がアメリカ中に張りめぐらされたら、貨物鉄道では絶対に太刀打ちできず、なんの苦労もなく入ってきていた上納金も取れなくなることなのだ。

ここまで表裏のある人間から活動資金をもらっている「緑の革命」派のやることにも、当然かなり政治的な思惑がからんでいる。21世紀最大の人為的な環境破壊が起きていたというのに、「緑の革命」派からは、何ひとつ発言が聞こえてこなかった。

彼らは世界中で「化石燃料全廃という（達成できるはずのない）目標が立派なことだ」と信じこむ信者をつくることによって、政治的基盤を築いてきた。

化石燃料はいっさい無用となれば、当然のことながらパイプラインも要らないことになる。だからこそ、世界中でパイプライン建設反対運動や、すでに操業中のパイプラインへの妨害・破壊行動もしているわけだ。

ところが現代社会をまっとうに維持するには、どうしても欠かせない燃料や危険な化学物質などを鉄道で輸送すると、とくに従業員や沿線住民の命にも環境にも無関心で利益を拡大することしか考えない経営者のもとでは、ひんぱんに悲惨な事故が起きる。

その事故の悲惨さを指摘されれば、比較的序列が下の純真な緑の革命教徒の中には「それぐらいならパイプラインを認めたほうがマシじゃないか」といった危険思想に傾く人たちが出てきてしまう。

どうせ百年先、千年先でも実現するはずのない「理想の脱炭素社会」との比較ではなく、現実に存在している燃料や可燃性の毒物を輸送する必要性の枠内で、鉄道輸送とパイプライン輸送を比べれば、答えはあまりにも明白なのだ。

というわけで、この悲惨な鉄道事故に対する緑の革命派の沈黙はかなり高くつきそうだ。純粋に「自分たちのやっていることは正しい」と信じこんでいた信者たちを動揺させるのではないだろうか。

そうは言っても、口先「環境保護派」、実際には環境破壊派の彼らにもブラックロックのような強力な味方が付いている。政治家や官僚をカネで買収することが正当で合法的な政治活動と認められているアメリカの議員たちは、ロビイストを通じた献金の多い少ないで判断するから、本来かけがえのない人命も健康もあまりにも軽く扱われている。

この点を象徴するようなエピソードがある。アメリカ人の肥満化が始まったのは1930年代あたりで、1980年代以降どんどん加速している。肥満はありとあらゆる生活習慣病の本家のようなもので、体を動かすことが億劫になってますます病状を悪化させる。

この問題について、アメリカではなんとも奇怪な言説が流布している。「肥満は化学会社が高温高圧で処理した植物油を摂取するから起きる。〈自然食品〉だけを食べていれば肥満にはならない」というのだ。

ひんぱんに植物油で揚げた天ぷら屋やとんかつを食べていても、先進諸国でいちばん肥満率の低い日本人が聞いたら腹を抱えて笑い出しそうな議論だ（ただし、アメリカ人の言うことならなんでもありがたがる日本型知識人を除く）。

チンケな〈自然食品〉製造業者でも高額報酬を要求するロビイストを雇って、こうした珍説を議員に吹きこむことができる。だが「毎日きちんとした距離を歩いていれば、肥満になんかならない。歩け、歩け」という人は一銭もロビイストに払えない。だからアメリカでは**「化学処理をした植物油＝肥満の元凶」**説が定説になりつつある。

臆病者のジョー・バイデンが初めて事故現場視察にイーストパレスティンを訪れたのは、事件勃発から1年以上たった2024年2月16日の金曜日だった。地元民は黒一色の生地に白字で『We Refuse to Die（我々は殺されるのを拒否する）』というスローガンの描かれた旗で彼を迎えた。

パレスチナという地名には**呪いでもかかっている**のだろうか。

なぜアメリカは明らかなジェノサイドに加担するのか

イスラエル軍がもう3ヵ月以上にわたってパレスチナでおこなっているのは、あからさまな人種差別、宗教差別にもとづく迫害であり、虐殺だ。なぜここまで邪悪な動機でおこなっているパレスチナ人絶滅戦争をアメリカは支持しつづけるのだろうか？

私は、ロシア軍によるウクライナ侵攻についても、イスラエル軍によるガザ侵略についても、アメリカ政府としては取りあえず緊急に、第二次世界大戦が終わるまでは常識だった「軍事力プラス経済力で優勢なほうが勝つ」という実績を取り戻しておかなければいけないと焦っているのだと思う。

第二次世界大戦後は、国共内戦でも朝鮮戦争でも世界最大の軍事力・経済力を誇っていたアメリカが支援していた国民党側が負けたり、韓国側が引き分けに持ちこむのが精いっぱいだったりという戦争が続いた。

さらに1960年代から70年代にかけて、東南アジアのベトナム戦争でも、ヨーロッパでイギリスとアイスランドが戦ったタラ戦争でも、軍事・経済の総合力で優勢だったほうが負けている。ベトナム戦争では、軍事的にもアメリカ・南ベトナム側が北ベトナム・ベトナム解放戦線（ベトコン）側に負けた。タラ戦争はちょっと複雑で、軍事的にはイギリスが圧勝したのだが、政治・外交的にはアイスランドに惨敗した。

最近では世界最大の石油成り金国家、サウジアラビアがカネにあかしてアメリカから買いそろえた最新兵器をもって戦っても、フーシ派イエメン軍の安上がりなドローン攻撃に対して劣勢に立たされている。

もっと深刻なのは、それまでアメリカから盛大な軍事援助を受けていたアフガニスタンの傀儡政権が、武器では圧倒的に劣勢なはずのタリバン軍に負けつづけたために、2021年に米軍が兵器を安全に破壊する暇もなく命からがら逃げだす醜態を演じたことだ。

この事件後、アフガニスタン全土をほぼ制圧したタリバン政権は米軍が放棄していった兵器の大部分を回収して、軍事力を格段にアップグレードすることができた。

こうなると、世界中のアメリカに頼ってなんとか政権を維持しているような国の中には「経済援助は歓迎するけど、軍事援助は国内反対派の手に渡るのが怖いから、敬遠しよう」という動きも出てきかねない。

たんにアメリカの軍需産業大手が、べら棒な高値で兵器を売りさばく販路がひとつ塞がれるだけではなく、アメリカの軍事力に頼る政権そのものが世界的に不安視されることになる。

この事態を打開するために「どんなに大勢民間非戦闘員を殺そうと勝ちさえすれば文句は言わせない」というイスラエル政府のような凶暴な連中に軍事力で圧倒する側が勝つ実績をつくらせて、アメリカの軍事力への信頼を回復しようというわけだ。

大規模戦争で持続的な高インフレを招きたいのか

もうひとつ考えられる動機としては、アメリカ国内で無理な金利引き上げを続けたために債券価格が暴落し、銀行業界だけでなく連邦準備制度も正直な手段を使っているだけでは解決できないほどの**巨額の含み損を抱えている**という事実だ。

政府や中央銀行が尋常な手段では返しきれないほどの損失をもみ消すためにすることは、決まっている。ハイパーインフレまでは行かなくともかなり高水準のインフレを10～20年続けて、そのあいだに元利返済負担を実質で取るに足らないほど少額にしてしまうことだ。

ただ大戦争を起こせば世界中で生産設備の損壊などが生じて、ほぼ確実に戦争末期から戦後にかけてインフレが続き、国債などの元利返済負担を大幅に減らせる。けれども、そこで問題なのが、小規模戦争は逆にデフレやディスインフレを招くという事実だ。

２０００年代になって急激に米軍がイラクやアフガニスタンに過剰介入するようになったのは、決して２００１年９月11日にアル・カーイダによる同時多発型航空機乗っ取り自爆作戦があったからではない。

むしろアメリカのテロ対策当局は、この攻撃に関するかなり信憑《しんぴょう》性の高い情報を事前にキャッチしていながら、中東での軍事プレゼンスを高める口実とするため、放置していた可能性が高い。もっと極端に言えば、第４章でもすでに述べたが、このワールドトレードセンターとペンタゴンへの自爆テロ自体が、モサドと手を組んだ**ペンタゴン、ＣＩＡの自作自演**だった可能性が高い。

２０００年代にはすでに国も経常収支で万年赤字、国内では政府も企業も個人世帯も借金生活が定着してしまっていたアメリカ政府は、戦争を起こすことによるインフレで元利返済負担を軽減することを狙っていた。

しかし実際には、この中東戦線拡大によるインフレ率引き上げ作戦は、もののみごとに失敗してしまう。

第二次世界大戦、朝鮮戦争、ベトナム戦争、冷戦初期にインフレ率が高まったのとは正反対に、実際に中東諸国への軍事介入を高めたところ、インフレ率は上がるどころかアメリカ経済としては異例の1%を割りこむ水準まで下がってしまったのだ。

2007~09年のアメリカ国内金融業者の連鎖破綻から世界中に広まった国際金融危機は、サブプライムローン債務不履行の続発がきっかけだったと言われている。

しかし実際には、債務負担がちっとも目減りしないゼロインフレや、逆に大きくなってしまうデフレの世の中になることを恐れて、借金まみれの大手企業、金融機関、そしてアメリカ連邦政府がパニックを起こしたというのが真相だろう。

その反省として現バイデン政権が学んだのは「小規模な戦争では、インフレ率を持続的に高めることはできない。どうせやるなら多数の国々を巻きこんで、世界的に生産設備の損壊がインフレ率の急上昇を招くまでやらなきゃダメだ」という**「教訓」**ではないか。

実際にアメリカ政府は、インドネシアが官民協力してパレスチナで運営している病院をイスラエル軍が狙い撃ちにする暴挙も容認して、世界中のイスラム教徒が多い国々を敵に回す態度を露骨に誇示している。

理性的に考えれば、イスラエルに加担する理由は皆無

それもこれもすべて、軍事力でアメリカに対抗できる数ヵ国連合などできるはずがないという傲慢な前提にもとづいてやってきたことなのだろう。ただし今では、その前提自体がもろくも崩れ去ってしまったのだ。

欧米の軍事アナリストたちの評価では、アメリカの軍事力はすでに世界最強の座をロシアに明け渡している。

のんきな日本人はあまり真剣に考えていないが、欧米諸国の知識人、とくに「私は進歩的で開明的なリベラルです」と自称する人たちのあいだにも、頑固な人種差別主義者は大勢いる。口に出せば**社会的地位にかかわるので言わない**だけだ。

イスラエル政府高官やイスラエル軍将校が「パレスチナ人は人間以下の動物だから、何人殺そうと犯罪にはならない」といった発言をすると、自分が言いたくても言えなかったことを言ってくれたと喜んでいる連中が現実に存在するのだ。

その典型が、これまで痛々しいほどの老衰ぶりを見せていたアメリカのジョー・バイデン大統領だろう。

イスラエルのガザ侵略が始まるや否や、今までどこに隠していたのかと思うほどの「決断力」

戦争犯罪人の本性をむき出しにしたジョー・バイデン

テキサス州知事が州兵を使って実力行使でメキシコとの国境を閉鎖して非合法移民の流入を阻止しようとする動きに対して、バイデン大統領は「イスラエル・ウクライナへの軍事援助増額臨時予算を連邦議会が可決しないかぎりいっさい協力しない」と公言。また欧米諸国による国連パレスチナ難民救済機関（UNRWA）への拠出金大幅削減を主導。

出所：ウェブサイト『Zerohedge』、2024年1月28日のエントリーより引用

で、イスラエル軍によるパレスチナ民間人の大量虐殺を支持し、支援しつづけてきた。

それどころか、凄まじい経済封鎖で食糧確保もままならないパレスチナ人にとって命綱になっているUNRWAによる救援活動を兵糧攻めで阻止することを平然と宣言したのだ。

なぜそこまで国際人道法上の重大犯罪をくり返すイスラエル政府に肩入れするかと言えば、話は単純明快だ。バイデンは長かった上院議員時代の通算で、ほかのどの議員より多くの献金をイスラエルロビーからもらっているのだ。

カネがすべて（第5章でくわしくご説明したように、正確にはカネと異常性欲がすべてだが）となり果てたアメリカの議会では、最大の献金者にとって都合のいい法律や規則を定めることこそ「正義」なのだ。

ここまで哀れな末路をたどった大帝国があっただろうかとふり返って見ると、西ローマ帝国の最期も、大唐帝国の最期も、東ローマ帝国の最期も似たようなものだった。大帝国が滅びるとき、**腐敗は芯から始まり、破綻は周縁からやって来る**ものなのだ。

徹底的に国際世論から孤立して、フーシ派イエメン軍のドローン攻撃にも有効な反撃ができない通常戦力しか持ち合わせていないのに、焼けっぱちになってロシア・イラン・中国連合軍に戦いを挑んで惨敗するまで目が覚めないのかもしれない。

ただひとつの心配は、そのときあっさり核搭載ミサイルの発射ボタンを押してしまうほど愚鈍な人間が大統領になっている可能性が高いことだ。２０２４年の大統領選挙で２大政党の候補に選ばれる可能性が高いジョー・バイデンにもドナルド・トランプにも十分その資格がある。

そしてコロナウイルス、ｍＲＮＡワクチン、世界経済フォーラムの人類削減計画については、非常にまっとうなことを言ってきたロバート・Ｆ・ケネディ・ジュニアでさえも、イスラエルに関するかぎり、シオニスト全面支持を堂々と公言する人間なのだ。

核戦争になったとしてもアメリカの敗戦はほぼ確実だが、巻き添えになる民間人犠牲者の数は、通常戦力だけの戦争にとどめた場合とケタ違いに大きくなってしまうだろう。

現代アメリカ政治を動かしているのは、カネか異常性欲のどちらかに縛られてイスラエル軍の暴虐さえ抑制することのできない、指導者としての資格を自分から放棄してしまった連中だ。

しかもこれは、昨日今日始まったことではなく、もう少なくとも20年以上続いているのだ。いや、贈収賄奨励法が制定された1946年以来間断なく続いていると言ったほうが正確だろう。

CIA主導の軍事介入が掘った墓穴

次ページのグラフを見ると、21世紀に入ってからのアメリカの軍事行動は、3700万人もの人たちから家や故郷を奪っておきながら、何ひとつ建設的な目的も、自分たちが掲げた目標も達成できていないことに唖然《あぜん》とする。

ここに出てくるアメリカの軍事介入を受けた国々の中で、介入後アメリカに好意を抱く人が増えたという国があるだろうか。おそらく皆無だろう。逆に、アメリカに対する敵愾《てきがい》心が高まったという国はかなり多いはずだ。

こんなに人気のない国が世界経済の覇権を握りつづけることなどできっこない。あれほど明瞭に、イスラエルに鼻面を引きずり回されても、文句も言えずに付いていくだけの姿を見せたからというだけではない。

どこに行こうと自国の文化を押しつける傲慢さを保つには、その文化自体が押し付けられた側にも多少の魅力を感じさせるものでなければならない。ところが最近のアメリカ文化は、とうてい他国に押しつけられるほどの魅力があるとは思えないほど退廃し、錯乱している。

米英が全面的に支援したサウジアラビア＝アラブ首長国連合による空爆と経済封鎖に20年以上

アメリカの「テロに対する戦争」の赫々たる戦果

9・11事件のあった2001年9月から2020年9月までの
19年間で家や故郷を追われた人の数：3700万人と推計

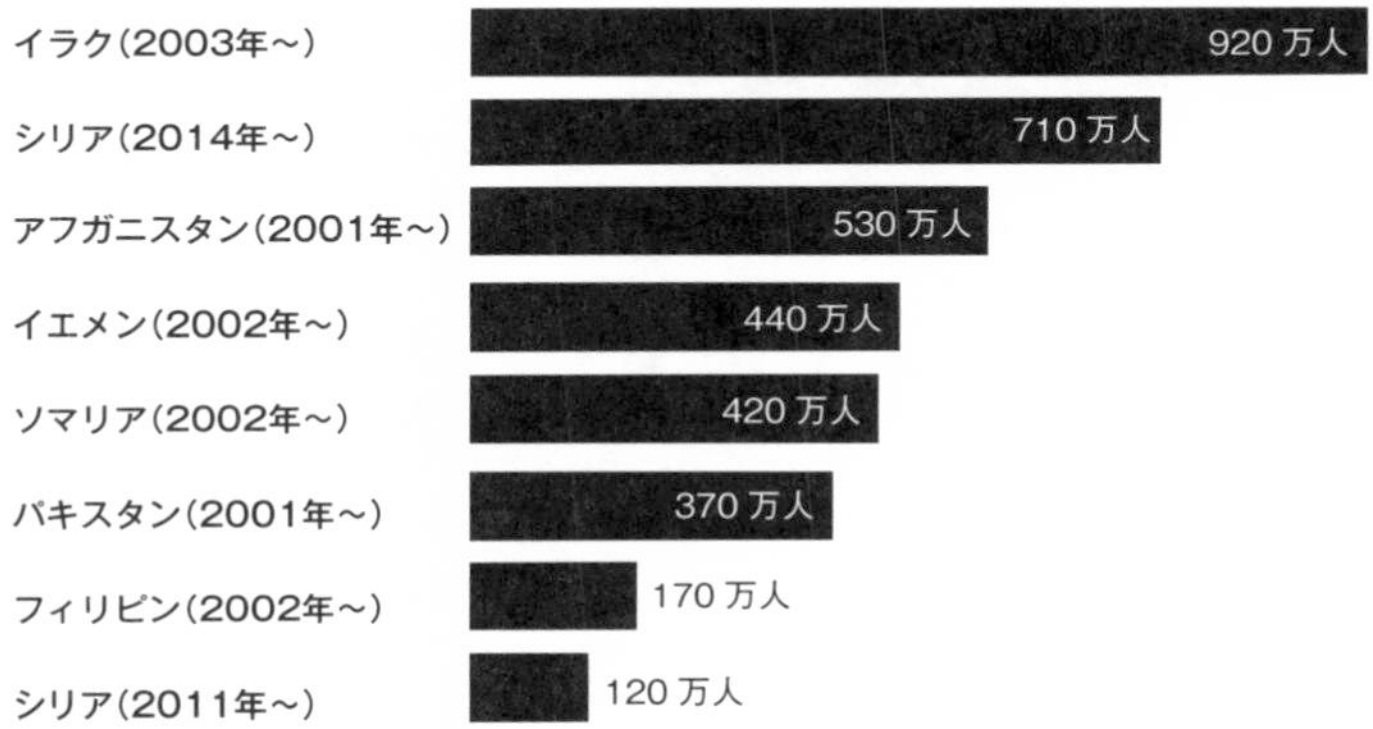

原資料：ブラウン大学「戦争の費用プロジェクト」
出所：ウェブサイト『Statista』、2020年9月15日のX（旧Twitter）より引用

耐え抜いてきたイエメンは安上がりのドローンを効果的に使いこなして、みごとに形勢を逆転した。

アラブ首長国連合は戦線から離脱し、サウジアラビアも守勢に追いこまれている。そして現在、ほぼイエメン全土を掌握しているフーシ派イエメン軍は、紅海の海上封鎖という実効性のある手段で、ガザに追い詰められたパレスチナ人への支援を続けている。

毎年莫大な国防予算を獲得しているアメリカ軍でさえ、数百ドルからせいぜい1000ドル台のコストで製造されたドローンと、1機、1台、1隻数百万ドル以上する自軍の最新兵器を衝突させる取引には、とうてい付いて行けない。

フーシ派イエメン軍をここまで強くしたのは、米英が全面支援したサウジアラビア・アラブ首長国連合による空爆と経済封鎖だった。

イスラエルの現職財務大臣が講演で語った大イスラエル構想

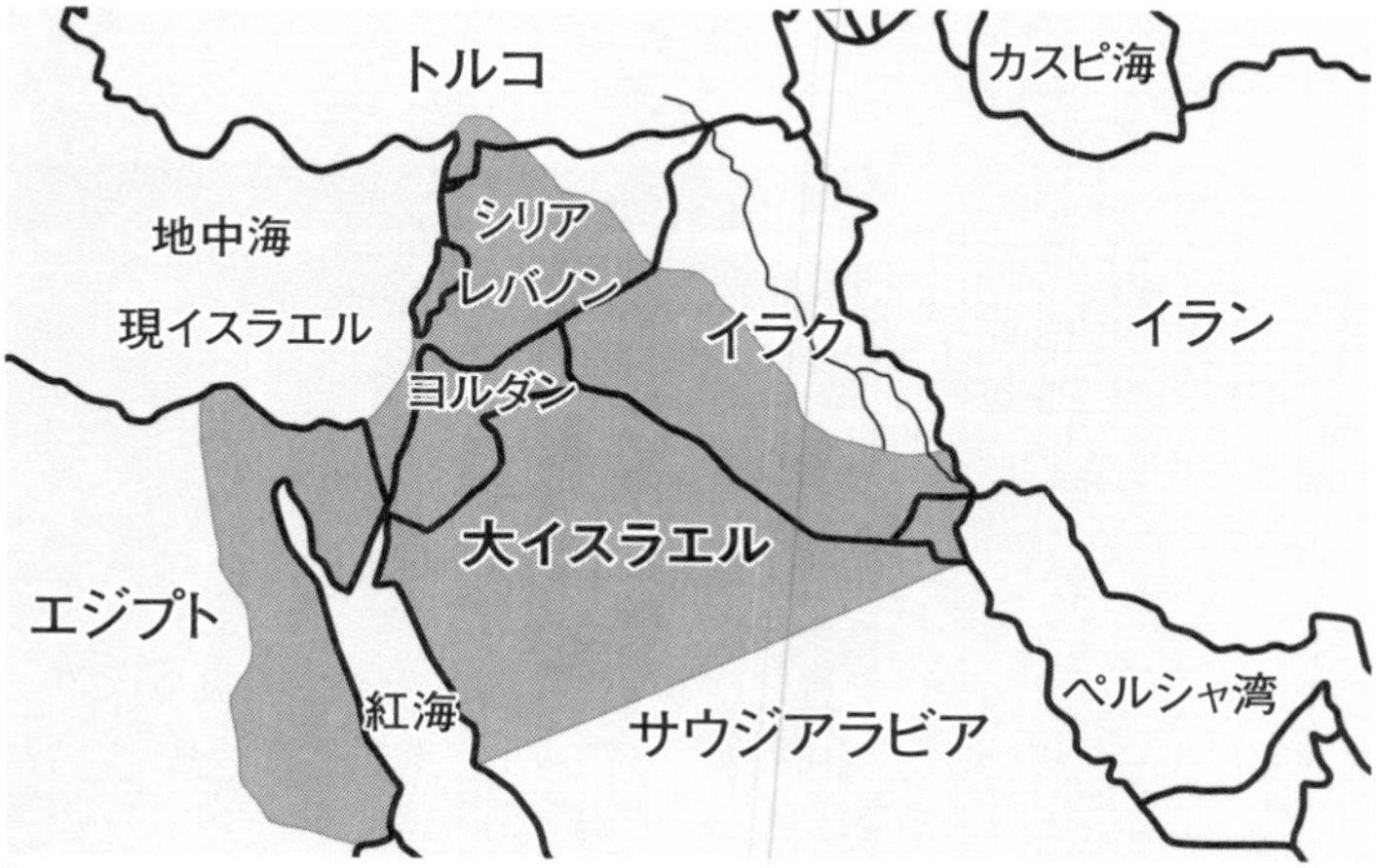

「大イスラエル」はパレスチナ、ヨルダンの全域のみならず、レバノン、シリア、エジプト、トルコ、サウジアラビアの一部を包含する広大な領土となる。
——イスラエル財務大臣ベザレル・スモトリッチ

出所：Censored Menの2023年12月21日X（旧Twitter）より引用

米軍の介入で何ひとついいことはなかったと思っている中東諸国では、とくに家や郷土を追われた人たちの中でパレスチナ人の命と郷土を守る戦いをなんとか助けたいと思っている人は多いだろうが、イスラエル・米英軍につこうという人はほとんどいないだろう。

上の地図が示すとおり、イスラエル軍がガザを廃墟と化してしまうまで徹底的に破壊すると宣言し、おまけに次はお前たちの領土も奪うぞと「大イスラエル構想」を打ち出しているので、まったく他人事ではないからだ。

後世、もしアメリカの後継国家に歴史家がいたら、イスラエルという凶暴な国家に肩入れしすぎたことが**アメリカ滅亡の原因だった**と書くかもしれない。だが、アメリカ崩壊の種は第二次世界大戦直後の贈収賄奨励法成立で、すでに蒔《ま》かれていたのだ。

もし、ロビイングとスパイ網を最大限に有効活用するイスラエルという国がこの世に現れていなかったとしても、どこかほかの分野でアメリカを滅亡に導くまでこの悪法を活用しまくるロビイスト集団が絶対に登場していたはずだ。

滅亡の仕方は、イスラエルと心中するほど無様なものにはならなかったかもしれないが。

カネの力で法律や政策を自分の都合のいい方向に変えられる社会は、必ず腐敗と堕落の中で底なし沼に沈んでいく。

いったい議員たちは何をしているのか？　しっかりカネ儲けをしている

内憂外患《ないゆうがいかん》こもごも来たるこのきびしい環境に置かれて、アメリカ連邦上下院の議員たちはいったい何をしているのだろうか。ご心配なく。いちばん優先順位の高い仕事にしっかり取り組んでいる。

じゃあ、議員にとっていちばん優先順位の高い仕事とはなんだろうか？

もちろん**カネ儲け**だ。２０２３年1月に連邦議会下院議長の要職を辞しても、しぶとく下院の議席にしがみついているナンシー・ペロシにとって、２０２４年2月末日は記念すべき日となった。

1987年初当選以来の長い連邦議員生活の中で、2023年3月1日〜2024年2月29日の1年間で、ペロシ家が保有する株式ポートフォリオの収益が年間収益率自己最高の89・5％を記録したからだ。

2023年暦年で見ても、ペロシの持株の価格上昇率は65・5％とすばらしいものだった（次ページグラフ参照）。だが驚くべきことに、この年ペロシの運用実績を上回った連邦議会議員は、民主党・共和党それぞれ4人、計8人もいた。

民主党、共和党別の議員全体の議員それぞれ全体としてのパフォーマンスを見ると、ベンチマークのS&P500株価指数の年間総合収益が24・8％なのに対して、民主党が31・2％、共和党が18・0％と、ここでもまた**民主党「弱者の味方」論が口先だけ**だということを示している。

彼ら、とくに民主党議員たちがこれほど高い運用実績を上げているのは、もちろんプロより運用がうまいからではない。どうしてこれほど運用実績がいいのかと言えば、議員でなければ入手できない情報を握っていて、その情報にもとづいて売買しているからだ。

彼らが本会議ではなく非公開の委員会や小委員会で入手しうる「カネになる情報」はじつに多い。大企業同士の合併が承認されるか、否決されるか。新薬の発売が認可されるか、否決されるか。感染症が流行したとき、ワクチンの接種が義務付けられるか、否決されるか。最新技術を駆使したICの中国への輸出が禁止されるか、されないか。

もちろん、委員会や小委員会の討論の風向きどおりに本会議で議決されるかどうかはわからな

連邦議員の持株運用実績:2023年

インサイダー取引の女王と呼ばれるナンシー・ペロシより
運用実績が良かった議員が民主党、共和党4人ずつ、計8人もいた！

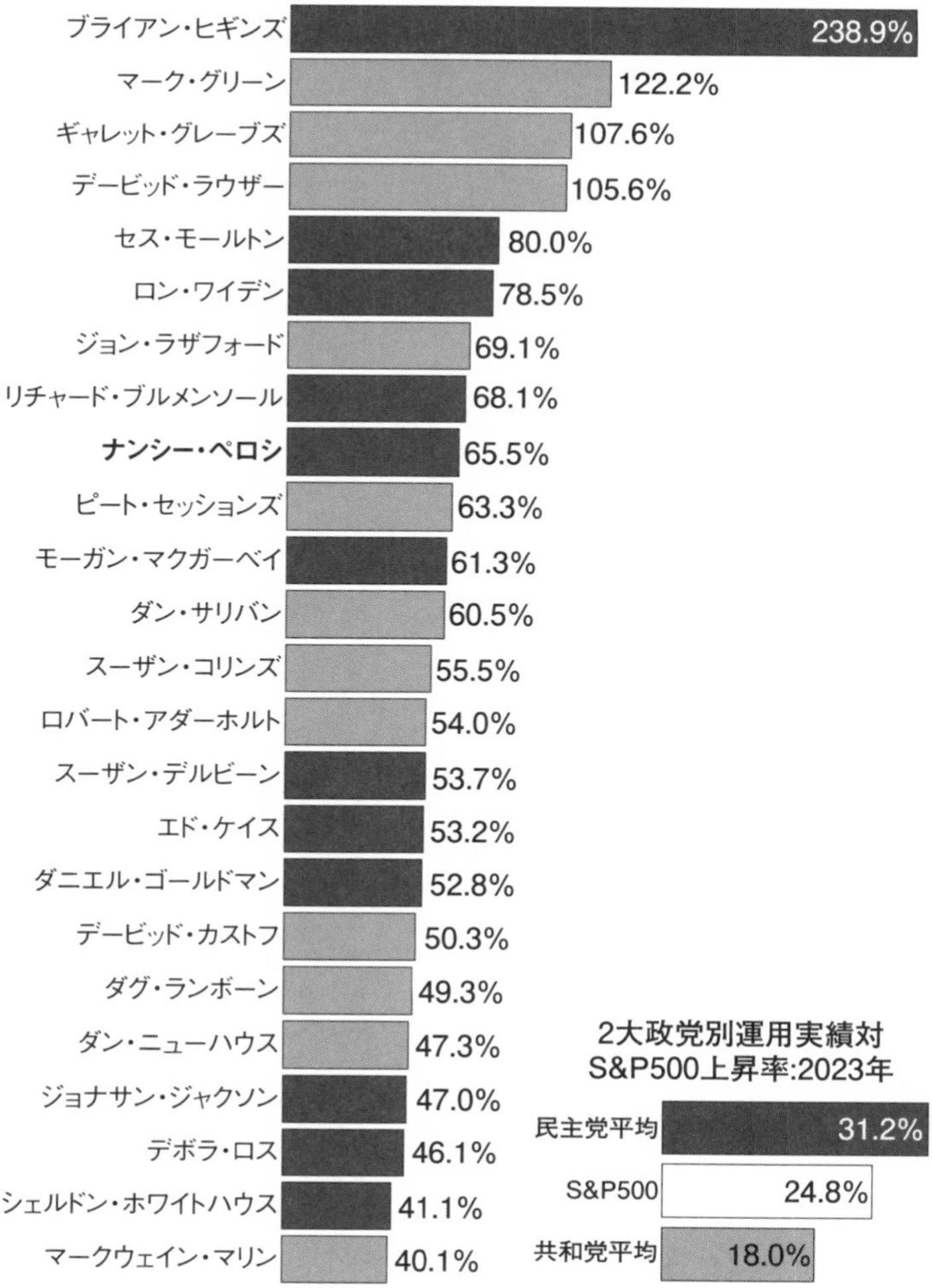

出所：unusual_whales、2024年1月3日のX（旧Twitter）より引用

い。だが、かなりの確率でどちらに転ぶかを前もって予測する手がかりは、証券会社のアナリストたちよりはるかに鮮度のいい状態で手に入れつづけている。

ふつうの倫理観を持っている人間が多数派を占める議会なら「議員が議会活動の中で手に入れたインサイド情報を株で儲けるために利用するのは間違っている」と自制するだろう。

だが、手っ取り早く金持ちになるために議員になったという人間が大多数だ。たまになんらかの理想を抱いて、その理想を実現するために議員になったなどという変わり種が出てきても、2～3年も議員活動をやっていればロビイストを通じて入ってくる献金の多さに倫理観が麻痺《まひ》してしまう場合が大半だ。

自分が特権的な立場を利用して得た情報を、自分が儲けるために使うのは当然の権利だということになる。

で、彼らのこもごも来たる内憂外患への対応策は？

さあ、**今のうちに稼いでおかなきゃ**ということに尽きる。

第7章

欧米諸国に潜在する人種差別意識の深い闇

白人による有色人種からの土地簒奪の歴史

多くのアメリカ国民は、最近まで自分たちもしてきたユダヤ人に対する迫害・虐待への罪滅ぼしとして「彼らがどうしてもパレスチナ人を皆殺しにしたいと言うならやらせてあげればいい」とでも思っているのだろうか。

そして、「ユダヤ人は最近白人に昇格させてやったから、その命も白人並みに重くなったけど、パレスチナ人は有色人種だから白人の命に比べれば10分の1とか100分の1の価値しかない」と見くびっているのだろうか。

日本にはいまだに相手が欧米の白人というだけで崇拝してしまう人が多いので、そんな露骨な人種差別をする人間は極端な少数派だろうとお考えかもしれない。だが、これが意外に深く根を張った問題なのだ。

アメリカのイスラエルびいきには、今もなお欧米諸国に根強く残る差別や偏見が影響しているのではないかという重い話題に取り組むことにしよう。

なぜ重いかというと、私の見るかぎり、最悪の差別実践者は白人以外の人種に対する偏見にもとづいて差別をしている頑迷な「保守主義者」たちではなく、人類全体の進歩を象徴する効率主義、能力主義を信奉しているリベラル派だからだ。

人種的偏見にもとづく差別より、リベラル派の掲げる人類をさらに進歩させるための能力主義的差別のほうが怖い理由を、具体的な例を挙げてご説明しよう。

『International Man』という金融・資産運用関連のウェブサイトを主宰しているダグ・ケーシーという人がいる。彼は、次のような意見をブログで公表する典型的な人種差別主義者だ。

「アメリカ国民として生まれた黒人が人生でいちばん感謝すべき日は、祖先が奴隷船に乗せられて大西洋を横断し、アメリカ大陸に足を踏み入れた日だ。その日がなかったら、連中はいまだにアフリカのどこかで食うや食わずの生活をしているだろう」

つまり、黒人には「たとえ貧しくても自分の祖国で堂々と主人公として暮らせるほうが、生活はかなり豊かでも一生２級、３級の市民として暮らすよりいい」と言えるほど自尊心を持ち合わせた人間などいないと決めつけているのだ。

こういう偏見のかたまりのような議論に一生影響されつづける人もそれほど多くはないだろうし、まあ勝手に言わせておけばいい程度に、私は考えている。

もっとはるかに怖いのは「地球に埋蔵された限られた資源は、もっとも有効に使える人たちが存分に使いこなすべきだ。上手に使いこなせない人間たちがそれを邪魔するなら、奪い取ってもよい」という**能力による差別主義**を主張する人たちだ。

アメリカ合衆国を建国したヨーロッパからの白人入植者たちが、どんなに無慈悲に先住民、アメリカン・インディアンから土地を奪い取っていったかを示す地図をご覧いただきたい。

ヨーロッパ白人が先住民から取り上げた現米国の地続き48州内の土地：1775～1992年

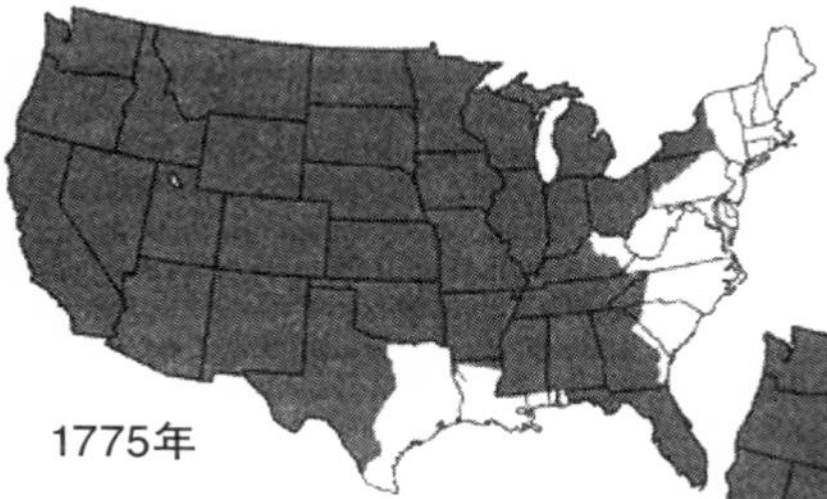

1775年

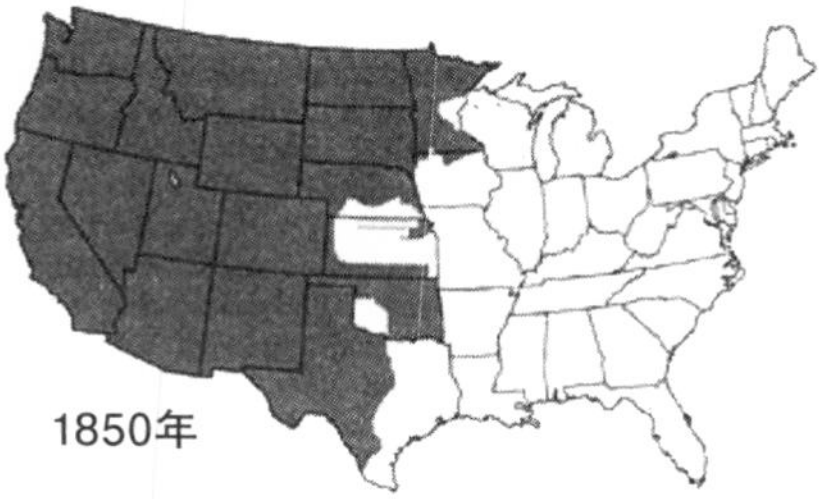

1850年

全領域をインディアン居留地として設定されたオクラホマ準州も、ほとんど全部白人入植者に奪われた

1894年

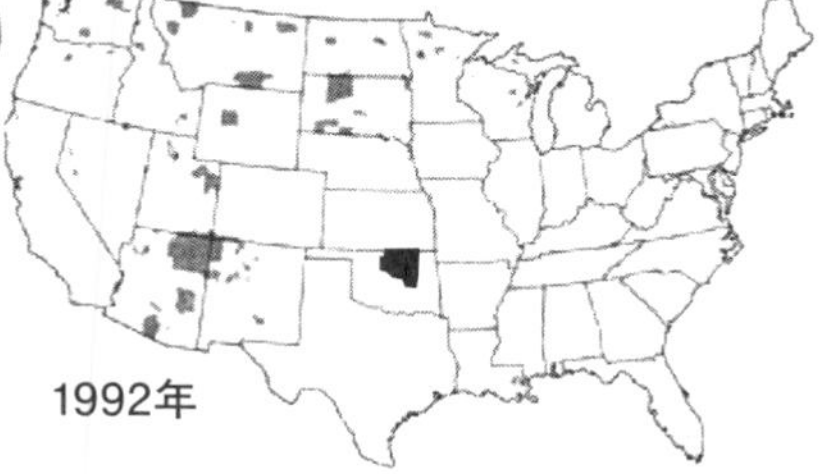

1992年

■先住民に残された、あるいは返還された土地　□先住民から白人が取り上げた土地

原資料：Sanderson Associates
出所： ウェブサイト『Pinterest』、「ネイティブアメリカンの歴史」 エントリーより引用

そして、次ページのイスラエルがどんどんパレスチナの領土を侵略していった経緯を描いた地図と見比べていただきたい。

同じ動画を巻き戻して見直しているような既視感に襲われないだろうか。

私はつい最近まで、欧米系白人の大部分がこういう地図を示されたときには「人間の倫理観は歴史とともに変わるものだ。当時は強者が弱者から土地や資源や命を奪うのは当然とされていた。今さらさかのぼって歴史を変えることはできないから勘弁してほしい」といった言い訳に終始するものだとばかり思っていた。

でも今の時代にも、堂々とこうした略奪や虐殺を正当化しようとする人たちがいるのだ。しかもその正当化は、人種的な優劣のような偏見ではなく「能力が高い人間ほど限られた資源を有効に活用できる」という功利主義にもとづいておこなわれていることが多い。

立憲君主制議会政治の長い伝統を誇るイギリスの歴代首相の中でも、第二次世界大戦中に挙国一致内閣を率いたウィンストン・チャーチルは非常に高い評価を受けている政治家のひとりだ。

たしかに第二次世界大戦勃発直後、まだナチスドイツが優勢だった頃に、彼がイギリス国民を鼓舞するためにおこなった名演説の数々は賞賛に値するかもしれない。

ただ彼はその大戦が勃発する前の１９３７年に、パレスチナ人の郷土をパレスチナ人が守りおおせるかどうかという問題に関連して以下の文章を書いていたのだ。

作家であり人権活動家でもあるインド人女性、アルンダティ・ロイが２００２年にアメリカの

イスラエルによるパレスチナの領土略奪

パレスチナ人は、1948年から4分の3世紀にわたって生まれ育った故郷から追放され続けた:1948〜2023年

歴史上パレスチナ人の住んでいた土地の78%はイスラエルにより強奪され、残る22%もヨルダン川西岸地区とガザ地区に分断され、イスラエルの直接軍政下に置かれるか、イスラエル軍によって厳重に包囲されている

1917年

イギリス委任統治領となる直前のパレスチナ:ユダヤ人は総人口の6%のみだった。

1948年

米国の軍事支援を受けたイスラエル軍は前年の国連決議の57%をはるかに超える国土の78%を占領し、パレスチナ人75万人以上が追放された。

1967年

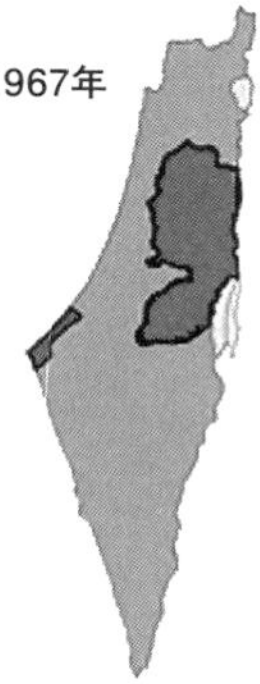

第3次中東戦争で圧勝したイスラエル軍は歴史的パレスチナ全域を占領し、さらに30万人以上が追放された。

1995年

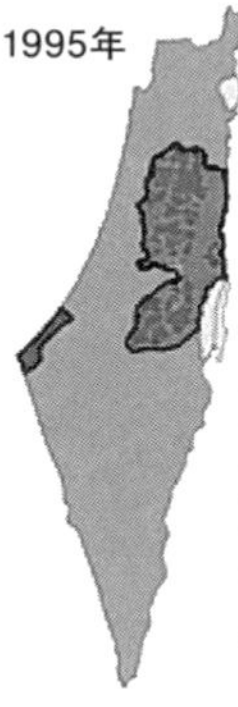

オスロ合意によって西岸地区はA、B、Cの3地域に分けられ、A地域のみでパレスチナ人の自治が認められた。

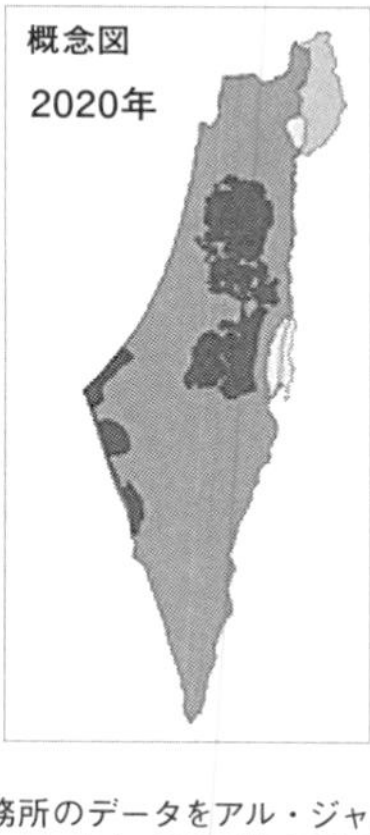

当時のトランプ大統領が描いた概念図は、西岸地区の多くをイスラエルに割譲し、歴史上のパレスチナの15%しかパレスチナ領と認めないものだった。

- パレスチナ人居住地
- ユダヤ人が支配していた集落
- イスラエル領(国連決議に反する簒奪地域を含む)
- イスラエル軍占領地

原資料:国際連合人道問題調整事務所のデータをアル・ジャジーラが作図
出所:ウェブサイト『The Automatic Earth』、2023年10月18日のエントリーより引用

ニューメキシコ州サンタフェでおこなった講演から引用する。

飼い葉桶に寝そべる犬は、どんなに長いことそこに寝ていたとしても、飼い葉桶に対する最終的な権利を主張することはできないと私は思う。

同時に、アメリカ大陸の赤色人種に対しても、オーストラリアの黒色人種に対しても、大きな悪業がおこなわれたとは思わない。

より強い人種、より高級な人種、言ってみればもっと世故に長けた人種が彼らに取って代わったただけなのだ。

飼い葉桶の犬というのは、英語国民によく知られた寓話で「飼い葉桶に寝そべっている犬にとって飼い葉は快適に寝ていられる場所に過ぎないが、馬にとっては大事な食糧なのだから、犬は飼い葉桶を馬に譲るべきだ」という話だ。

ようするに、「パレスチナの土地は、パレスチナ人にとっては心地の良い寝床程度の意味しかないだろうが、もっと進んだヨーロッパ的文明に同化しているユダヤ人に任せれば、はるかに有効に活用できる。だからパレスチナ人はユダヤ人にパレスチナの土地を譲り渡して、どこかほかの場所に移住すべきだ」と言っていたのだ。

人種的偏見より怖い効率主義による差別

飼い葉桶の犬というたとえ話が「人類の歴史は常により良い方向に向かって進んできたし、その進展は時代に応じた重要資源を、もっとも有効に活用できる人たちが担ってきた」という進歩的・開明的な歴史観と交ぜ合わされたとき、それは堂々と強者が弱者から資源ばかりか命まで奪い取ることを正当化する論理に変質させられていた。

なお、最初に議員に当選したのも保守党員だった頃だし、のちに保守党内閣首班として組閣までしているウィンストン・チャーチルは、根っからの保守主義者だとお考えの方も多いだろう。

しかし、イギリス有数の名門貴族の三男として生まれ、爵位も資産も相続しなかったので金銭的には苦労していた父親が、アメリカ人大富豪の令嬢と結婚した結果生まれたウィンストンは、イギリス軍人出身の政治家としては、保守的と言うよりむしろリベラル（自由党）的な傾向の強い人だった。

実際に、保守党内閣が植民地拡大より本土経済を守ることを優先する保護関税政策を採用したとき、チャーチルは保守党から自由党に鞍替えしていた。

そして引用した文章の中でも、始めはたんなる人種的偏見のような議論をしていたものが、言い換えるたびに「貴重な資源はそれを使いこなせる人たちに任せるべきだ」という効率志向で

「合理」主義的なことば遣いに変わっている。

「貴重な資源は最良の利用法を考え、実行できる人たちに委ねられるべきだ」という議論は、いとも簡単に「人類の進むべき道もまた、もっとも賢明な一握りの人たちの選択に任せるべきだ」という**超人支配思想**に変わる。

「第二次世界大戦前にだれが何を言っていたかは、現代社会とはほとんど無縁の話だ」とお考えの方も多いだろう。だが、第二次世界大戦後もこうした「賢人」独裁志向は、進歩的・開明的な知識人、文化人たちのあいだで脈々と受け継がれている。

　第一次世界大戦直後に、二度目の世界戦争を回避するために設立された国際連盟が結局目的を果たせず、第二次世界大戦後、国際連合に改組された。

　その国連で教育・科学・文化を担う部門となったユネスコ（United Nations Educational, Scientific and Cultural Organization、ＵＮＥＳＣＯ）の初代事務局長が、ジュリアン・ハクスレーだ。

　本職が生物学者だったジュリアン・ハクスレーは、さすがに人種が違えば知的能力も違うといった頑迷な人種的偏見は持っていなかった。

「どんな人種的組み合わせのカップルからも子どもは生まれるから、人種を区別することに生物学的根拠はない。人類は一類一種だ」と断言していた。

　ただ、のちにゲノム解析のような技術が生まれることも彼は想定していて、これを活用することによって人類全体の能力を高めようとする超人主義者でもあった。

ゲノム解析によって「たとえ当人には劣性遺伝として顕在化していなくても、知的能力の発達を阻害するような遺伝子を持った人たちには子どもをつくらせない制度を確立すべきだ」という信念を、彼は1975年に亡くなるまで持ちつづけていた。

つまり「さすがにナチスドイツが大勢のユダヤ人、ロマ人（ジプシー）、同性愛者を虐殺するための口実に使った直後だから、今はおおっぴらに主張できないが、悪いタネを間引くことで人類全体を優秀にする優生学思想は正しい」と確信していた人なのだ。

彼は「畜産農家ならどこでもやっている悪いタネを間引く品種改良を、人間に適用しようとすると大騒ぎになるわけがわからない」という、エリート主義者の本音をあまりにも正直に吐露してしまった名言を遺している。

ナチス・イデオロギーに祭り上げられる前の優生学思想の普及ぶり

おそらく日本の知識人諸氏にとってもっともショッキングな事実は、イギリス有数の名門貴族の家柄に生まれ、爵位も継ぎながら哲学者、数学者としても名声を博し、同時に熱心な反戦平和運動の活動家だったバートランド・ラッセルもまた、人類選別思想の持ち主だったことだろう。

今からほぼ正確に100年前の1923年にラッセルが書いた『工業文明の展望』には、以下のような社会が、理想の未来として描かれている。

男性は知的能力や思想的穏健性で選ばれた5％だけが子どもをつくる能力を維持でき、その他95％の男性は断種され、女性も聡明で健康な25％だけは子どもを産むことができるけれどもその他75％の女性は不妊手術を強制される。

マーガレット・サンガーは、１８７９年に貧しく多産系のアイルランド系移民家庭で11人の兄弟姉妹のうちで6人目の子供として生まれた。生涯貧しさと闘いながら訪問看護師として働き、夫とともに労働運動の活動家としても活躍した人だ。

サンガーは、貧困家庭で望まれずに生まれた子どもが悲惨な一生を送ることを避けるために、すべての女性が避妊法を学ぶべきだと力説したので「産児制限運動の母」とも呼ばれている。彼女が創設した避妊知識を普及するための啓蒙団体「家族計画」は世界中で活動を続けている。

サンガーが進歩的な思想の持ち主だったことに疑問の余地はない。だが同時に、きわめて独断的で、「子どもの多い貧困家庭に生まれた子どもにしてやれるもっとも慈悲深い行為は、少しでも早くその子を殺してあげることだ」と主張し、またそう確信していた人でもあった。

ナチスドイツがユダヤ人、ロマ人、同性愛者など、ようするに自分たちの気に入らない人々をまとめて「解決（大量処刑）」するために利用したので、「優生学とは、ほんの一握りの奇矯《ききょう》な人々が抱いていた極端な思いこみである」という見方が現代社会では支配的だ。

優生学法で断種・不妊手術を合法化した州:累計施術数

1935年1月1日現在(全米施術例は2万1359例)

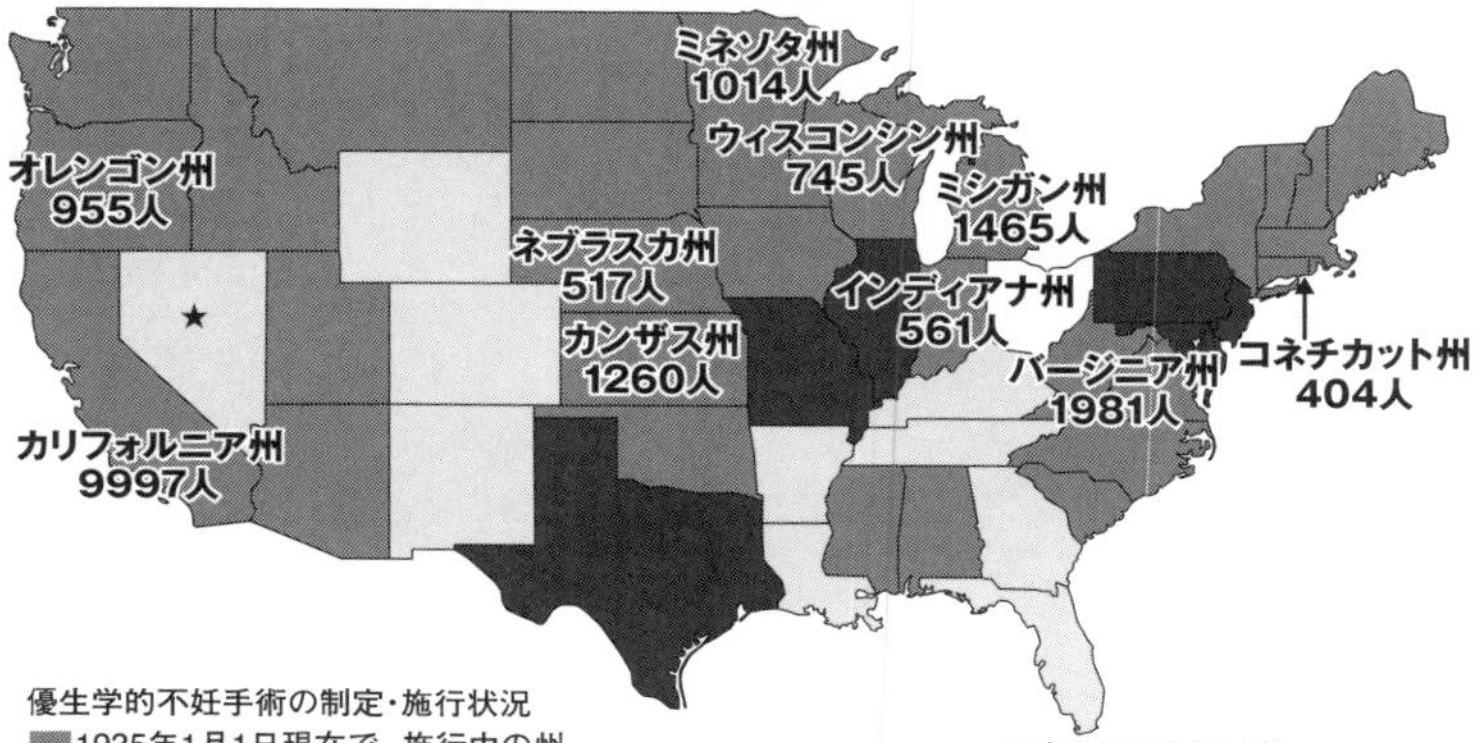

優生学的不妊手術の制定・施行状況
■1935年1月1日現在で、施行中の州
■1935年1月1日現在で、法案を審議中の州
★同法が廃止された州

サウスカロライナ州と
ウエストバージニア州では、
法律は施行中だが、施術例はゼロ。

原資料:Archival Eugenical Sterilization Map of the United States,1935
出所:ウェブサイト『THCB (The Health Care Blog)』、2020年2月19日のエントリーより引用

しかし、日常生活を一変させる画期的な技術革新が次々に実用化された1900〜20年代にかけて、欧米では「工業製品が日進月歩で改良されていくのと同じように、人間の能力や性質もまたどんどん改良すべきだ」とする思想は周辺的な少数派の見解ではなく、**堂々たる多数派見解**だった。

ヨーロッパではスウェーデンなどの進歩的な福祉思想が浸透している国々で、そしてアメリカでもカリフォルニア州などのリベラル派の多い州で、人類の品種改良の一環として子どもを育てるには貧しすぎる、あるいは劣等な資質を持っていると判断された男女に、強制断種や強制不妊手術を施すことが合法化されていた。

上の地図グラフには、アメリカの各州でこうした「優生学法」が施行されているかどう

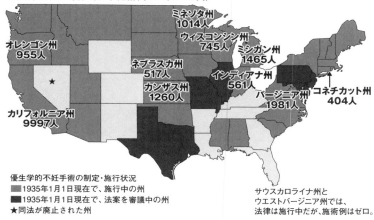

1935年1月1日までの累計で、300人以上の強制断種・不妊手術が行われた11州は「進歩主義的」な州ばかり

1位	カリフォルニア州	9997人
2位	バージニア州	1981人
3位	ミシガン州	1465人
4位	カンザス州	1260人
5位	ミネソタ州	1014人
6位	オレゴン州	955人
7位	ウィスコンシン州	745人
8位	インディアナ州	561人
9位	ネブラスカ州	517人
10位	コネチカット州	404人
11位	ニューハンプシャー州	395人

白人にとっての「夢のカリフォルニア」は、黒人、旧来の主権者であったメキシコ系、そして大陸横断鉄道敷設のための労働者として使役された中国系の人々にとっては、悪夢のカリフォルニアだった。

頻発するリンチばかりではなく、強制断種・不妊手術がすさまじい勢いで行われたという意味でも、言えることだった。

アメリカ史の通説では「進歩主義の時代」とされている20世紀初頭から1930年代のアメリカには、小中学校の教科書にはめったに載らない暗い秘密があった。

優生学が全米を席巻し、とくに進歩的知識人・文化人の多かった州では、家族を作るには適さないと判定された何千人、何万人の市民に強制的な断種・不妊手術がおこなわれていた。第3帝国のアドルフ・ヒトラー総統の「ユダヤ人・ジプシー・同性愛者に対する最終解決策」はこのアメリカの進んだ優生学思想の実践に多くを学んでいた。

最終的には6万人以上にのぼる完全に健康な市民に対して「知的能力が低い、精神的な欠陥がある、あるいはたんに悪い遺伝子を子どもに伝える危険がある」との理由で強制断種・不妊手術がおこなわれていた。

深南部の施術例が少ないのは、生まれてしまっても、リンチでいくらでも殺せるという「おおらかな」態度だったからかもしれない。

出所：ウェブサイト『THCB (The Health Care Blog)』、2020年2月19日のエントリーより抄訳

か、そして施行されている州ではどのくらいの施術例があったかが描かれている。

一見しておわかりのように、全米施術例の半数近いカリフォルニア州では1935年1月1日までの集計で9997人、あと3人で1万人というところまで本人の承認を得ない強制断種・不妊化手術が普及していた。

地図では数字を比較しにくいので、300以上の施術例があった州を多い順に並べ、コメントを書き添えたのが前ページの表だ。

進歩的な人が多数派を占めている州では、本人の承諾を得ない断種や不妊手術の倫理性が問われることはめったになかった。争点があったとすれば、それは特定の人種全体を強制断種・不妊化の対象とすべきか、どの程度貧しければ子どもを産み育てる資格がないと判定されるかなどだった。

優生学思想は廃棄されたのか、棚上げにされただけか

イスラエルのネタニヤフ首相は「ガザにおけるイスラエル軍とハマスの戦いは、光の子たちとジャングルの掟で生きている獣たちの戦いだ」と言い放った。「ジャングルの掟で生きているパレスチナ人は皆殺しにする」と宣言したも同然だ。

この発言を喝采したイスラエルびいきのアメリカ人たちは、自分たちの祖先が先住民をほぼ絶

滅に追いやってしまったことも、弁解するのではなく正当な権利の行使だったと主張したがっているのではないだろうか。

フロリダ州選出の共和党下院議員でブライアン・マストという人がいる。当人は母方の祖父母がメキシコ人だったことを認め、共和党ヒスパニック議員団に所属している。軍務に就いていた時期に両足切断という重傷を負っている。

アメリカの政界には「マイノリティに属する人たちの人種、民族系統、性別については当人が自発的に認めたこと以上の詮索《せんさく》をしてはいけない」という不文律がある。だが私はあえて詮索し、父方からは黒人の血も受け継いでいるのではないかと推測している。

そう推測する理由は、典型的なインテリ黒人女性のインタビュアーに「どうしてあなたのような経歴の方が民主党リベラル派ではなく、共和党保守派として議員活動をしていらっしゃるの？」と聞かれたときの答えだ。

「私が多様性に反対だなどと思わないでください。多様性には大賛成です。でも、どんな仕事でもその仕事に最適な人を選んだ結果が多種多様な人種、性別、宗教が渾然《こんぜん》となっているところがアメリカのいいところじゃないですか」と優等生の模範回答をしているからだ。

彼のイスラエル軍によるガザ壊滅作戦に対する見解は、コード・ピンクという女性人権団体が試みた突撃インタビューを収録したユーチューブ映像でのやり取りを書き起こして翻訳した文章でお読みいただこう。

CP（コード・ピンクの質問者）　マスト議員、あなたはご自分がどれくらい無慈悲か、わかっていらっしゃるんですか？

マスト議員　いいえ、テロリストは全部殺して、ついでに支持者たちも皆殺しにすべきです。

CP　そんなの、ちっとも解決にならないでしょう。

マスト議員　いや、すばらしい解決策ですよ。

CP　皆殺しにされたかわいそうな赤ちゃんたちをご覧になっていないんですか？

マスト議員　ガザに罪のない民間人などいませんよ。赤ちゃんだって罪がないなんて言えない。

CP　でも、赤ちゃんなのよ。それにガザには50万人もの人が飢え死にしそうなほど食べものがなくなっているし……。

マスト議員　飢え死にしそうな50万人はきちんと仕事を持って働いて、自分の稼ぎで食っていくべき人たちです。そしてしっかりした政府も自分たちでつくるべきなんだ。それなのに、いったい何をしてるかと言えば、毎日平和に暮らしているイスラエルの人々のところに押しかけてテロ攻撃をしてる。

CP　でも、子どもたちは？　7つの子どもに罪はないでしょ？　それにガザのインフラは第二次世界大戦のときのドレスデンのように破壊されているのよ。絨毯《じゅうたん》爆撃で。

マスト議員　もっと徹底的に破壊してやるべきですよ。

ＣＰ　でもドレスデンみたいに何もかも破壊されて……。

マスト議員　あなた、私の話をちっとも聞いていないでしょう。もっと、何もかも、徹底的に、ぶち壊してやるべきだって、言ってるんですよ。

正直に言って、この論争は**マスト議員の勝ち**だろう。頭のいい人だから、実際に「毎日平和に暮らしている人たちのところに押しかけて」土地を奪い、資産を奪い、命も奪っているのはイスラエル人の入植者のほうだと知っているはずだ。

でもアメリカ政府や大手マスコミが流している「公式見解としての事実」を前提としているかぎり、お涙頂戴のセンチメンタルな「議論」をしかけても、この「公式見解としての事実」で跳《は》ね返してやればいいだけのことだ。

アメリカ連邦議会上下院議員で唯一パレスチナ系のタリーブ下院議員は、ガザのジェノサイドを批判しただけでアンチセミティズム（反ユダヤ主義）の危険思想を広めたとして問責決議を受けた。

でも「そもそもパレスチナ人には生まれたばかりの赤ん坊まで含めて罪のない人間はひとりもいないのだから、皆殺しにして当然だ」と主張するこの人が連邦議会で批判されたという話はまったく聞かない。むしろ選挙区に帰れば、圧倒的な支持を得て再選をくり返すだろう。

我々はまず、**アメリカ連邦議会とはそういうところだ**という事実をきちんと認識しておくべきなのだ。

なぜなら、「生まれたときから劣等人種だから」とか「生まれつき邪悪だから」とかの理由で皆殺しにすべき連中がいるのに、現代アメリカ社会では正直にそう言えないと思っている人たちが大勢いるからだ。

私が、この突撃インタビューで思い出したのは、『わが魂を聖地に埋めよ』に登場する、元メソディスト教会牧師の騎兵隊コロラド連隊隊長シヴィングトン大佐の「シラミの卵からはシラミしか孵《かえ》らない。女も赤んぼも皆殺しにしろ」ということばだ。

あるいは、序章で紹介したトルーマン大統領の、日本に2発の原爆を落としたことを正当化する議論だ。

こうした考え方に心から賛成する白人は、とくに恵まれない生活をしている人たちのあいだで多い。それでも彼らも今は、その心情をさらけ出してはいけないことになっていると知っている。

そして、こういう真実をずけずけ言う特権を得た人たちのことを心の底からうらやましく思っている。たとえば下士官として忠実に軍務をこなし、両足切断という名誉の重傷を負った後、リハビリをして義足の両足で日常生活を送れるようになって、下院議員に当選するほど鋭い政治感覚を示しているマスト議員だ。

また、第二次世界大戦が終わるまでヨーロッパやアメリカのいたるところで迫害を受けてきたユダヤ人は、最近白人に昇格させて貰ったばかりのかわいそうな人たちだから、彼らも「パレスチナ人は生まれつき劣等だ」とか「生まれつき邪悪だ」とか言っても許される。それどころか、こうした発言に胸のつかえが降りたような快感を覚える人たちがいる。

しかし、ふつうの白人がそういう本音を吐いたらすさまじい社会的制裁を受ける。共和党保守派には、勇敢なのか鈍感なのかときどき本音を吐く人もいるけれども、民主党リベラル派にはまずそういう人はいない。

だからこそ、「イスラエル軍は懸命に民間人の犠牲を最小限にとどめようとしているのに、ハマスが直接手を下したり、イスラエル軍を攻撃するための盾に使ったりして、パレスチナ民間人を殺している」といった当人さえ信じてないウソを苦し紛れにつきつづけるわけだ。

この、我々から見れば異常な状況が、どこまで深くアメリカという国の歴史に根差しているかをしっかり見届けるべきだ。

オセージ族連続殺人事件

オクラホマ州は、まだ州に昇格する前の準州だった頃には、準州全部をインディアン居留地として、アメリカ中のインディアン部族を集めるために設定された場所だった。

ときには大陸横断に近い距離を全部歩いてこの土地まで来ることを命じられたインディアンたちは約10万人、そのうち体力の弱い1万5000人ぐらいが目的地にたどり着くことなく命を落としたと言われ、この行程は**「涙の旅路」**と呼ばれている。

ところが、この本来はインディアンにとっての安息地として設定されたはずの土地にも、白人たちが押し寄せてきた。

たんに独立自営農民として自分の土地を持ちたいだけではなく「アメリカ各地どこもかしこも白人が所有していなければならない」という人種差別意識に凝《こ》り固まった人たちもいて、わざわざインディアンが定住したところに自分たちの農場をつくろうとして悶着《もんちゃく》が絶えなかった。

本来インディアンの定住を促進するために連邦政府から派遣されたはずの白人の役人たちも多くの場合、白人がインディアンの土地を奪い取ることに好意的な判断をしがちだった。

とくにチェロキー族、クリーク族、オセージ族という3つの部族国家の領土の接点となった場所に白人たちが強引に割りこんで築いた都市、タルサ市近郊で埋蔵量の豊富な油田が発見されてからは、白人たちによる部族国家領の侵食は一層激しくなった。

1910年代後半から20年代初頭のオクラホマ州タルサ市は、石油ブームのまっただ中にあった。そして、このタルサ近郊でアメリカ白人の人種差別意識の根強さを象徴するふたつの事件が起きた。どちらもタルサが石油ブームに沸いていた1910～30年代のことだった。

やがてオセージ族の居留地内でも油田が発見され、オセージ族の成人ほとんどが採掘権料を受け取ることができるようになった。ここで悲劇が起きた。1918～31年という長期にわたって、オセージ族の主として女性たちが、資産目当てで結婚した白人の夫などによって殺されるという

ほとんど全部インディアン居留地だったオクラホマ準州

オクラホマ準州内の部族国家領土：1855〜65年

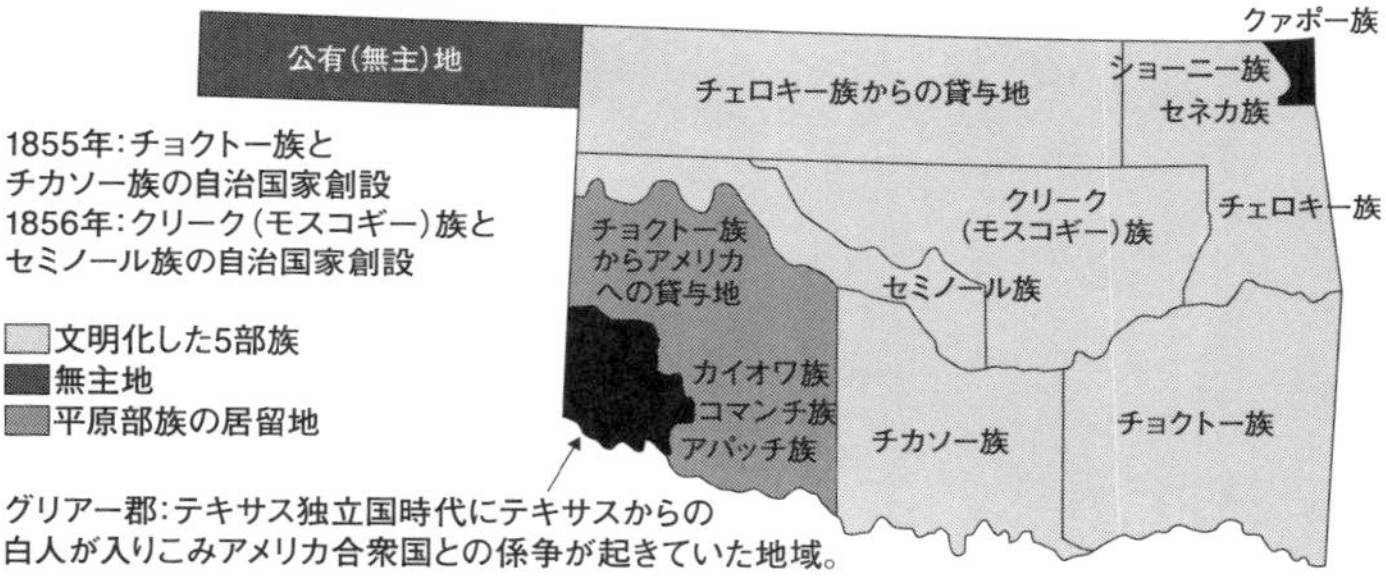
クァポー族
公有（無主）地
チェロキー族からの貸与地
ショーニー族
セネカ族
1855年：チョクトー族と
チカソー族の自治国家創設
1856年：クリーク（モスコギー）族と
セミノール族の自治国家創設
クリーク
（モスコギー）族
チェロキー族
チョクトー族
からアメリカ
への貸与地
セミノール族
文明化した5部族
無主地
平原部族の居留地
カイオワ族
コマンチ族
アパッチ族
チカソー族
チョクトー族
グリアー郡：テキサス独立国時代にテキサスからの
白人が入りこみアメリカ合衆国との係争が起きていた地域。

オクラホマ州昇格のための組織法制定直前：1890年

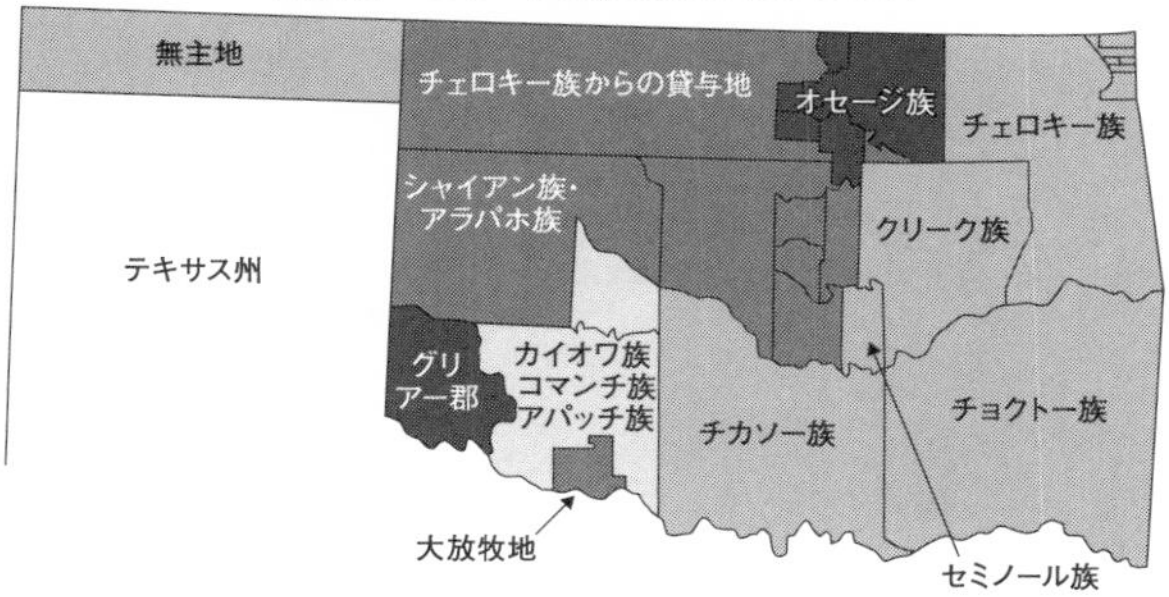
無主地
チェロキー族からの貸与地
オセージ族
チェロキー族
シャイアン族・
アラパホ族
クリーク族
テキサス州
グリ
アー郡
カイオワ族
コマンチ族
アパッチ族
チカソー族
チョクトー族
大放牧地
セミノール族

2020年：クリーク（モスコギー）族領土原状回復の最高裁判決

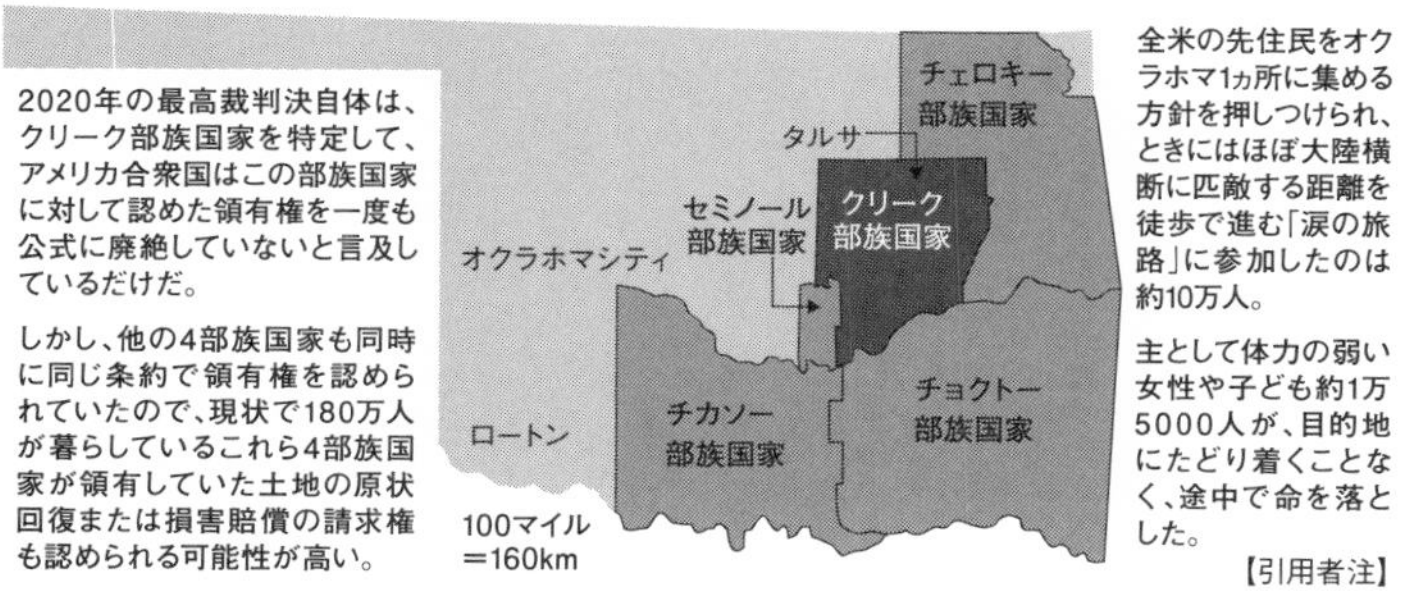
チェロキー
部族国家
2020年の最高裁判決自体は、
クリーク部族国家を特定して、
アメリカ合衆国はこの部族国家
に対して認めた領有権を一度も
公式に廃絶していないと言及し
ているだけだ。
しかし、他の4部族国家も同時
に同じ条約で領有権を認めら
れていたので、現状で180万人
が暮らしているこれら4部族国
家が領有していた土地の原状
回復または損害賠償の請求権
も認められる可能性が高い。
タルサ
セミノール
部族国家
クリーク
部族国家
オクラホマシティ
チョクトー
部族国家
チカソー
部族国家
ロートン
100マイル
＝160km
全米の先住民をオク
ラホマ1カ所に集める
方針を押しつけられ、
ときにはほぼ大陸横
断に匹敵する距離を
徒歩で進む「涙の旅
路」に参加したのは
約10万人。
主として体力の弱い
女性や子ども約1万
5000人が、目的地
にたどり着くことな
く、途中で命を落と
した。
【引用者注】

出所：（上）ウェブサイト『Greene County Democrat』、2020年7月15日、（中）『Oklahoma Historical Society』、「部族国家の強制移動」、（下）ウェブ版『Washington Post』、2020年7月9日のエントリーより引用

オクラホマ州オセージ族連続殺人事件

次々に親族を殺され、自分も夫の手配した殺し屋に狙われたモリー・バークハート

『エニッド・モーニング・ニュース』紙1926年2月7日付日曜版に掲載された、モリー・バークハートとウィリアム・「キング」・ヘイルをめぐる政治風刺漫画

出所：（左）ウェブ版『NewYorker』、2017年3月1日、（右）ウィキペディア「Osage Indian Murders」のエントリーより引用

事件が続出したのだ。被害者は60人以上に達した。

そのうち何人かの殺人は、血縁を通じてオセージ族の女性モリー・バークハートに採掘権収入を集中したうえで彼女も殺すはずだった。結局、財産目当てでモリーと結婚した夫アーネストに数人分の採掘権が残るようにという策略で実行された、計画的な連続殺人だった。

親族数人の遺産もふくめるとモリー・バークハートの年収は13万5000ドルに達していた。当時の1ドルは現在の約30倍の価値があったから、現代の価値に直せば約400万ドル（6億円強）という大金だ。

この事件の主犯はさまざまな交渉でオセージ族と白人のあいだを取り持って、白人でいながら「オセージ族の王様」と呼ばれ、かなり高額の仲介料を取っていたので自分でも結構資産を蓄えていたウィリアム・「キング」・ヘイルという地方ボスだった。

モリーと結婚したアーネスト・バークハートはヘイルの甥《おい》だった。ヘイルは尻ごみする甥を何とか説得して殺し屋を雇わせたそうだ。

モリーは、アーネストの雇った殺し屋があまりにも不手際だったために事なきを得て、やがてアーネストとも離婚し、無事天寿を全うした。だが、この不手際な殺人未遂がきっかけとなって連続殺人事件の捜査が始まり、優柔不断なアーネストの自供がきっかけで「キング」・ヘイルも逮捕されるに至った。

地方名士が、たんに他人の財産を横取りしたいのではなく「インディアンが白人より豊かな生活をすることを許してはならない」という「義憤」に駆られてやらせた殺人だったことが、当時のアメリカ白人の差別意識の深刻さを物語っている。

黒人豪邸街、グリーンウッドの大虐殺

カリフォルニアで巨大な金の鉱脈が発見されたとき、いちばん巨額の収入を得たのは金鉱で働く人々ではなく、サンフランシスコの商店主たちだった。同様にタルサ界隈《かいわい》では石油成り金だけではなく、ありとあらゆるビジネスで他の場所より儲けるチャンスが多くなっていた。

そして奴隷解放から1～2世代を経て自営業を営む黒人も増えていたので、ブームに乗ってそうとう豊かになった黒人も多かった。彼らは厳格な隔離政策が敷かれていたタルサ市内の黒人向け住宅地グリーンウッドに集中して住んでいた。

そこで、1921年5月31日に悲劇が起きた。タルサ市内の商業ビルの白人エレベーターガールに黒人少年が腕につかまったか、足を踏んだかという接触があって、この少女が悲鳴を上げた。白人たちのあいだで、この黒人少年は白人少女をレイプしようとしたのだという噂が広まった。少年はリンチに遭うのを防ぐために刑務所に保護された。だが、この少年を引きずり出そうとする白人集団と、武器を持ってでもそれを阻止しようとする黒人たちとのあいだににらみ合いがあり、そのまま膠着《こうちゃく》状態で夜を迎えた。

白人集団は、この黒人少年を引きずり出してリンチすることはあきらめた。だが、闇に紛れて黒人居住区であるグリーンウッドの各所に火をつけて回り、火災を逃れようとした黒人たちにも容赦なく棍棒《こんぼう》などで殴りかかり、また発砲もした。

焼死した黒人、逃げだそうとしたところを殴り殺されたり、射殺されたりした黒人が続出した。大部分が黒焦げの焼死体で身元もわからないままだったが、身元の確認できた死者だけで38名、犠牲者総数は300名を超えると言われている。

州兵が出動したものの、彼らの銃は取り囲む白人たちではなく、逃げ出そうとする黒人たちに向けられていたらしい。ようするに**「白人より豊かな黒人がいてはいけない」**と考える白人たち

廃墟と化したタルサ市グリーンウッド地区

オクラホマ州タルサ市グリーンウッド地区のグリーンウッド通りとアーチャー通りの交差点、1921年6月1日。タルサ大学マクファーリンライブラリー、特別収集品収蔵室
出所：ウェブ版『NBC News』、2021年5月28日のエントリーより引用

が理由などどうでもよく、とにかく黒人を大量虐殺したのだ。

犠牲者の数を確定できないのは、けっこう広い区画に建っていた住宅が全焼するまで放置されていたので、焼け跡に残った原形をとどめないほど焼けてしまった犠牲者の遺体が何人分だったのかわからないままだからだ。

しかも、あまり写真撮影が普及していなかった当時としては珍しいほど、この「人種暴動」に参加した白人たちの撮影した写真が残されている。反省や哀悼《あいとう》の意がこめられているわけではない。

正反対に、身の程知らずにも黒人が贅沢《ぜいたく》な暮らしをしたりすればどんなに大きな罰を受けるかの見せしめとともに、「白人女性の純潔を守った」自分たちの英雄的な行動を自慢するために撮った写真だった。

奴隷解放以来19世紀末か20世紀初めぐらいまで、

数え切れないほどの黒人が、まったくの無実の場合もふくめて裁判を受けることもできずに、なるべく苦痛の多い殺し方でリンチにされてきた。

そして白人たちはリンチの日程が決まると、地方紙に広告を出して大群衆を集め、リンチの執行場面を撮ったり、亡くなったあと高い木の枝につるした黒人の遺体の下で満足げに記念撮影をしたり、その**写真を絵はがきにして売り出したり**していた。

その頃の伝統が、少なくとも1921年までは生きていたことを思い出させてくれる事件だった。

この事件のもうひとつの問題点は、事件直後からあたかも箝口令《かんこうれい》でも敷かれたように、この事件に関する大手メディアでの報道がまったくと言っていいほど途絶えたことだ。

さすがに「黒人の分際で、白人より豊かな暮らしをするから、天罰が下ったのだ」と考えたのは、クー・クラックス・クラン（KKK）に共感するようなこの暴動の参加者だけだったかもしれない。

だが、白人の中では開明的だったはずの新聞記者なども、事件を徹底的に究明し、放火犯や殺人犯を摘発するよりは、自分たちの抱える恥部として隠すことを選んだ。現場から命からがら逃げ出した黒人たちも、この事件に言及するだけで差別主義者の白人から「報復」されることを恐れて、口をつぐんだままだった。

その結果、1990年代末までの80年弱にわたって、「グリーンウッド人種暴動」はアメリカ史の中で封印された1ページとなっていた。たとえば歴史学研究会編『世界史年表　第二版』（２００１年、岩波書店）の１９２３年、南北アメリカの項（２７５ページ）には「オクラホマ州でＫＫＫの活動が激化し、戒厳令施行」と書いてある。

だが、おそらく編集者たちも、なぜこの時期にＫＫＫが全米各地からオクラホマ州に大集結したのかはわからずに書いていたのだろう。今では、それがわかっている。グリーンウッド大虐殺について抗議の声を上げるかもしれない生意気な黒人たちを威圧するために勢揃いしていたのだ。

私が１９７０年代後半に留学していたジョンズ・ホプキンズ大学歴史学部大学院の北米近現代史授業でも、この大事件への言及はまったくなかった。そもそもアメリカ近現代史の専門家でさえ、知っていた人がいなかったのだろう。

この事件の記憶が再浮上したきっかけは、「映像の世紀」とも呼ばれた20世紀の映像資料を、後世の人たちにとって少しでも親しみやすいものにするために、コンピューター彩色技術を用いてニュース映画を中心とするモノクロのドキュメンタリー映像をカラー化する大プロジェクトが、１９９０年代半ばに立ち上げられたことだった。

全米各地のフィルムライブラリー、アーカイヴ、閉館となった映画館の倉庫に眠っていたドキュメンタリー画像がカラー化のためにかき集められた。その過程で、グリーンウッド大虐殺を報じたニュース映画画像が再発見されたわけだ。

公民権運動はアメリカを変えたか？

アメリカ史上最大の盛り上がりを見せたと言われる、１９６０~70年代初頭の公民権運動についてさえ、記憶自体が**「党派性」**を持ってしまっている。当時の公民権運動参加者たちは、ひたすら耐えるだけの抗議活動をしていた。

カフェテリアで白人専用の席を占めても、そこで周囲の白人たちの怒号、罵声、ビールやら、小麦粉やらベーコンエッグやらを頭から浴びても、ただ耐えるだけだ。

デモなどで警官が警棒をふるったり、警察犬をけしかけたりするのは、ほぼ例外なく黒人や黒人と連帯する白人の参加者である。抗議運動に反対する白人たちはそうとう乱暴なことをしても大目に見られていた。アラバマ州ハンツヴィルというとくに保守的な土地では、州兵による一斉射撃でデモ参加者たちが逃げ惑う場面もあった。

彼我の力関係から見て耐えるだけというのが、もっとも政治的に効果のある戦術だったのも事実だろう。だが最大の差は、当時はまだデモ参加者たちが**明るい未来を信じていた**ことではなかっただろうか。

１９４６年の贈収賄合法化法成立以来、政治経済の中枢では腐敗が進行していた。だが、まだアメリカ国民の大半にとって未来は人種・性別・宗教の違いを超えて、もっと自由で平等な社会が実現すると信じていられた時代だったような気がする。

現代アメリカ社会はどうか。1980年代初頭以来、勤労者実質所得の中央値（全勤労者を所得順に上から下まで並べたとき、ちょうどまん中に来る人の所得水準）は横ばいに終始している。この間の経済成長の成果は、ほぼ全面的に上から10%の所得水準の人たちに集中し、その中でも上から1%、上から0・1%と上に行くほど伸び率が高かった。

所得でこれだけの差があると、その所得を長い年月かけて蓄積して形成する資産ではもっと大きな差になる。しかも資産保有高では、貧富の格差に加えて歴然とした白人対黒人・ヒスパニックの格差がある。

白人同士でも4大卒資格の保有者と、そうでない人では約4倍という大きな資産格差がある。だが、白人なら4大卒資格がなくても9万8000ドル強（約1470万円）の資産を持っているが、黒人やヒスパニックでは4大卒資格を持っていても、この水準に達しない。

4大卒資格を持たない黒人やヒスパニック世帯にいたっては、資産保有額が1万ドル（150万円）台に過ぎない。1960年代末に人種差別がやがて解消されることを夢見ていられた人たちも、ワイロ万能の現代アメリカ社会では体制変革なしにそういう夢を描くことはむずかしそうだ。

おわりに

言いたいことを言い、書きたいことを書いてべんべんと生きながらえてきたのも、この本を書くという使命があったからなのかというくらいの意気ごみで書きはじめたが、今回ぐらい文章化に難渋したことはなかった。

達意の名文などは生まれてこの方書いたことがないことは十分わきまえているつもりだが、それにしてもこれほど事実をありのままに伝えることのむずかしさを感じたのは、初めての経験だった。

できるかぎり怒りも嘆きも抑えて、事実を事実として書き留めようとしたが、半面この残虐さ、この卑劣さ、この傲慢さを読者の皆さんに伝えることができたか、不安が残る。

書き終えてもうひとつ感じるのは**制度設計の重要性**だ。

何も面倒くさい複雑なことをしろと言っているのではない。だれが考えても不正なことを法律で擁護したら、その社会は堕ちるところまで堕ちる。それだけのことだ。

だが、いったん不正が合法化されると、その不正によって儲けている連中が結束した既得権益集団が必死になって権益を守ろうとするので、元の状態に戻すのは不可能に近くなる。

これまでカネがすべての風潮の中でもかろうじてまっとうな倫理観を維持してきたアメリカ国民の皆さんには、この難事業をなんとか成し遂げていただきたいと、切望する。そうしなければ**アメリカという文明圏は消滅**するだろう。

アメリカ連邦政府戦争省（１９４７年に国防総省と改名したが、今も実態は変わらない）がインディアン対策局を設置した１８２４年から２００年、
排日移民制限法が発布された１９２４年から１００年、
今もガザではパレスチナ人のジェノサイドが続く
２０２４年３月初旬の凶々しい日に

増田悦佐

参考文献リスト

◉Irving Howe & Kenneth Libo『How We Lived —— A Documentary History of Immigrant Jews in America 1880-1930』(Richard Marek Publishers、1979年)
◉秋尾沙戸子『ワシントン・ハイツ——GHQが東京に刻んだ戦後』(新潮社、2009年)
◉阿部珠理『メイキング・オブ・アメリカ——格差社会アメリカの成り立ち』(彩流社、2016年)
◉アルフォンソ・ピンクニー『アメリカ暴力史』(早川書房、1972年)
◉アルンダティ・ロイ『帝国を壊すために——戦争と正義をめぐるエッセイ』(岩波新書、2003年)
◉生井英考『空の帝国　アメリカの20世紀——興亡の世界史』(講談社学術文庫、2018年)
◉ウィリアム・ユージーン・ホロン『アメリカ・暴力の歴史』(人文書院、1992年)
◉ウォルター・プレスコット・ウェッブ『グレイト・フロンティア——近代史の底流』(東海大学出版会、1968年)
◉江藤淳『閉ざされた言語空間——占領軍の検閲と戦後日本』(文春文庫、1994年)
◉Edwin Black『War Against the Weak——Eugenics and America′s Campaign to Create a Master Race』(Four Walls Eight Windows、2003年)
◉Emmanuel Todd『La Defaite de l′ Occident』(Gallimard、2024年)
◉エリック・ウィリアムズ『資本主義と奴隷制——ニグロ史とイギリス経済史』(ちくま学芸文庫、2020年)
◉岡田泰男『アメリカの夢　アウトローの荒野——ジェシー・ジェイムズの西部』(平凡社、1988年)
◉カレン・アームストロング『神の歴史——ユダヤ・キリスト・イスラム教全史』(柏書房、1995)
◉川上泰徳『「イスラム国」はテロの元凶ではない——グローバル・ジハードという幻想』(集英社新書、2016年)
◉櫛田久代『初期アメリカの連邦構造——内陸開発政策と州主権』(北海道大学出版会、2009年)
◉グレッグ・パラスト『金で買えるアメリカ民主主義』(角川書店、2003年)
◉小杉泰『イスラーム世界　21世紀の世界政治　5』(筑摩書房、1998年)
◉小谷節男『アメリカ石油工業の成立』(関西大学出版部、2000年)
◉桜井春彦『テロ帝国アメリカは21世紀に耐えられない——アメリカによるテロの歴史』(三一書房、2005年)
◉サムエル・モリソン『アメリカの歴史　I　先史時代——1778年』(集英社文庫、1997年)
◉柴田優呼『″ヒロシマ・ナガサキ″被爆神話を解体する——隠蔽されてきた日米共犯関係の原点』(作品社、2015年)
◉スティーブ・コール『石油の帝国——エクソンモービルとアメリカのスーパーパワー』(ダイヤモンド社、2014年)
◉ディー・ブラウン『わが魂を聖地に埋めよ——アメリカ・インディアン闘争史』上・下(草思社文庫、2013年)

◉シェルビー・スティール『黒い憂鬱――90年代アメリカの新しい人種関係』(五月書房、1994年)
◉シドニー・W・ミンツ『甘さと権力――砂糖が語る近代史』(ちくま学芸文庫、2021年)
◉高浦忠彦『資本利益率のアメリカ経営史』(中央経済社、1992年)
◉土谷英夫『1971年――市場化とネット化の紀元』(NTT出版、2014年)
◉デイヴィッド・フィンケル『帰還兵はなぜ自殺するのか』(亜紀書房、2015年)
◉デイヴィッド・ルイス『大統領任命の政治学――政治任用の実態と行政への影響』(ミネルヴァ書房、2009年)
◉中村哲・ペシャワール会編『空爆と「復興」――アフガン最前線報告』(石風社、2004年)
◉新岡智『戦後アメリカ政府と経済変動』(日本経済評論社、2002年)
◉西谷修・鵜飼哲・宇野邦一『アメリカ・宗教・戦争』(せりか書房、2003年)
◉野村達朗『ユダヤ移民のニューヨーク――移民の生活と労働の世界』(山川出版社、1995年)
◉バリー・グラスナー『アメリカは恐怖に踊る』(草思社、2004年)
◉Peter Wolf『Land in America――Its Value, Use and Control』(Pantheon、1981年)
◉Philip A. M. Taylor『Distant Magnet――European Emigration to U.S.A.』(TBS The Book Service Limited、1971年)
◉フレッド・クック『戦争国家』(みすず・ぶっくす、1962年)
◉Michael Mann『The Dark Side of Democracy――Explaining Ethnic Cleansing』(Cambridge University Press、2005年)
◉ベンジャミン・パウエル編『移民の経済学』(東洋経済新報社、2016年)
◉マーカス・レディカー『奴隷船の歴史』(みすず書房、2016年)
◉孫崎享『戦後史の正体　1945－2012――「戦後再発見」双書　1』(創元社、2012年)
◉松尾文夫『銃を持つ民主主義――「アメリカという国」のなりたち』(小学館、2004年)
◉馬渕睦夫『ウクライナ紛争　歴史は繰り返す――戦争と革命を仕組んだのは誰だ』(WAC、2022年)
◉馬渕睦夫『世界を操るグローバリズムの洗脳を解く――日本人が知るべき「世界史の真実」』(悟空出版、2015年)
◉マルク・フェロー『植民地化の歴史――征服から独立まで／一三～二〇世紀』(新評論、2017年)
◉Maldwyn A. Jones『Destination America』(Holt, Rinehart and Winston、1976年)
◉ミチコ・ウェグリン『アメリカ強制収容所――屈辱に耐えた日系人』(政治広報センター、1973年)
◉宮田律『イスラム石油戦争』(NTT出版ライブラリーレゾナント、2006年)
◉山崎清『GM(ゼネラル・モーターズ)―巨大企業の経営戦略』(中公新書、1969年)

[著者プロフィール]
増田悦佐（ますだ・えつすけ）
1949年東京都生まれ。一橋大学大学院経済学研究科修了後、ジョンズ・ホプキンス大学大学院で歴史学・経済学の博士課程修了。ニューヨーク州立大学助教授を経て帰国、HSBC証券、JPモルガン等の外資系証券会社で建設・住宅・不動産担当アナリストなどを務める。現在、経済アナリスト・歴史家・文明評論家として活躍中。
著書に『生成AIは電気羊の夢を見るか？』『人類9割削減計画』『恐怖バブルをあおる世界経済はウソばかり！脱炭素社会と戦争、そして疫病のからくり』『日本再興～世界が江戸革命を待っている』（以上、ビジネス社）、『クルマ社会七つの大罪　増補改訂版自動車が都市を滅ぼす』（土曜社）、『日本人が知らないトランプ後の世界を本当に動かす人たち』（徳間書店）、『資産形成も防衛もやはり金だ』（ワック）、『戦争と平和の経済学』（PHP研究所）など多数ある。
「読みたいから書き、書きたいから調べる――増田悦佐の珍事・奇書探訪」、etsusukemasuda.infoを主宰しています。ぜひのぞいてみてください。

アメリカ消滅

2024年5月1日　　第1刷発行

著　者　増田　悦佐
発行者　唐津　隆
発行所　株式会社ビジネス社
〒162-0805 東京都新宿区矢来町114番地
神楽坂高橋ビル5階
電話 03(5227)1602　FAX 03(5227)1603
https://www.business-sha.co.jp

カバー印刷・本文印刷・製本/半七写真印刷工業株式会社
〈装幀〉大谷昌稔
〈本文デザイン・DTP〉茂呂田剛（エムアンドケイ）
〈営業担当〉山口健志　〈編集担当〉本田朋子

ISBN978-4-8284-2623-5

ビジネス社の本

日本再興

世界が江戸革命を待っている

増田悦佐……著

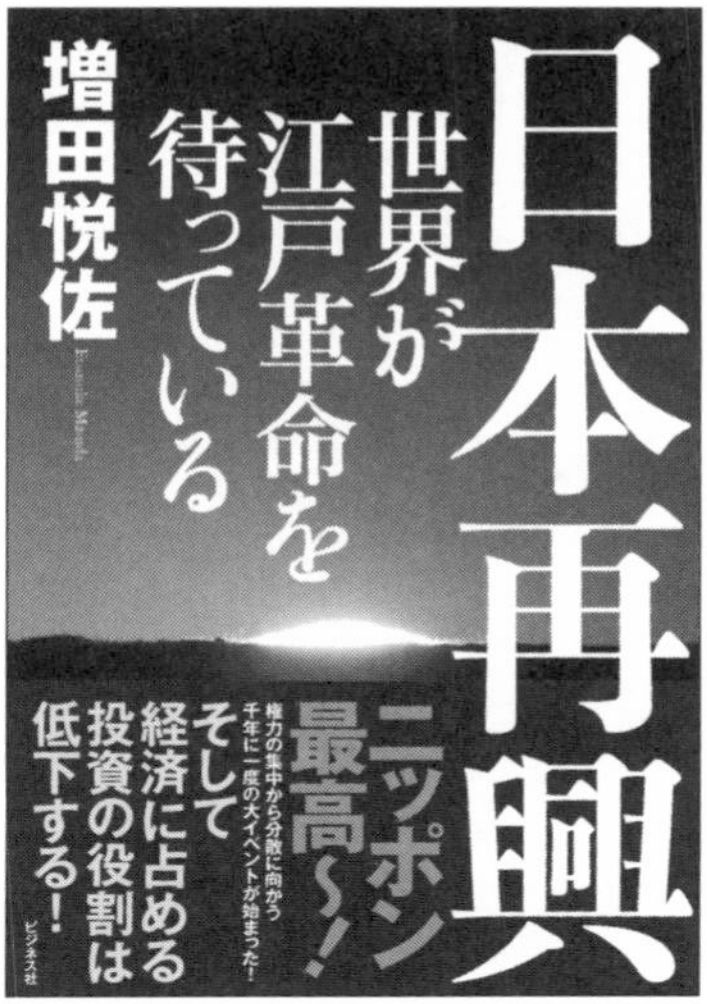

地球には今、江戸時代が必要だ！

権力の集中から分散に向かう
千年に一度の大イベントが始まった！
そして経済に占める投資の役割は低下する！
ニッポン最高～！
日本経済の回復は
非正規労働の待遇改善にかかっている。

定価1980円（税込）
ISBN978-4-8284-2344-9

本書の内容

ビジネス社の本

恐怖バブルをあおる世界経済はウソばかり！

脱炭素社会と戦争、そして疫病のカラクリ

定価1980円（税込）
ISBN978-4-8284-2415-6

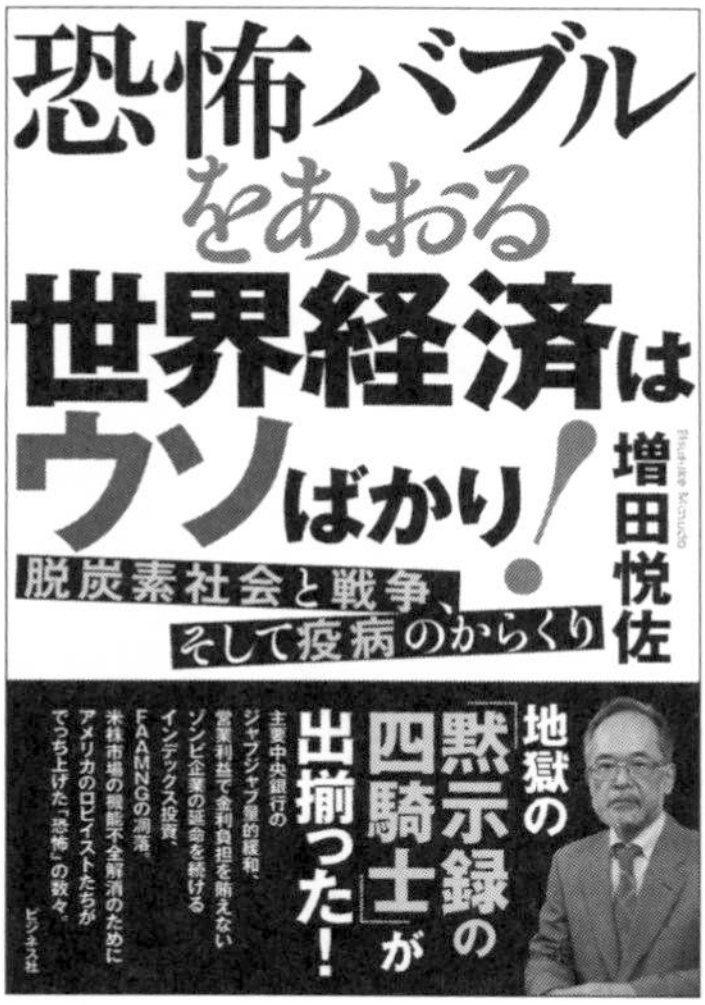

増田悦佐……著

アメリカ5大富豪が支える世界経済フォーラムが「恐怖バブル」を仕組んだ真相とは？

新型コロナ騒動、「地球温暖化＝二酸化炭素元凶論」、ウクライナ侵攻。それらすべて大衆の恐怖心をあおり投資に向かわせ、過剰資本を整理することを目的とした世界経済フォーラム＝ビル・アンド・メリンダ・ゲイツ財団連合のたくらみだった。ゾンビ企業の延命を続けるインデックス投資、ＦＡＭＡＮＧの凋落。米株市場の機能不全解消のためにアメリカがでっち上げた「恐怖」の数々。

本書の内容

第１章 恐怖バブルの時代――前座はコロナ、真打ちは地球温暖化
第２章 ロシア軍によるウクライナ侵攻
――結局、正規軍同士の総力戦にならない
第３章 二酸化炭素＝温暖化の元凶論
――ほんとうの狙いは世界大戦並みの資産破壊
第４章 世界経済フォーラムを支える５大富豪グループ
第５章 株式市場というアリ地獄、
戦争という大噴火が資本主義を支えてきた
第６章 最後に笑うのはオイルメジャーか、省エネ社会か？